中国近现代针灸文献研究集成

教材卷

王富春 杨克卫 / 主编

针灸综合分卷

北方篇（上）

北京科学技术出版社

图书在版编目（CIP）数据

中国近现代针灸文献研究集成. 教材卷. 针灸综合分卷. 北方篇 / 王富春, 杨克卫主编. —北京：北京科学技术出版社, 2021.11

ISBN 978-7-5714-1904-2

Ⅰ. ①中… Ⅱ. ①王… ②杨… Ⅲ. ①针灸疗法—文献—汇编—中国—近现代 Ⅳ. ①R245

中国版本图书馆CIP数据核字(2021)第204684号

策划编辑：侍 伟
责任编辑：吴 丹
文字编辑：吕 艳 董桂红 杨朝晖 严 丹 陶 清
责任校对：贾 荣
图文制作：北京艺海正印广告有限公司
责任印制：李 茗
出 版 人：曾庆宇
出版发行：北京科学技术出版社
社　　址：北京西直门南大街16号
邮政编码：100035
电　　话：0086-10-66135495（总编室） 0086-10-66113227（发行部）
网　　址：www.bkydw.cn
印　　刷：北京捷迅佳彩印刷有限公司
开　　本：787 mm × 1092 mm 1/16
字　　数：888千字
印　　张：96.75
版　　次：2021年11月第1版
印　　次：2021年11月第1次印刷

ISBN 978-7-5714-1904-2

定　　价：**1470.00元（全三册）**

京科版图书，版权所有，侵权必究。
京科版图书，印装差错，负责退换。

“中国近现代针灸文献研究集成”丛书

编　委　会

主　编　王富春　杨克卫

副主编（按姓氏笔画排序）

王洪峰　王喜臣　王朝辉　刘成禹　刘晓娜　李　铁

张　敏　陈新华　周　丹　赵晋莹　胡英华　柳正植

徐晓红　董国娟　蒋海琳

编　委（按姓氏笔画排序）

于　硕　马　鋆　马天姝　马诗琪　马俊峰　王　玥

王　贺　王文慧　王英利　王洪峰　王艳雯　王笑莹

王雪迪　王喜臣　王朝辉　王富春　王鹤燃　王璐瑶

王巍巍　牛　野　亢泽峥　甘晓磊　卢　琦　田　玉

史文豪　白　伟　宁明月　朱　斌　伍春燕　刘　彤

刘　武　刘　超　刘成禹　刘春禹　刘柏岩　刘艳丽

刘晓娜　刘雁泽　刘路迪　闫　冰　江露露　孙玮辰

孙佳琪　孙树楠　李　冰　李　丽　李　铁　李一鸣

李乃奇　李芃柳　李亚红　李建彦　李孟媛　李梦琪

杨　鑫　杨克卫　杨春辉　余召民　狄金涛　张　敏

张　琪　张　楚　张子扬　张丹枫　张珊珊　张晓旭

张晓梅　张瀚文　陆孟静　陈丽丽　陈春海　陈维伟

陈新华　邵　阳　范芷君　范嘉毅　岳永月　周　丹

治丁铭　赵晋莹　赵雪玮　胡英华　柳正植　哈丽娟

钟　祯　洪嘉靖　姚　琳　贺怀林　柴佳鹏　党梓铭

徐　铭　徐万婷　徐立光　徐晓红　高　姗　郭丽君

郭晓乐　曹　洋　曹家桢　康前前　董国娟　蒋海琳

韩香莲　路方平　詹旭晖　谭蕊蕊

《中国近现代针灸文献研究集成·教材卷》

编　委　会

主　编　王富春　杨克卫

副主编（按姓氏笔画排序）

王朝辉　刘成禹　刘晓娜　李　铁　张　敏　陈新华

周　丹　赵晋莹　胡英华　徐晓红　董国娟　蒋海琳

编　委（按姓氏笔画排序）

马天姝　王义安　王艳雯　王笑莹　王朝辉　王富春

白　伟　朱　斌　刘成禹　刘春禹　刘晓娜　孙佳琪

李　铁　李乃奇　李芃柳　杨　鑫　杨克卫　杨春辉

张　敏　张　楚　陈春海　陈新华　周　丹　治丁铭

赵晋莹　胡英华　柳正植　哈丽娟　洪嘉靖　徐立光

徐晓红　郭晓乐　曹　洋　董国娟　蒋海琳　韩香莲

路方平

总 前 言

1840年，鸦片战争爆发，西方列强入侵中国，自此中国由独立的封建社会逐步沦为半殖民地半封建社会。20世纪初，受"五四运动"时期各种新思潮的影响，许多有识之士开始积极地向西方学习，由此，大量的自然科学和社会科学知识传入中国，这对中国的政治和社会经济等都产生了重大影响。近代西医学的影响力逐渐增大，解剖学、生理学等知识开始被当时的人们所了解和接纳，西医医院、西医学校等机构也在中国相继出现。随着西医医护队伍的不断壮大，许多人以转译日本人所著的西医学书籍的方式来学习西医学，并成立了相应的学术团体和职业团体。这一时期的针灸界亦是如此，宁波东方针灸学社、中国针灸学研究社等学术团体相继成立，针灸医家访问日本，带回大量日本的针灸著作并将之翻译出版。这些翻译著作较传统针灸医籍更容易学习，颇受民众喜爱。中国近代中医学家、教育家对针灸学术的研究极大地推动了针灸学的现代发展。中华人民共和国成立后，中医针灸学研究越来越受到重视，著书者众、办学者多，由此，针灸成为中医学研究与发展不可或缺的一环，并逐渐在世界范围大放异彩。2010年，中医针灸被列入《人类非物质文化遗产代表作名录》。中国近现代是中西方思想碰撞的时期，是中医学术多流派发展、百家争鸣的时代，其中又以民国时期最具代表性。研究民国时期这一特殊历史时期的针灸文献，可以为今后的针灸学术发展提供良好的借鉴。"中国近现代针灸文献研究集成"丛书对中国近现代针灸文献进行收集、整理和研究，其中以民国时期的针灸文献为主。

一、民国时期针灸的发展概况

民国时期的针灸学术研究一直未被学界所重视，但作为传统针灸与现代针灸的衔接，这一时期的针灸学术研究影响深远。民国时期是中医针灸学院化教育的萌芽时期，是现代针灸教育模式的源头时期，是针灸学术发展的历史转折期。近年来，对于民国时期针灸文献的研究逐渐被学界重视，大量民国时期的针灸医籍得以整理出版，如承淡安编撰的《中国针灸治疗学》《中国针灸学讲义》，杨医亚在民国时期办学的讲义等。然而，随着对民国时期针灸学术、针灸医籍的研究日渐增多与深入，研究者们面临着一个共同的难题——民国时期针灸文献的收集十分困难。这一难题产生的主要原因是民国时期的针灸文献存量不多，有些甚至已经失传。

经历了明清时期的积淀，民国时期的针灸学术得到进一步发展，针灸学术团体、学术体系逐渐形成，这一时期是传统针灸向现代针灸过渡的时期。以承淡安为代表的澄江针灸学派的先辈们创办中国针灸学研究社，开办针灸讲习所，招收学员，传播针灸技术，实践“针灸科学化”，对民国时期的针灸学术发展具有举足轻重的作用。民国时期针灸名医曾天治提倡的“科学针灸”的理念在这一时期备受关注，这对现代的针灸教育及针灸体系产生了巨大影响。中华人民共和国成立初期，全国各地兴办针灸学校，以承淡安为代表的针灸医家在继承古法、融汇新知的基础上，总结民国时期针灸学术研究成果及针灸教育的经验，开办针灸学习班，创办针灸高等教育学校，为现代针灸教育的发展打下了坚实的基础。

二、民国时期针灸文献的保存现状

有学者据《中国中医古籍总目》考查，发现民国时期的针灸医籍共有193种，较之明代的24种、清代的86种多出数倍。另有学者认为，民国时期的针灸医籍共有254种，其中中国本土针灸医籍有229种。民国时期是针灸医籍大量出现的时期。随着印刷技术的发展，出版书籍的成本逐渐降低，许多书籍得以大量出版。另外，民国时期各种中医学校、学术团体大量涌现，由于教学及学术交流的需要，针灸医籍的出版数量激增。

然而，对这些文献的保护并未得到足够的重视。首先，受当时的历史条件所限，大量图书并未经过正规出版，只是简单印刷，数量较少，且战乱频仍，导致不少文献难以留存全本。其次，由于不是正规出版物，相当一批文献没有进入馆藏系统，而是散落于民间，这使得这些文献留存状况不明，有些文献已经成为孤本，甚至已经散佚。同时，由于当时书籍纸张的质量普遍较差，且装订十分粗糙，部分文献在辗转流传过程中被损坏，已成残本，这种情况尤以油印材料及手抄本为突出。民国时期是我国出版业由手工造纸、印刷向机械造纸、印刷的过渡时期，相关技艺还不够成熟，用于印刷的纸张酸性强、保存期限短，加上长期以来各馆藏机构对民国时期文献的保护观念滞后、认识不足、保管不善，以致部分医籍呈现出不同程度的老化或损毁现象，情况岌岌可危。当前，亟须对这批文献进行重新整理及抢救性保护，使之进入国家各级馆藏体系，为我国针灸学术的传承及中医药事业的发展提供宝贵的文献资料。

三、本丛书所收录的针灸文献情况分析

（一）本丛书所收录的针灸文献书目

作者团队通过查阅《中国中医古籍总目》《中国针灸文献提要》《中国针灸荟萃·现存针灸医籍》《民国时期总书目·医药卫生》等工具书，参考各省（自治区、直辖市）及院校图书馆、档案馆和民间个人收藏书籍，共收集针灸文献1000余种，以来源可靠、记录严谨、实用性强、学术价值及文献价值高为原则筛选出210余种针灸书籍作为本丛书的书目。本丛书所收录的针灸文献以私人藏书为主，除了涵盖约90%的《中国中医古籍总目》所收录的民国时期的针灸文献，还增补了《中国中医古籍总目》所未收录的民国时期的针灸书籍近50种，其中不乏珍稀文献，如讲述"广西派针法"的《针灸菁华》、四川程兴阳的《针灸灵法》（石印本）等。对于抄本针灸文献，部分图书馆公藏的难以查阅，故本丛书未予收录，而民间发现的则择而收之。

本丛书按收录文献的内容题材进行分类分卷，并参考编者或学术团体所在地域进行分册，使体例清晰，便于使用。本丛书所收录文献按内容题材具体分为：①教材类；②专著类；③医案类；④杂志类；⑤图谱类；⑥其他（主要包括清末民国时期的佚名抄本等）。本丛书所收录针灸文献的情况如表1、表2所示。

表1　本丛书所收录针灸文献情况（按内容题材分类）

	教材类	专著类	医案类	杂志类	图谱类	其他
数量	54种	127种	5种	13种	6种	10种

表2　本丛书所收录《中国中医古籍总目》中针灸文献书目数量与《中国中医古籍总目》书目数量对比

	针灸通论类	经络孔穴类	针灸方法类	针灸临床类
“中国近现代针灸文献研究集成”收录书目数量	50种	23种	18种	16种
“中国近现代针灸文献研究集成”未录书目数量	15种	15种	8种	6种
《中国中医古籍总目》收录书目数量	65种	38种	26种	22种

注：《中国中医古籍总目》书目包括本丛书所收录书目与本丛书未录书目。其中抄本书目不在统计范围内，且《中国中医古籍总目》中的重复书目算作1种。①针灸通论类：收录50种，未录15种；另存抄本44种。②经络孔穴类：收录23种，未录15种（其中民国时期11种）；另存抄本64种，其中挂图7种，经查未见3种。③针灸方法类：收录18种，未录8种（多为太乙神针别本）；另存抄本15种（收录1种）。④针灸临床类：收录16种，未录6种（含针灸医案别本）；另存抄本17种。

（二）本丛书未收录的针灸文献书目

在对《中国中医古籍总目》进行查阅及对馆藏图书进行实地考察的基础上，现列举部分本丛书未收录的书目，以便后续收集。

针灸通论类：《针灸便览》、《中医刺灸术讲义》、《针灸秘法》、《简明针科学·论针篇》、《针灸纂要》、《针灸说明书》、《实用针灸医学》、《针灸学薪传》、《针灸学》（富锦文新书局）、《针灸学讲义》、《针灸精华》，以及《针灸学》（《中国中医古籍总目》载四川铅印本，经实地考察，实为《针灸医案》油印本）、《针灸学讲义》（重庆石印本，经查未见）、《针灸讲义》（石印本，经查与《针灸医案》同一函，蓝印）。

经络孔穴类：《脉度运行考》、《经络图说》、《俞穴指髓》、《铜人经穴骨度图》（张山雷）、《明堂孔穴针灸治要》（孙鼎宜）、《经络要穴歌诀》（经实地考察，该书与《经穴摘要歌诀·百症赋笺注》系同一馆藏代码，系重复编目）、《经穴辑要》（勘桥散人）、《十四经穴分布图》（姚若琴，经查未见，经考证为中华人民共和国成立后出版的，《中国中医古籍总目》有误）、《铜人新图》（范更生）、《正统铜人插针照片》、《实用铜人经穴图》（董德懋）、《针灸经穴挂图》（杨医亚）、《人体十四经穴图像》（赵尔康）、《人体经穴图》（承淡安）。以上多系人形挂图，未收录。

针灸方法类：《砭经》、《神灸经论》、《传悟灵济录》、《灸法秘传》、《灸法心传》、《延寿针治症穴道》等部分晚清针灸古籍。以上近年多有出版，未予收录。

针灸临床类：《济世神针》、《针灸治验百零八种》、《针灸医案》（系收录《针灸医案》别本）。

如上所述，本丛书基本涵盖了《中国中医古籍总目》所列大部分馆藏图书，亦收录了馆藏未见的民国时期的针灸书目近50种（其中新发现的民间私立学校所用针灸材料有数十种），缓解了目前民国时期针灸文献研究材料难得一见的窘迫局面，既能及时抢救该时期的中医针灸文献，又可使之化身千百，服务于学界，促进文化的传承。

四、民国时期针灸文献的价值及其对近现代针灸学术的意义

（一）民国时期针灸文献的价值

1. 文献保存

民国时期是一个战乱不断的特殊历史时期，战乱对书籍的保存流传的影响是灾难性的，如《针灸杂志》有35期，其中一部分印有千余册，时隔近百年，存世者已非常稀少，可见民国时期的针灸文献散佚了不少。部分老中医所藏医籍在1966—1976年亦有损毁，如著有《实用科学针灸》的谈镇尧（《中国中医古籍总目》为淡镇垚，系误）多年来整理的资料在这一时期几乎被销毁殆尽。《实用科学针灸》一书在河南中医药大学有藏，惜其只藏有中、下两册。在收集文献的过程中，作者团队收集到了谈镇尧的《实用科学针灸》《实用针灸讲义》。其中《实用针灸讲义》为1955年内部铅印本，其内容包含了谈镇尧已散佚的著述与资料，因此，该书的发现将谈镇尧的主要针灸医籍很好地保存了下来。民国时期的针灸文献凝结了一代中医针灸工作者的宝贵经验，是一代人无私奉献的结果，是我国中医针灸工作者宝贵经验和学术成果的集中体现。收集整理民国时期的针灸文献，可有力推动中医针灸学的发展。

2. 历史研究

1929年震惊中医界的“废止中医案”事件，使民国时期的中医学发展遭遇了前所未有的政策压制。民国时期的针灸史研究是整个近现代医学史研究的重要组成部分。目前我国对针灸史的研究多集中在民国时期以前的文献，对民国时期针灸文献

的研究基本处于空白状态。

民国时期是以澄江针灸学派为主导的多流派共发展、百家争鸣的时期。澄江针灸学派兴起于20世纪30年代。该学派以近代针灸名家承淡安先生为代表，以中国针灸学研究社核心成员及其传人为主体，是中国针灸学术发展史上具有科学学派特质的学术流派。民国时期该学派的代表人物还有罗兆琚、曾天治、赵尔康、杨甲三、程莘农等。该学派创办了民国时期影响最大、发行时间最长的针灸专业期刊《针灸杂志》，开创了具有现代化教育模式的中国针灸讲习所，推进了针灸学院化教育方式的发展。该学派的代表人物撰写了高质量的著作，如承淡安的《中国针灸治疗学》《中国针灸学讲义》，曾天治的《科学针灸治疗学》《针灸医学大纲》，罗兆琚的《中国针灸经穴学讲义》《实用针灸指要》，赵尔康的《针灸秘笈纲要》。这些书籍对民国时期及后世针灸医生影响甚深。除此之外，《（香港）广东中医药学校针灸学》（周仲房）、湖南国医专科学校《针灸学讲义》、《莆田国医专科学校针灸讲义》、《广西省立医药研究所针灸学讲义》、《广西省立南宁区医药研究所针灸学讲义》、《华北国医学院针灸讲义》、江苏省立医政学院《经络俞穴歌诀》等馆藏未见讲义陆续被发现，这为研究民国时期全国各地的院校教育提供了宝贵的一手材料。

作者团队在关注学院教育的同时，也收集到数目可观的民间私立学校的教学讲义，如《天津私立益三针灸传习所讲义》、《私立叔平针灸学社讲义》、《温灸术函授讲义》（广东温灸术研究社讲义）、《针灸菁华》（胡耀贞传习广西派针法使用的讲义）等。这些讲义使得民国时期的一些针法及治疗经验得以保存下来。

3. 临床应用

（1）“穴性”对初学针灸者的指导价值。“穴性”一词起源于民国时期。中华人民共和国成立后，“穴性”一词经李文宪、孙振寰等针灸医家的推广而广为流传。陈景文《实用针灸学》记载：“穴之有性质，亦犹药之有性质，知其性质，而后方明其功用。”该书将86穴分为气、血、虚、实、寒、热、风、湿8门。罗兆琚《实用针灸指要》记载：“夫所谓穴义者，即各穴具有之主要特性也，知其性之所在，而后明其功用之特长。故研究针灸术者，不知穴之性质，亦犹讲求方剂，而不识其药性。”该书记载了122穴，依旧将其分为8门。曾天治《针灸医学大纲》第五编“证治”中有“分门取穴”一节，此节除了介绍气、血、虚、实、寒、热、风、湿8门，又介绍了汗、肿、积、痛4门，然而后增的4门实为治疗处方，并非“穴性”。李文宪的《针灸精粹》亦记载了8门“穴性”的相关内容。20世纪80年代，孙振寰的《针灸心悟》记载了

"经穴性赋"的内容，使"穴性"广为流传。

"穴性"分气、血、虚、实、寒、热、风、湿8门。将药性与"穴性"进行对比，对腧穴进行分类，可使腧穴的临床应用更加系统化。"穴性"理论对于初学针灸者有较大帮助，初学针灸者可以依据症状选取穴位进行治疗，这种按"穴性"进行针灸治疗的方式在当时得到了众多医家的认可，并影响至今。

（2）"针灸科学化"为临床建立了相对容易理解的针灸理论体系。民国时期，在"五四运动"时期各种新思潮的影响下，西方科学技术和西医学在中国迅速传播，对针灸学术的发展产生了巨大而深远的影响。中医存废之争及中医科学化思潮使中医针灸面临着巨大的生存危机，以致民国时期的针灸医家被迫对当时的针灸进行反思和变革，试图用"西学"阐释和研究针灸，力求用"科学"改善针灸的生存环境；同时，日本针灸著作和研究成果的引进和翻译，将日本明治维新时期通过引进西方科学技术、西医学方法来阐释和研究针灸机制的方式带入中国。这使民国时期的针灸医家看到了曙光和希望，他们力图效仿日本而革新针灸，试图将中医针灸科学化，这也成为民国时期针灸学术的一大特色。

民国时期的针灸医家将解剖学引入对经络实质的研究中，进而阐释针灸治病的机制。如张山雷在《经脉俞穴新考正》中言："中医之所谓经脉，质而言之，即是血管。"但在民国时期，以血管阐释经络的理论并未占据主流。这一时期以承淡安为代表的针灸医家，将用"西学"阐释针灸原理的方式从日本带回中国并广泛传播。如承淡安在《中国针灸治疗学》中用神经、血管、淋巴来解释经络系统；在《增订中国针灸治疗学》中明确指出经脉由血管、淋巴、神经等构成，用刺激神经的理论阐释针灸治病的机制，通过"强刺激、中刺激、弱刺激"来阐释传统针法的泻法、平补平泻、补法，并将手法量化为具体的操作范式，以便于临床应用。

（3）"广西派针法"的传承与实践。"广西派针法"肇兴于清代末期，起源于广西，创始人为光绪年间著名针灸医家左盛德先生。民国时期，"广西派针法"传播于安徽、天津以及江南等地，成为国内闻名、成绩斐然、颇具影响的针灸流派。

罗哲初（1878—1944），字树仁，号克诚子，"广西派针法"的代表性针灸学家、针灸教育家。罗哲初弟子张治平受该学派思想影响，编著《针灸菁华》。该书现仍存世，是目前研究"广西派针法"的重要资料。以《针灸菁华》为主线展开研究，作者团队发现了以罗哲初、张治平为主传承的2支"广西派针法"传承脉络，一是张治平→吕应韶→胡耀贞的传承脉络，二是张治平→王文锦→于冈樵→白荫昇的传承脉络。通过对《针灸菁华》所载内容的初步梳理发现，该书应为“广西派针法”传习过程中的针灸讲义，经张治平、胡耀贞等弟子整理得以保存下来。参考“广西派针法”相关研究文章，可以窥见“广西派针法”的针灸特色，其特点为遵循子午流注学说，以奇经八法、井荥输经合、主客原络为取穴原则，运用生成数施行补泻手法，独擅针下辨气，将针下气感分为紧、绵、虚、顶、吸、滑、涩、软、微、无力、纯紧、纯虚12种，并在辨气的基础上，采用针刺手法以治疗疾病。《针灸菁华》记载了《六十六穴歌》，将六十六穴每穴编为七言歌诀以便记诵，并记载了《治验效穴歌》《行针秘要歌》等针灸治验歌诀，以便读者学习或研究。

罗哲初及其弟子张治平对“广西派针法”的传承做出了突出贡献。近代分布在天津、安徽、山西及浙江宁波等地的数名针灸医家（如天津的郑静侯、曹一鸣、张治平、华佩文，安徽的刘泽涛和田理全，山西的胡耀贞，以及浙江宁波的裘如耕等）与“广西派针法”皆有渊源。这些针灸医家对“广西派针法”进行了传承与发扬，如郑静侯对“奇经八脉推算开穴法”进行了研究，曹一鸣对“养子时刻注穴法”进行了研究，华佩文对“不留针法”的催气、调气、行气进行了研究，胡耀贞对“无极针法”进行了研究等。这些针灸医家在继承“广西派针法”精髓的基础上，崇尚古法，融汇古今，形成了独具一格的针刺方法及手法，对“广西派针法”的传播做出了卓越的贡献。

（二）民国时期的针灸文献对近现代针灸学术的意义

1.是对近现代中医针灸学术成果的系统总结和突出展示

民国时期的针灸文献记载了当时的针灸医家传承针灸学术的宝贵经验。民国时期是中医针灸学院化教育的萌芽时期，是针灸学术发展的历史转折期，是现代针灸区别于古代传统针灸的开端，是现代针灸教育模式的源头时期。对该时期的针灸文献进行系统、全面的挖掘和总结，是我国中医针灸发展史上具有里程碑式意义的大事。保护好、传承好这些中医针灸文献，并对其进行深入、系统的研究，发掘针灸医家的宝贵经验，不但可以为当今的中医针灸学术研究提供资料和良好的借鉴，还对我国中医药事业的发展具有重要的现实意义和历史意义。

2. 使针灸学术经验得到完整的传承

民国时期的针灸文献凝结了一代中医针灸工作者的宝贵经验，是一代人无私奉献的结果，是该时期我国中医针灸宝贵经验和学术成果的集中体现。我们应珍惜该时期的文献资料，珍惜一代人的无私奉献。通过收集整理、出版该时期的文献，可以有力地推动我国针灸学术的传承发展。

3. 有助于我国中医针灸产业的发展

作者团队对民国时期中医针灸文献进行细致的筛选，并对本丛书所收录的每一种文献进行了深入的研究，撰写了内容提要，对每一种文献的主要学术价值、临床实用性等做出了客观的评价。这使得本丛书整体的学术质量得到了明显提高，也为中医针灸文献后续的学术研究、临床实践、学术流派研究、新疗法创新等工作，奠定了良好的学术基础。长期沉寂在近现代针灸文献中的技术、疗法的不断涌现，必然会对我国针灸相关产业的发展起到积极的推动作用。

4. 填补学界空白，有助于促进我国优秀传统文化的发展

对民国时期针灸文献的研究填补了这一时期针灸文献学术研究的空白。此次整理是中华人民共和国成立以来对这一时期针灸文献最集中、最全面的收集整理。此次整理以《中国中医古籍总目》为主要线索，对该时期的材料进行地毯式搜集。此次整理、出版使近现代针灸文献（本丛书目前所收录的文献以民国时期针灸文献为主）得到了抢救性保护，缓解了当前部分文献传承断裂的严峻局面，使民国时期针灸文献整体进入国家各级馆藏体系，有力填补了民国时期针灸文献学术研究的空白，为我国中医针灸的传承和中医药事业的发展提供了宝贵的文献资料，从而大大促进了我国优秀传统文化的发展。

前　言

《中国近现代针灸文献研究集成·教材卷》所收录的近现代针灸教材文献多出版于民国时期，少数出版于中华人民共和国成立后。

民国时期针灸教育的发展可谓曲折，1914年北洋政府主张废止中医，1929年国民政府通过了“废止中医”的提案，这些举动大大地影响了我国针灸学术的继承和发展。此时期的针灸学家们也清楚地意识到了中医针灸濒于湮灭的危机，他们团结一心，通过开班办学、创办杂志、翻译国外针灸著作等实际行动振兴中医针灸学，为我国针灸学的继承及发展做出了重大贡献。中华人民共和国成立初期，在民国时期中医院校、针灸学术团体的基础上，全国各地大力兴办中医学校，开办针灸学习班，中医针灸学术和教育得以进一步发展。

民国时期是传统针灸与现代针灸的衔接时期，是中医针灸学院化教育的萌芽时期，是针灸学术发展的历史转折期，是现代针灸治疗及理论区别于古代传统针灸的肇始。总结民国时期针灸学术的研究成果及针灸教育的经验，对现代的针灸教育影响深远。

民国时期的针灸教育主要有以下几方面的特点：一是针灸教育团体、学术体系逐渐形成，针灸学校主要由社会团体或个人创办；二是形成了具有地域特征的针灸学术流派，传承有序、传播广泛；三是教学内容以传统中医针灸理论为基础，注重吸纳西学，提倡“针灸科学化”，如以《西法针灸》、《高等针灸学讲义》等为代表的国外针灸著作被译成中文广为流传。

如1931年承淡安等学派先辈们创办了中国医学教育史上最早的针灸函授教育机构——中国针灸学研究社，开办针灸讲习所，开创了我国近代针灸教育的先河。该研究社传授并实践“西式”针灸学术，所用教材《中国针灸治疗学》与传统的针灸学著作不同，采用解剖学来讲解腧穴的定位。为了深入研究新法针灸，1934年10月，承淡安东渡日本学习和考察日本的针灸学，并带回针灸教学图具和在中国已经失传的

《十四经发挥》等医学专著。中国针灸学研究社培养出了邱茂良、罗兆琚、曾天治、赵尔康、杨甲三、程莘农等众多针灸名家，他们遍布全国各地，传道授业，对澄江针灸学派的传承与发展、对中医针灸学的传承与发展做出了重要贡献。

又如广西派针法的代表罗哲初游学办学，继承古法，以师传身授的教学方式在上海、南京、宁波、安庆等地先后举办了8期“针灸讲习班”，培养了一大批造诣颇深的针灸医家。这些人遍布大江南北，为传承和发扬广西派针法发挥了重要作用。罗氏弟子中如郑静侯、张治平、曹一鸣等积极研究学习针灸学术，对民国时期民间针灸学术的发展起到了重要的推动作用。

为适应时代变化和针灸学术的发展，民国时期的针灸教材在重视传统针灸理论的基础上，大都积极借鉴西方医学理论知识体系，重新诠释传统针灸理论。当时以西医学解剖部位及神经、肌肉等知识讲述腧穴的定位，以西医学神经、生理等知识阐释针灸现象已被广泛认可。针灸教材的内容渐趋规范化、科学化、实用化。

从民国时期针灸教材的内容中可以看到这一时期针灸学术研究的状况以及现代针灸教材的雏形。

但是需要注意的是，民国时期的针灸教材文献存量不多，大多已经失传。作者团队以《中国中医古籍总目》为主要线索，对以该时期为主的针灸文献进行地毯式搜集，经过10余年的努力，收集了1000余种针灸文献。此次，作者团队遴选了民国时期的针灸教材文献54种作为研究对象，以期保存和传承这些文献，为中医针灸的发展尽一份绵薄之力。以馆藏未见讲义为例，作者团队搜集到数种难得一见的针灸教材，如《（香港）广东中医药学校针灸学》（周仲房）、《针灸学讲义》（湖南国医专科学校）、《广西省立医药研究所针灸学讲义》、《广西省立南宁区医药研究所针灸学讲义》、《莆田国医专科学校针灸讲义》等，为民国时期全国各地的院校教育的研究提供了珍贵的一手材料。

另外，作者团队在关注学院教育的同时，也收集到数目可观的民间个人创办的私立学校的教学讲义，如《天津私立益三针灸传习所讲义》、《私立叔平针灸学社讲义》、《针灸菁华》（胡耀贞传习广西派针法使用的讲义）等。这些讲义在继承明清时期文献的基础上，以传承古法居多，使得一些家传针法及治疗经验得以较好地保存下来。私立办学在民国时期对针灸学术的发展也产生了举足轻重的影响。

此次对54种针灸教材文献的整理，以文献的内容题材进行分类，并参考编者或学术团体所在地域进行分册，体例清晰，便于使用。《中国近现代针灸文献研究集成·教材卷》按内容题材分为：①针灸基础分卷；②针灸技法分卷；③针灸临床分卷；④针灸综合分卷。其中，针灸基础分卷又按地域分为江浙闽篇、北方篇、两广篇；针灸综合分卷按地域分为江浙闽篇、北方篇、广东篇、广西篇、湖南篇。通过上述的分卷、分篇，可以方便读者学习与研究该地区的针灸学术特色。

以民国时期为主的近现代针灸教材文献承载了该时期针灸医家传承针灸学术及教学的宝贵经验，对整个近现代的针灸发展具有深远影响。本次对这一时期的针灸教材文献进行系统整理、深度挖掘和总结，对我国中医针灸的发展具有重要的历史意义和现实意义：不仅可以保护珍贵的文献资料、呈现针灸教育发展史，还将填补民国时期针灸教材文献研究的空白，为现代针灸教育的改革与发展提供参考和借鉴。

目　录

近世针灸学全书·
实用针灸治疗学

提 要

一、作者小传

杨医亚（1914—2002），原名杨益亚，曾用名杨鸿星，河南温县人，中国共产党员，九三学社社员，河北中医学院教授。1934年，杨医亚考入近代名医施今墨先生主办的华北国医学院。在校学习期间，他受聘于施今墨先生主办的《文医半月刊》，任主编。1937年，杨医亚主办了《国医砥柱》月刊。办刊期间，他发表了大量针灸方面的文章。1938年，杨医亚从华北国医学院毕业。1939年，杨医亚在北京创办了国医砥柱总社函授部（1943年更名为中国国医专科函授学校）及中国针灸研究所函授部学习班。1943年，杨医亚受聘于华北国医学院，任教授。1949年，杨医亚被聘为华北国医学院院长。之后他辗转于河北、天津等处，任编辑、教师等。1983年，他被调至河北中医学院任中医基础教研组主任、教授，直至1988年退休。

办学期间，杨医亚撰写和翻译了多部针灸著作，包括《针科学讲义》《中国灸科学》《配穴概论》《针灸治疗学》《针灸处方集》《针灸秘开》《针灸经穴学》《针灸治疗医典》《耳针疗法》《孔穴学》《实用针灸治疗学》《袖珍针灸经穴便览》等。中华人民共和国成立后，上述书籍有部分再版。1954年，《近世针灸医学全书》出版，该书是在《针灸经穴学》《针科学讲义》《中国灸科学》《配穴概论》《实用针灸治疗学》等的基础上改编而成的。

二、版本说明

杨医亚著，北平国医砥柱月刊社出版。

三、内容与特色

该书全1册，从循环器疾患、呼吸器疾患、消化器疾患、泌尿器疾患、生殖器疾患、运动器疾患以及神经系统疾患7大类疾病出发，系统详细地阐释了疾病的定义、分类、鉴别诊断和治疗方法等内容。在疗法总论中，作者提出了“两重视”：第一，重视心脏功能，在治疗时，注重观察心脏的代偿状态；第二，重视神经系统在治疗过程中的作用。该书提出了神经传导、神经代偿等现代医学的内容，具备了用现代医学理论阐释针灸的雏形。

现将该书特色介绍如下。

（一）内容完备，疾病系统

该书主要讲述了针灸治疗学的相关内容。该书将疾病分为7大系统疾患，涵盖了大部分常见疾病，详细介绍了每种疾病的病因、症状及针灸方法，内容充实，结构明晰，学习者可以清晰明了地找到相应疾病的内容，对于系统学习和记忆相关内容有很大的帮助。

（二）兼收并蓄，中西互补

该书将神经系统的相关知识融入到针灸学中，运用现代医学知识阐释神经传导、代偿等生理反应与针灸的相关性，对于解释针灸的治疗作用和治疗机制做出了相当大的贡献，为针灸学走向世界提供了可靠的依据，同时，体现了针灸学兼收并蓄、取长补短的特征，为后人编写针灸学教材提供了参考。

1085

近世針灸學全書

（實用針灸治療學）

中州楊醫亞醫師編著

（全一册）

1948

北平國醫砥柱月刊社出版

實用針灸治療學講義目錄

第二章 呼吸器疾患

第三章　消化器疾患

實用針灸治療學講義目錄

第五節　腹膜疾患

第六節　肝臟疾患

實用針灸治療學講義

中州楊醫亞編述

第一章 循環器疾患

第一節 療法總論

一、凡施心臟之針灸治療時，應注意其心臟之尚能維持代償狀態與否？或既已成代償機能廢絕而至於失調之末期。

二、治療法可試以直接刺激療法，誘導療法，反射刺激，傳導療法等。

三、於心臟之神經系統，必要刺激傳達，以調節心臟之代償機能為主眼。

四、刺激迷走神經時，有鎮靜心臟之作用，其針灸點如下：

迷走神經（副交感神經）之針灸點為天柱，風池，其他第三頸椎以下，第一胸椎之一橫指寬度兩側深約二分乃至五分位之刺入，各行以適當之手技，刺激副神經傳達。

灸療則對此等部位作用小灸六壯乃至八壯。

五、刺激交感神經，可促進心臟肌肉之收縮，而增加心臟之搏動。

交感神經之針灸點，爲由第七頸椎及第一胸椎之一橫指寬兩旁深約一寸乃至一寸五分之刺針，而傳達交感神經上、中、下，頸神經節之刺激，以促進心臟之運動也。

灸療，則除上述之部位外，復用大杼、風門、附分、肺兪、等灸十壯乃至二十壯之目的。

六、心臟之 Head（海道氏）知覺過敏帶，依後藤博士之研究爲：

兪府 中府 神藏 胸鄉 大杼 風門 膈兪 肝兪 魂門 膽兪 小海等穴，故臨床亦可利用是等經穴作巧妙之應用。

此外復可試以腎兪 大腸兪 小腸兪 三陰交等之誘導療法。

第二節 心臟器疾病

本病類可見包括心臟內膜炎，心臟瓣膜病等，其治療法均可參照療法總論酌爲取用之，針灸對於此類病，皆屬對症療法，故難語其確效也，附下：

一 急性心肌炎

本病療法，可試以俞府 大杼 風門 肺俞 灸十壯，或刺針於手之小海以傳導反射刺激而治之。

二 脂肪心臟

本病療法，主要爲誘導療法，對症療法，可灸身柱二十壯有效。

第三節 心臟之神經性疾患

一 心悸（舊稱怔忡）

原因 本病因神經系統易受感激而心悸者佔多數，而神經衰弱症及消化不良者尤多，或爲急性熱病之後患，如重症傷寒白喉之後，其他胃腸，腎臟子宮卵巢，腦，脊髓，諸般心臟疾患，以及貧血，煙酒等中毒，爲致本病之原因。

症候 發作時，脈頻數而急，（一分間多至二百至甚者至不能數）胸部苦悶呼吸促迫，顏面蒼白，肢端青紫，頸動脈博動甚著，發作之持續有種種自數分時至十二時。

療法 重要之點係使病者之精神安靜，特以針灸爲最適應症，可用天柱，風池，第三頸椎以下各棘狀突起之兩旁各開一寸處之刺針，約一寸左右之深度，予以强刺激，企以鎮靜交感神經心臟叢，並針小海，俠白三分，傳達反射之刺激，又對此等之各穴作深約二分乃至五分之淺刺激，以予副神經刺激，而傳達於迷走神經之心臟枝，使迷走神經興奮。

灸療——可灸神藏 胸鄉 各八壯 大杼十壯 小海五壯。

「附說」治療理論，企圖鎮靜一般之神經系，并交感神經之心臟枝，對於迷走神經之心藏枝則興奮之。

二 狹心症（舊稱眞心痛）

原因 由於神經之疾患（神經衰弱，歇斯的里）器質之疾患（冠狀動脈硬化，慢性心肌炎，脂肪心臟，心臟瓣膜障礙，心囊疾患，萎縮腎，）子宮卵巢疾患，月經異常，閉經期，脊髓癆等之反射。

症候 發作性之心部激痛，波及于肩胛頸及上膊，心窩苦悶顏面蒼白，肢端青紫，額部冷汗，手足厥冷，心悸亢進，脈細數，或停止，夜間猝發爲常，或踵于感冒，過勞，及消化障碍而起，發作之終，突然而止，或以暖氣，嘔吐，放屁，脫糞爲前驅。

療法　針療——神藏　胸鄉　以深二分至三分之強刺戟，並用大杼　風門　附分　肺俞，作深約五分之強刺戟，更於右手之小海　三里　魚際　行以強度之單刺術。

灸療——可用上述諸穴選擇灸用，各灸十二壯。

三　神經性狹心症

本症與前述狹心症發作之療法，大致相同，但本病原因，乃屬諸純管能性者，故可用暗示推感之手術，獲得偉大之效果，刺手三里・廉泉等穴使之有獲得鎮靜之目的。

灸法——則以身柱穴灸十壯，左右之手三里同八壯，對於發作性鎮痛之後療法則應以促進消化，吸收，同化等。

或者刺天柱穴約五分，此外用瘂門　風池　完骨　神庭等試以刺激腦神經系統之鎮靜，可獲甚有力之奏效，此實百發百中之偉効，不可輕視之。

四　動脉硬化症（舊稱血萎生風）

原因　本病以老年男子爲多，起因於動脉管之頹廢，酒精中毒，梅毒等爲多，或持續性身體過勞，急性傳染病，外傷精神感動及神經諸病，以及注射腎上腺素等。

症候　顳顬動脉，撓骨動脉，上膊動脉，硬變彎曲硬固，手觸可知，血壓上昇，甚者達於三百毫以上，脉遲，或併發肺氣腫萎縮腎等，患者頭部充血，疼痛，眩暈，有腦溢血之傾向，下肢動脉硬化，則步行困難，或發生間歇行跛行症，腸管動脉硬化，攝食後，則鼓腸　便秘　腹痛。

療法　身柱　膏肓　大杼　各灸以八壯，并灸手合谷，行間八壯，針療可用以上之各穴爲主治穴　刺針外并可輕觸全身各穴以行皮膚刺激。

五　大腫脉瘤

本病與動脉硬化同，普通一般醫療方由徵劑之驅梅療法，並佐以嗎啡等之鎭痛。針灸療法，則可以膏肓穴，施用大灸，並用足三陰交，與絕骨。（瀉補）而促其化膿爲目的。施以大灸，或灸膏肓百壯。

第二章 呼吸器疾患

第一節 鼻之疾患

一 急性鼻炎（古稱傷風鼻塞）

原因 本病之原因以感冒爲主，其他一、塵埃吸入，刺激性蒸氣吸入，爲最頻繁二、與其他傳染病併發，例如風濕，痲疹，傷寒，猩紅熱，白喉等，三、續發於淋疾，梅毒，結膜化膿等症，四、藥物中毒，例如碘劑，臭素劑之內服，五、精神之感動，六、鄰接部炎症之傳播，七、傳染等皆能發生本病。

症候 本病多俄然而來，往往有輕度之發熱，前額疼痛鼻腔掀灼，閉塞，噴嚏，語帶鼻音，分泌粘液性之鼻汁，漸次增加而爲水樣，時則變爲膿樣，延不治愈，則上唇濕疹，且易誘發丹毒，在乳兒發生本病，則易發危險症狀，往往因呼吸障礙不能吸乳，且併發氣管枝炎。

療法 本病治療之目的爲抵抗力增强並消炎，爲針灸法之適應症，可刺針于天柱，風池，完骨，二分乃至五分，並針攢竹一分，大杼，風門各一寸，曲池，合谷二分乃至三分之反射或誘導療法。

灸療——主以大杼　風門　身柱　曲池　合谷等穴灸七壯。

二、慢性鼻炎（中稱鼻淵之類）

原因　本病爲主襲腺病質之人體，爲長久吸入塵埃，炭酸氣等，及濫吸烟草而發，尤其急性鼻加答兒類經迂延不治而續發者。

症候　一、單純性，僅分泌液增多，有輕度之鼻塞。二、肥厚性鼻管之組織變爲肥厚。萎縮性，鼻組織菲薄，其他同時發生鼻茸或潰瘍，患者鼻根部發疼痛，閉塞，失嗅覺，語帶鼻音，膿樣或稀薄之流液，時時漏出（鼻淵）成萎縮性時，則鼻腔乾燥，分泌物帶嗅氣，有時且併發反射的神經病，如喘息，神經衰弱，眼疾，流產等。

療法　本病爲使抵抗力之增强，組織之恢復計，可選用鼻炎所用者之各穴，以試之。

三　衄血（中稱鼻衄）

原因　一、常習性，二、由心臟瓣膜疾患，急慢性鼻炎，脾臟硬化，動脈硬化，血友病，壞血病，紫斑

病，傷寒，猩紅熱等而發，三、處女倒經●

症候　本病當發生時，雖無何等異狀，然遇貧血等患此，往往眩暈耳鳴，頭痛，全身倦怠，甚者至於失神●

療法　充填棉花球于鼻腔，或冰鼻根部，頸項部，施以冷罨包，屢奏著効。如衄血强劇，須令患者謹守安靜，總之使血液循環良好，鼻腔血管收縮爲目的，針療，可選用攢竹，素髎，天柱，風池，針一分乃至五分之刺針，使傳達刺激，以促鼻之血管收縮，並針肩中，肩外，肩井，手三里，合谷等作三分乃至八分之誘導。

灸療——選用以上三至五穴各灸十壯●

附一、急性上顎竇炎

療法　取攢竹，合膠一分乃至三分，以天柱　風池　完骨　翳風爲主治穴，此外更在肩背諸穴，及四瀆陽池等穴或反射之刺戟●

灸療——可用天柱　風池　身柱　四瀆等穴各灸十壯●

附二、慢性上顎竇炎

本病治療爲使抵抗力增强促進膿汁之排洩爲目的。

療法　針灸均可選用急性上顎竇炎之各穴。

附三、急性前頭竇炎

療法　本病以攢竹陽白，本神，神庭爲主治穴，以一分乃至三分之刺針，刺激，更利青靈，臂臑　大椎　身椎　手三里　一分乃至五分刺針而以反射，或誘導之刺激。

灸療——用臂臑，大椎，身柱手三里，各灸八壯

附四、慢性前頭竇炎

療法　選用急性前頭竇炎所用各穴。

灸療——則以本神，風池，四瀆等穴各灸八壯。

第二節　喉頭疾患

一、急性喉頭炎（中稱燥氣感冒咽乾燥病等）

原因　（一）以感冒爲頻繁。（二）續發於急性傳染病。例如麻疹、風溫、猩紅熱、丹毒、等。（

三）續發於鼻腔、及咽頭之炎症。（四）刺激性蒸氣吸入。烟草濫吸。過度發聲。亦爲起病之原因。

症候　主徵爲聲音變化。鈍濁粗糙、或嘶嗄失音。患部灼熱。乾燥、。嚥物疼痛。欬痰多。全身狀態。或惡寒。發熱、頭痛。或不過輕度違和。時或咯血。

療法　針療——水突，天突針三分，聽會，天容針四分，天柱　風池　肩井　肩外　手三里，等針五分乃至七分，行弱雀啄術。

灸療——用天容穴作極小灸三壯，肩中　肩外　大抒　灸八壯。

二、慢性喉頭炎（中醫稱喉癬）

原因　續發於急性喉頭炎。或職業的聲音過勞（教師、演說家等）。以及肺勞、黴毒等。酒客亦屢屢發生本病。

症候　喉頭乾燥、辛辣　聲音嘶嗄。咳嗽、痰濃。漸次發喉頭潰瘍。

療法　針療——針水突，天突　天柱　風池等針二分乃至五分，肩中　肩外　肩井　針五分乃至一寸，手之曲池，四瀆針二分。

灸療——爲前述各穴，取捨選用之，小灸十壯外，並身柱灸十壯

「按」本病治療理論使傳達刺激于喉頭神經，以企回復粘膜幷消炎之目的。

三、聲門痙攣（小兒喉頭痙攣）

原因　發於生後四月至二年之兒童。尤其佝僂病及腺病性小兒之罹於貧血性肥胖病者爲多。恐由於維他命之缺乏。

症候　以發作性之聲門狹窄、或閉塞、爲特徵。面色蒼白。四肢青紫。眼球突出。全身搐搦。神識亡失。多發於夜間。

療法　爲便上下喉頭神經之鎭靜爲目的，可針水突，天突，單刺一分，天柱　風柱、風池　定骨　天容針二分乃至三分，並針經渠一分。

灸療——可以大抒爲主治穴，作小灸七壯。

第三節 氣管枝疾患

一、急性氣管枝炎（中醫稱風溫咳嗽及重傷風等）

原因 感冒 鼻炎 喉頭炎之波及。刺激性氣體（强酸類瓦斯、綠氣等）之吸入。又爲急性傳染病例如麻疹 疫欬 風濕 肺癆 傷寒 白喉 瘧疾 丹毒 黴毒等之續發症。

症候 惡寒、發熱（以小兒爲多）。頭痛。不思進食。欬嗽。喀痰（始爲生痰。透明粘稠。繼爲熟痰。不透明而濃）。在毛細氣管枝炎（以老人及小兒爲多）。則欬嗽頻作。呼吸困難。吸氣時。胸廓陷沒。肢端青紫。體溫昇騰。脉搏頻數。屢屢移行於肺炎而致死。

療法 本病以袪痰，消炎爲目的。

針療——以大杼 風門 肺俞 厥陰俞 膈俞 肝俞 附分 魄戶 膏肓 膈俞，針五分乃至一寸，行中等度之雀啄術并針手三里，小海二，三分行同樣手技。

灸療——以大杼 風門 肺俞，左右穴各灸八壯，或用四華之灸，或膏肓（灸二十三壯）之灸

二、慢性氣管枝炎（古稱老弱痰症，痰飲氣急等）

原因　（一）由急性炎漸次繼發。（二）塵埃、及刺激性氣體之長久吸入。（三）碘、鉀、及亞，酸之中毒。（四）肺結核、及心臟病之波及。（五）職業之關係（例如石工、紡績工、製皮工等）。（六）居常吃煙、飲酒者。

症候　朝夕欬嗽，咯痰頗甚。（一）乾性。咯少。欬嗽頗劇。（二）氣管枝漏。痰多而薄。放置時分上下兩層。上層爲泡沫。下層爲膿液。（三）粘液性。或濕性喘息。由於激甚之發作性欬嗽。咯出漿液性或粘液性之痰。（四）腐敗性。呼氣臭。欬嗽頻作。咯出多量之臭痰。

療法　可選用急性症之各穴，又可用四華患門穴灸十二壯，並左右之大抒　風門　肺俞　厥陰俞肝俞　魄戶　附分　膏肓　神堂　譩譆　三焦俞　用小灸十壯外，更用小海作小灸十壯，可奏偉効。

「按」本病治療爲促進一般抵抗力之增强，增進營養局部之新陳代謝旺盛，并減少分泌，又對於其原病之治療無論矣。

三・氣管枝喘息（古稱哮喘）

原因 本病之屬於何因。古說頗有種種。然吾人實際上所遭遇者。約有數種。（一）過敏症說。對於一定之物質。惹起本病。例如馬糞 獸毛 花粉 塵埃 及阿司匹靈、或水楊酸等是也。（二）炎症性說。往往發於慢性氣管枝炎及肺癆之經過中。 （三）反射說。起於神經性之反射作用。例如鼻粘膜肥厚、扁挑腺肥大、腸寄生蟲、子宮病，便秘等是也。 （四）體質異常說。神經質之人體。因遺傳而患本病。本病以神經性之男子爲多。恒發於四十歲以上。然小兒亦有犯者。

症候 突然而發。以夜間爲多。此際患者、呼息的呼吸困難。於高調之伊軋音及鼻音。前額冷汗。頸動脈怒張。口鼻發紫。發作之終。咯出少許之膿痰。

療法 本病發作時，可引對症的鎮痙手技，並應依其原因而爲原因之治療勿論矣，可多附分 魄戶 膏肓 神堂 意喜 大抒 風門 肺俞 厥陰俞，心俞各灸十壯之外，復灸手小海五壯，合谷小灸五壯。

又針療可用前述各穴，針一分乃至五分刺入，行雀啄術，并加天柱 風池 完骨 針五分，行強雀啄術，中府屋翳，乳根，行單刺術。

「按」本病實際上最多見者，爲神經性氣管枝喘息（反射性）即迷走神經緊張症，而迷走神經肺臟叢之異狀興奮，故治療即應對此緊張興奮鎮靜之，灸療則大柱等穴爲肺臟之海道氏帶，可由灸之種種作用而奏效，針治爲一種刺激療法，及其他未明之理由而奏効。

第四節　肺臟疾患

一、肺氣腫　（古稱肺脹龜胸等）

原因　由於肺臟彈力之減弱或亡失而來。年老　努責　久欬　痠欬。慢性氣管枝炎。以及動脈硬化。心鬱血、甲狀腺腫等。皆足促發本病。

症候　胸廓擴張（向前突出。頭部後倚。患者當靜止時。雖不覺呼吸異常。然運動其身體時（步行、昇階、荷重）。呼吸即爲之促迫。

療法　本病以旺盛肺組織之新陳代謝，以期肺呼吸機能之恢復爲目的，至於療法可如肺水腫療法之經穴，并對其他施以中等度之雀啄術，或迴旋術，或針小海，手三里，合谷以二三分之强單刺術。

灸療——，可以上述肺水腫諸穴取用之

二　肺水腫

原因　（一）以肺循環之鬱血。及臨終前之心臟衰弱爲最頻繁。（二）爲心臟瓣膜疾患，腎臟炎　癌腫　肺癆　肺炎　肺癰　肺壞疽　肺腫瘍等之續發症。（三）中毒（例如碘剤之濫用。哥羅仿、以脫之迷悶。以及綠氣　硝酸　青酸、氧化炭之吸入）。

症候　強度的呼吸困難。吸氣短縮。呼氣延長。喘鳴。欬嗽。稀薄泡沫之咯痰（混血液）。全身蒼白。心臟衰弱。

療法　本病以利尿，強心法爲目的，針腎俞，三焦俞約深二寸，試以中等度之刺激，其他大抒，風門肺俞　針一寸　附分　魄戶　膏肓　神堂　意喜，膈關，針三分乃至五分，建里，命門針五分，灸療——大杼　風門　肺俞　灸十壯，命門十五壯。

三　氣管枝肺炎

原因　本病之發炎體。爲諸種之分裂菌。其最頻繁者。爲肺炎重球菌、鏈球菌。然葡萄狀球菌。亦有發本病者。其起因。大概爲續發性之疾患。好襲老人與小兒。（一）爲傳染病（如風溫、疫欬、痲疹、白喉、猩紅熱、痘瘡、等）。（二）爲急性氣管枝炎。（三）異竄物入。

症候 恒繼於原發性疾患而起。體溫上昇。達於高度（三十九度以上）數日間持續。欬痰增劇。呼吸促迫。甚者顯蒼白症。脈搏疾數（一四〇至二〇〇）。食思缺乏。併發症之主要者。爲肋膜炎、腎臟炎、心臟炎。後發症中。最可恐者。爲肺癆。本病之經過有種種。四五日乃至二三月。於經久性者。往往變爲肺癆。

療法 本病應與氣管枝炎，肺水腫，同樣之取穴選擇，而以臨機應變之手技應用之，並依其症狀變化與程度，宜與一般內科醫療併用之。

四　維織素性肺炎

原因 爲最頻繁之傳染病。由於肺炎重球菌而發現。感冒最易促生本病。以勞動社會爲多。其他、如外傷、急性傳染病。間有誘發。又衆人雜居空氣不潔之室亦促發本病。凡極强壯之男子、或衰弱者、老人、及酒客。最爲頻繁。本病亦如急性傳染病。有散在性流行性。以春期爲多。一度罹於本病。

有獲得感受性之傾向。

症候 俄然寒戰。發高熱（三十九度至四十一度）。胸部刺痛。全身疲倦。食慾亡失。頭痛。脈緊數。舌苔灰白。尿少。痰帶銹色。濃厚如膠。口鼻發匐行疹。熱度（三十九度至四十度以上）。稽留七日至九日間。以多汗分利而下降。本病之症狀及經過。共有多種。約舉其最要者如下。（一）小兒肺炎。無寒戰。或先吐嘔。發痙攣。體溫以渙散性下降。（二）老人肺炎。其來勢甚緩。體溫爲弛張性或間歇性。無銹色痰。心臟衰弱。不易治愈。（三）酒客肺炎。症頗重篤。譫妄。幻視。手、舌震顫。其他，尚有遷延性、頓挫性、遊走性等。

療法 本病每有突然致死亡者，故非具自信與熟練之醫，似應委諸內科療法，如磺安劑，青黴素等，均可一試

「按」本病爲急性炎症，由於高熱，全身多一時之非常衰弱，故希其恢復健康，而病症後療法甚爲重要（即病後之榮養强壯法）

病後療法，針胃俞向稍內下方，刺入，在三焦俞亦同樣之刺入，行中等度之雀啄術，而催進消化，吸收同化機能其他用天柱　風池　大杼　風門　肩中　肩外　命門、手三里、足三里，三陰交等適

宜之刺針，而施以一般之刺激療法，而使新陳代謝旺盛。

灸療——可用胃兪，三焦兪，以小灸八壯，以達强壯療法之目的。

五　肺癆（肺結核）

原因　以十八歲至三十歲之年齡爲多。本病之起因有種種。（一）遺傳的傾向。凡有結核病者之家族。其子孫即有本病之素因。是即所謂癆瘵質者。此體質發現於遺傳的者也。（二）空氣傳播。肺癆患者咯出之涎沫。飛散於空氣中而傳播。（三）媾接。係被染於有必尿生殖器結核之婦人。（四）轉移的續發。例如皮膚、喉頭、腸管、泌尿生殖器、罹於結核。其病原菌。通過淋巴管、或血管、而輸送於肺。其他、戶外運動不充分。榮養不足，身體過勞。强度失望。貧血。產褥。瘦削性疾患。亦促進本病之傳染。

症候　第一期。大概爲潛進性。如食慾減退。貧血。消瘦，經水不調。運動時。呼吸促迫。胸痛。欬嗽頻發。咯少許之痰（往往含血點或血絲）。體溫於午後輕微上昇（三十八度前後）。然亦有以重篤熱性傳染病之症狀開其端緒。此際恰如傷寒之初期、或又有如風濕之狀。突發高熱者。

第二期。欬嗽甚。痰漸多。往往咯血。呼吸促迫。面頰潮紅。體溫於午後漸漸昇騰（三十九四度至十度）。

第三期。瘦削愈甚。熱勢弛張。呼吸促迫。皮膚浮腫。下利。其他一般病狀。與日俱增。 咯痰於本病之診斷。最爲緊要。或如膿様液。或如貨幣狀。或如球形。 咯血或於初期發現。綫狀、點狀、塊狀，混於痰中。或咯出純粹之血液。此則恒在末期。然亦有以咯血而起始者。

療法　一、針灸療法之時期——針灸對于本病之全期，皆有效果，惟於第三期則對處方，與手技，均應特別個心注意之又於一期，二期，爲針灸療法最合理之時期，爲一般內科療法所不逮者。

二、針灸之目的——增進一般組織細胞之抵抗力，使新陳代謝旺盛，血液循環之良好，營養之增進，免疫性之增加，消化吸收，同化機能皆期其達到良好之結果爲目的。

三、針療——大椎　身柱　大杼　風門　肺俞　厥陰俞　心俞膈俞　肝俞　膽俞　脾俞　附分　魄戶　神堂　意喜　膈關　魂門，等穴針入三分乃至五分，行中等度之雀啄術。

四、灸療——以四華，患門爲主穴，各灸十五壯，又對風門，肺俞，厥陰俞，膏肓俞，左右八穴各灸十壯，三焦俞七壯，手小海灸五壯。

五、治療理論——大椎，身柱等穴皆爲古來之名家穴法，特爲肺癆咳之名穴，四華患門亦爲同樣者，大杼　風門　附分　肺兪　小海等穴爲肺臟病之海道氏過敏帶，故利用之以傳達反射之刺激，其他各穴則爲應用針之免疫學之効果者。

灸治除與針治之相同之理論外，以其有力之溫熱刺激與灼熱，而組織變質，並將新生之加熱蛋白體吸收後，亦獲有免疫之効果，營養之增進等，有而著明之奏効，爲值得述明之實事也。

第五節　肋膜疾患

一　肋膜炎

原因　爲化膿性鏈球菌。及葡萄狀球菌之侵入。由感冒外傷而原發。此外因於肺臟疾患、心臟疾患。其他之肋膜疾患、急性傳染病等。亦有續發者。且有時由於結核桿菌之侵入發生。

症候　凜寒發熱。欬嗽頻作。胸痛。失眠。呼吸促迫。當於不欬時。其患側亦覺刺痛。頭痛。體倦。食慾亡失。本病約分爲二種。（一）乾性。患者臥於健側。試使起坐。嘗深呼吸。則患側因牽動而發痛。主要之後發症。爲肋膜炎性愈着。因而心臟爲之肥大擴張。肺臟爲之鬱血。（二）漿性。患者臥於健側。胸廓膨大。心尖搏動。被排壓而偏於健側。（三）化膿性。屢屢以寒戰起始。發高熱。諸症均劇。時而破壞皮膚。其膿流出於外。又或內穿肺臟。俄然滿口咯出。其他尚有原發性結核性肺肋膜炎。是多發生於兩側。其滲出物。呈血性。或徐徐以乾性之症狀起始。遂使犯下層之肺組織。呈慢性肋膜肺炎之症候。

療法 中府，屋翳，中庭各針一分，期門，章門，皆用針向內上方作五七分之單刺入，肺俞七分，胆肝俞，魂門，陽綱，刺一寸內外，胃俞，三焦俞，針二寸內外，行弱雀啄術，

此外小海，手三里，施以四肢末稍之皮膚針。

灸療——可用上述各穴選用數穴，各灸十壯，或灸四華患門等穴。

「按」本病以消炎，滲出物之吸收，一般抵抗及免疫性之增加爲目的。

第三章　消化器疾患

第一節　口腔疾患

一　口腔炎（古稱鵝口瘡，雪花瘡等）

原因　（一）器械的（例如銳牙、齲齒）。（二）刺激的（例如、碘化鉀、臭化鉀、水銀之內服、吃烟、飲酒）。（三）重症疾患之經過中（例如、肺癆、癌腫、傷寒、麻疹、猩紅熱）。（四）鼻、咽、胃炎之續發症。又乳兒因乳汁之分解，亦發本病。

症候　急性症。口腔粘膜、潮紅腫脹。有淺在性潰瘍。慢性症。粘膜赤褐。有灰白色斑點。自覺口腔灼熱。攝食疼痛。舌苔灰黑。口臭。在乳兒則體溫昇騰。

療法　——針療於天柱風池　地倉　下關　頰車　身柱　肩井　肩外俞等，行單刺術，或中等度之雀啄術。

灸療——可以身柱，肩井，施以小粒大之灸十壯，又針灸共以四瀆穴爲誘導及反射之目的而施術之。

「按」本病養生療法，應攝取流動食物，並避免對口腔之刺激，常用食鹽水含漱而保持口腔之清潔，至於針灸之治療主以消炎爲對症療法。

二 鵝口瘡

原因 爲一種絲狀類圓形之鵝口瘡菌。在小兒。則由留存口中乳汁之分解而發。故生後二週間前後之乳兒。多發本病。又成年者。凡在衰憊性狀態時。亦發本病。例如傷寒、肺癆、癌腫、糖尿病等之經過中。

症候 舌之前後或口蓋。生白色粘土狀之沈着物。其初易於剝離。後則變爲黃褐色。遂固着於粘膜。廣被於舌及口蓋。甚且蔓延於咽喉及食道。患者口中灼熱、疼痛流涎。

療法 本病之療法，大致與口內炎之療法相同，幼兒則可用所謂小兒針以奏効當亦以消炎爲主。

三　流涎症

原因　主由唾液腺神經之反射的刺激而來。故諸般之口腔、咽頭、疾患、及胃腸疾患（例如胃炎、腸寄生蟲）。最爲頻繁。其他用碘、汞、銅、鉛、毛地黃、烟草鹼等藥物時。又姙娠、神經性疾患等（例如半身不遂、惱橋及延髓腫瘍、臟躁、神經衰弱、脊髓癆）。亦往往發生本病。

症候　唾涎分泌旺盛。不絕嚥下或流出。因之兩頰潮紅。惹起濕疹，乳兒爲嚥下過多。往往發胃腸病。尿則減少。

療法　在小兒則施以小兒皮膚針，於成人則於頰車，翳風，下關，並各頸椎之棘狀突起外開一拇指（即同身寸一寸）之兩側，及身柱等穴，針入二分乃至八分，施以中等度之雀啄術。灸療時則於身柱灸十壯。

針灸療法則其取穴于手三里及郄門而予以反射之刺激。

「按」本病治療以調節交感神經之唾液分泌機能爲主眼而參考其他原因適宜應用而處方之，

四　急性咽頭炎

原因　本病爲咽頭及軟口蓋之炎性變化。嚥下困難、咽頭狹窄。發於諸般傳染病之經過中（例如猩紅熱。痲疹。痘瘡、傷寒、丹毒等）。又由於鄰接器官炎症之傳播。其他、則爲化學的、溫熱的、器械的刺激。貧血者、腺病性、痛痺症性患者。有罹於本病之傾向。且一度患本病後。屢屢反復爲常。其他、扁桃腺肥大症。往往惹起本病。

症候　咽下困難。患部疼痛。言語障礙。惡寒、發熱。扁桃腺及顎下腺腫脹。口唇發匐行疹。本病有炎症性、腺窩性、實質性、壞死性數種。

療法　針療——，以天柱　風池　完骨　身柱，第三以下頸椎一拇指之兩側，肩中　肩外俞　肩中，各針三分乃至一寸之雀啄術，迴旋術。

灸療——灸天柱，身柱各二十壯，並對手三里，郄門，行針或灸，而予以誘導幷反射之刺激。

「按」本病養生法，用冰罨法，並含漱冰片，本病之針治由於其機械之刺激，及固有之治療作用而呈著明之消炎機能，灸治由其溫熱刺激及其免疫學之効果，而發揮消炎治愈之機能，採用肩中　肩

外　肩井等穴，主爲試以誘導療法。

附　扁桃腺肥大症

療法　針頰車，人迎，施以深三分之迴旋撚術，大杼，風門各針五分，手合谷三分。

本病主以誘導作用，令肥大消炎，而施之促進身體之强壯，而催進一般之抵抗力。

附　耳下腺炎

療法　針法。本神　頭維　完骨　頰車　身柱　大杼　風門等，施以三分之中等程度之雀啄術，或用手三里，合谷，足三里，懸鍾等施以反射或誘導之刺激。

灸療之場合，則於完骨，身柱，手三里，各灸十壯。

本病亦以免疫消炎爲主治。

第二節　食道疾患

一　食道癌腫（古稱酒膈）

原因　本病爲食道疾患中、最頻繁且緊要者。於四十歲以上之男子爲最多。酒客、吃烟家、居常嗜食刺激、過熱性食者。亦易發。

症候　嚥下困難。至後。雖液體亦難於攝取。疼痛不甚。漸次羸瘦。皮膚灰白。失彈力。

療法　於天柱，風池，行雀啄術，以傳導消炎刺激並用肩中　肩外　肩井　天池　期門　日月　肝兪　魂門　各針五分乃至一寸，用雀啄術，更以手三里，合谷，企以反射之刺激。

本病主要治療，是使食道粘膜之新陳代謝旺盛，而達促進其消炎機能。

第三節　胃疾患

一　急性胃炎（古稱傷食）

原因　飲食過度。或攝取過熱過冷、刺激性、酸敗性、不消化食物。及誤嚥化學的毒物（例如硫酸、鹽

酸苛性鉀等）。以及胃部之外傷、及受冷。皆往往發生本病。又急性熱性病，貧血者，衰弱者，亦有發生之事

症候　食思缺乏。口渴，惡心。嘔吐。嘈雜。噯氣。爲本病之主徵。其他，則胃部痞滿，脹痛。舌苔厚膩。口唇發疹。便秘。尿少色赤。往往當其初期。體溫上昇。如傷寒之起始。

療法　針療——　胆俞　脾俞　胃俞　三焦俞　意舍　胃倉　左不容，承滿等爲主治穴，并以手三里，合谷作反射之刺戟。

灸之場合，經穴可用脾俞　胃俞　三焦俞，以小米粒大之灸八壯爲適宜。

「按」本病治療，針灸可使胃粘膜之新陳代謝旺盛，而恢復胃粘膜之機能爲主要目的，養生方面，可絕食一二日，或用流動食物亦較佳。

二　慢性胃炎（古稱胃寒）

原因　（一）食物失宜（多量，或不消化物刺激性物，酒類等，亂用）。　（二）吃烟過度。　（三）齒牙不良等。以上爲本病之主因。　（四）急性胃炎之屢屢反復。　（五）黴毒，結核，貧血。又

關於心，肺，肝，腎疾患，胃之鬱血。以及胃癌，胃潰瘍，胃擴張。等亦併發本病。

症候　本病之症狀。雖與急性胃炎相似。然不急激。患者食思缺乏。或善飢。胃部膨滿。壓之覺痛。有水音。噯氣。嘈雜。吃逆。舌苔灰白。或褐色。時而滑澤。乾燥。在酒客。則早晨嘔吐。其他，有神經症狀者不少。頭重，眩暈，失眠，易於興奮及憂鬱。就業厭惡。又時發消化不良症喘息。胃之吸收作用遲鈍。粘液分泌甚多。胃液中鹽酸少或缺如。腸之機能被障礙。便秘或下利。患者之營養著被侵害。顏面蒼白。皮膚乾燥。筋肉瘦削。

療法　本病主治穴同急性胃炎，特以肝　胆　脾　胃　三焦俞刺針之深度約可二寸左右（隨體格不同而深度亦有加減）主試以中等度之雀啄術等外，更可對於左不容穴，承滿穴，下針以直接刺戟胃肌。

灸療主以肝　胆　脾俞之各穴，以小豆大，灸約各八壯

「按」本病之治療，針灸共同皆可促進一般組織細胞之生　理緊　張性與活動性，而亢進新陳代謝，並促進胃腺之分泌等外，尚有種種至今未明瞭之奏効理由，而使針灸之効甚偉，吾人不可不注意研究也

三　胃潰瘍（古稱胃癰）

原因　由胃粘膜榮養障礙，血行變調，胃液中之鹽酸，消化其組織而發生。其起也。每因過熱，過冷食物之攝取，及外傷。又肺痨，貧血，萎黃病，黴毒等。亦併發。

症候　突然吐血。其色赤褐（胃癌之吐物，色如墨汁）。味酸。且多混殘餘之食物。食後多發胃痛。然亦有不痛者。糞便暗黑，有如柏油。出血過多。則面色蒼白。心悸亢進。頭痛，眩暈。全身衰弱其異常症。約有六種。（一）慢性消化不良症（食後胃痛）。（二）胃性痙症（僅發胃痛）（三）嘔吐性症。（四）急性穿孔等症。（五）出血性症（出血甚多，急速致死）。（六）惡液質性症（强度貧血。痛嘔均稀）。

療法　本病對於者患，雖以避免局部刺激爲原則，然在具有强度自信力並經驗充分熟練達能之士，未始不可自由刺激之，可刺入胃俞，三焦俞，二寸位，行以迴旋捻撚術，或强度之雀啄術，并肩中　肩外　大杼以深約五分位之弱雀啄術，手三里，神門，合谷則行以誘導針。

灸療——可以膈　肝　脾俞各灸十壯外，并灸左之不容，承滿，通谷，灸八壯，可愈

「按」本病以旺盛胃之新陳代謝，促進其治愈之機能，而減少胃液分泌爲目的

四　胃癌（古稱翻胃）

原因　發生於四十歲以上之男子爲多。有遺傳素性。居常有慢性胃炎，胃潰瘍，以及吃煙家，嗜食刺激性食物者易患本病。

症候　其初，雖不過輕度之消化不良。食慾不振，胃部膨滿，壓重，噯氣，作噁。然漸次增惡。皮膚枯燥。脂肪消耗。筋肉瘦削，浮腫，舌苔灰黃，食思缺乏，烈痛，嘔吐，吐物污穢，暗赤而臭，出血日增，其吐物如咖啡渣樣，或煤樣，消化期間，胃中鹽酸缺如，乳酸著明。

療法　本病根本療法，應以內科處方隨機應變處理之針灸術未有特効之治療。

五　胃運動不全症又名胃擴張

原因　第一度運動不全症，急性者。由於重症傳染病，（傷寒，肺炎，猩紅熱，）脊髓疾患，衰脫性疾患而來。慢性者，因不規則之生活，無力性體質，及其他之胃腸疾患（慢性胃炎，胃潰瘍，常習便

秘等。）而現。第二度運動不全症，多基因於幽門，或十二指腸之狹窄。

症候　進後，胃內容物，未能依時轉於腸。胃之廣袤增大。噯氣，嘈雜，膨滿。易於嘔吐，其吐物頗多，有强酸味及臭氣，食慾時或亢進，舌無苔而色灰，或有白苔，胃之運動甚難，鹽酸或減少，或過多。全身榮養障害，皮膚菲薄，筋肉弛緩，顏面現汚穢灰白色。胃之下界。往往達於臍窩以下。以兩手貼肋旦，振盪胃部，發振水音，尿量遞減。病愈進，尿愈少。

療法　鍼療——可於脾 胃 三焦兪刺入約二寸左右，行中等度之雀啄術外，更可針章門，期門約一寸，單刺術，並針手足三里而予以反射之刺激。

灸療——可用上述各穴選擇適宜之三穴或五穴，灸以米粒大之艾各十壯。

「按」本病爲針灸之最適宜症，可由針灸之刺激，使胃之運動機能亢進，細胞組之活動力旺盛，而使擴張之肌得以收縮，並倘有其他未明瞭之理由而奏倖效，此症實應詳爲研究之。

六　胃下垂症

原因　爲內臟下垂症之一分症，類發於胸廓纖長狹隘之人體。

症候 胃運動弛緩，鹽酸缺如，食思不振。噯氣，嘈雜，胃部壓重，居常鬱鬱不樂。

療法 本病之針灸療法均與胃擴張治療相同，亦針灸之適應症，當選擇胃擴張所用各穴以施用之。

七 神經性消化不良

原因 神經衰弱症 臟躁 臆想病等，最易併發。

症候 攝取食物後，胃部覺壓重及膨滿，噯氣，嘈雜，空腹時，有疼痛樣不快之感覺，其他，則有頭重，眩暈 失眠 心窩苦悶 心悸亢進，四肢厥冷，思考力萎弱，記憶力減退等症，相伴而來。胃之運動減弱，鹽酸之分泌，或多或少。

療法 針療——取天柱風池，針二分乃至五分之單刺術，並胃，脾，三焦，意舍，肓門，施深約一寸乃至二寸之雀啄術。

灸療——可用上述各穴選用之，以艾灸各約八壯。

「按」本病治療以催進胃液分泌，為胃肌能運動為目的，乃針灸治療之最適應症。

八　胃痙又名神經性胃痛（古稱肝氣胃疼）

原因　（一）臟躁　臆想病　神經衰弱　巴塞氏病　貧血　萎黃病　糖尿病　痛風　關節痛痺　瘧疾　肺癆等。（二）腦底腦膜脊髓炎，脊髓癆，腦脊髓硬化病等。（三）腎臟炎。卵巢及子宮疾患（最爲頻繁）。（四）中毒（煙草鹼　可卡因　鉛　酒　茶。）本病以女子爲多。

症候　發作性痙攣樣劇烈之胃痛。如錐如刺。由於按壓而緩解，脉搏疾數，甚則卒倒，以噯氣　嘔吐　欠伸而消失。

療法　胃俞與三焦俞爲主治穴，以針刺入二寸或三寸以傳達大小內臟神經叢而獲鎮靜爲目的，用强雀啄術，或置針術，（但應特別注意防止折針）此外更針意舍，胃倉，肓門各深約一寸之雀啄術，並針手之合谷，曲池，足之三里，大敦，厲兌，行以强度之單刺術。

「按」司胃知覺及運動之神經爲迷走神經胃叢，故可鎮靜副交感神經而抑止之，此症針灸治療，較一般醫師所用之麻醉劑之注射鎮痛法，遠勝數倍，亦針灸之奧妙點。

九　神經性嘔吐

原因　爲腦震盪　腦膿瘍　腦膜炎　腦寄生蟲　脊髓癆　臟躁等之併發症，其他，則爲妊娠，胆石痛，腹膜炎等，又尿毒症，腐敗症，胆汁中毒症亦發本疾。

症候　嘔吐頻發，無强心窩前壓，精神感動，尤易誘起。

療法　針療——取身柱，風池，深約五分之雀啄術，幽門中脘，深約七分乃至一寸二分之雀啄術，足大敦厲兌，單刺一分，其他肩背部可行皮膚刺激之

灸療——可用上述各穴以米粒大之艾灸約八壯。

「按」嘔吐者，由於迷走神經之上下喉頭神經所引起之於延髓中嘔吐中樞之興奮，故可以上述各穴以鎭靜目的之刺針或灸點。

一〇　胃鹽酸過多症又名酸性消化不良

原因　爲胃潰瘍，神經衰弱，神經性消化不良，臟躁之併發症。

症候　胃部覺灼熱及壓重，時則劇痛。

療法　本症療法，與胃潰瘍之療法，大致相同，故可參胃潰瘍療法以定之。

「按」本病治療乃對于副交感神經之胃神經加以强度刺激，而使臟液減少爲目的。

「附」胃弱症

療法　針療本病之主治穴與急性胃炎相同，針灸之手技可以中等術之啄術。

灸療——可以脾胃，三焦俞，作米粒大之小灸，各約八壯，手三里灸七壯，而予以反射之刺激。

「按」本病爲針灸適應症中之最適宜症，由於針灸之刺激，可資調節胃腸內分泌，并對新陳代謝亦有良好之結果，針以器械刺激，灸以濕熱刺激，而予胃臟以直接興奮，是遠非藥物療法所能及也。又本症之由於所謂交感神經緊張症者，宜刺戟副交感神經以興奮之可也。

第四節　腸疾患

一　急性腸炎（古稱濕多成五瀉）

原因　主要者。爲食物之不衞生，（過熱　過冷　腐敗物　貪食。）下腹部受寒冷及扑擊　藥物　中毒氣候不良患。其他則爲傷寒 赤痢 霍亂 惡瘧 腸癌 心腎疾患，化膿性疾患等之續發症，乳兒爲乳汁之分解。尤易罹本病。腸管之各部皆可發生，以廻結腸炎爲頻繁。本文所記述者。即爲此種。

症候 腹痛 鼓腸 雷鳴 一日三至二十回如厠，體倦，口渴，尿少，糞便之色，或黄 或黑 或白或綠 稀薄而臭，並帶食物之殘渣，體溫如常，或微熱，併發胃炎，則食思缺乏，惡心 嘔吐 嘈雜，舌被灰苔，屢屢口唇發疹。

十二指腸炎。則發黄疸。直腸炎。則裏急後重。便通頻數。排便時發疼痛。糞便中夾粘液及血液屢屢排便。肛門括約筋弛緩痲痺。遂致漏便。又往往脫肛。

療法 針療——取胃俞，三焦俞，氣海俞，大腸，關元俞各穴約針二寸內外，并針足三里，三陰交，刺針三分乃至五分，而予以反射之刺激。

針療——除上述各穴灸約十壯外，更灸以商曲，大赫各十壯。

「按」本病之治療，使腸蠕動減少，與液循環良好爲目的，而以針灸固有之作用而奏偉效。

若本病之腸內容物腐敗之場合，可先應用大腸俞，大橫等穴刺激之，使內容物深下後，再用上述之針灸治療之。

二　慢性腸炎（古稱休息痢，寒瀉等）

原因　（一）自急性炎漸次轉移。（二）心肺疾患，白血病，腸癆，腸寄生蟲等。（三）神經性。

症候　亦如急性炎，以迴結腸爲頻繁，便秘及下利。相遞而來。便中有多量之粘液。幷含有不消化物，腹痛，鼓腸，雷鳴，及頭痛，眩暈，榮養障礙。皮膚乾燥，肌肉瘦削。陷於臆想病。因而失眠，食思減退，口渴。尿少。其併發症，有腸出血，腸穿孔，腸狹窄等。

療法　針療——三焦俞，氣海俞，大腸俞，關元俞，小腸俞，各針一寸五分乃至二寸中等度之雀啄術，又以中注大巨，針二分乃至五分，此外幷針足三里，與三陰交，予以反射之刺激。

灸療——則用上述各穴，取捨選擇五穴至七穴，以米粒大灸各十壯。

「按」本病治療，由于針灸之刺激，可回復一般細胞。生理之機能，並使血液旺盛，以遠治之効果。

三　蚓突炎及盲腸周圍炎附盲腸背炎

原因　眞原因今尚未知，其誘因，（一）狹隘，（二）外傷，（三）糞石，其他，則起因於骨盤腔之諸種炎症，及傷寒等，近時最多見者，爲有結核性素質之青年，以及過劇之運動，飲食之不衞生，便通之不整，亦有誘發之事。

症候　蚓突炎及盲腸周圍炎，以右腸骨窩俄然疼痛而開始（亦有不甚痛者），始有三十九度至四十度之熱候（亦有無熱者，）當於努責或欬嗽時。即覺疼痛，食慾亡失，嘔吐頻發，煩渴頗甚，舌被黃厚之苔，腹滿，右側尤甚，按之疼痛，右脚屈而不伸，强伸之則劇痛，熱達週半以上，或惡寒戰慄，即爲化膿之徵，盲腸背炎，症狀亦類似，惟有於骨盤腔發生神經痛及麻痺者，此症以結核性症爲最多，不可不知，併發症之重要者，爲腹膜炎，利尿困難，膿液穿漏等。

療法　針療——限局部者，或可認爲其經過良好者，可刺右盲兪　腹結　府舍　帶脉　五樞　維道　居髎　衝門等，行以廻旋撚轉術，或弱雀啄術，及其他腹部之各穴，施以皮膚針；或對氣海兪，大腸兪刺針，此外更可針足三里，以傳達反射之刺激。

灸療——可經用上述之五六穴，以小豆大之灸各十二壯。

「按」本病治療，以安靜腸蠕動，消失炎症機能，促進滲出物吸收爲目的，倘術者具有熟練之技術與信心者，對於限局性盲腸炎可達治療之目的，但對重症患者，或懷疽性等，則非所任。

「注意」如診斷不確實者，宜視爲不適應症，以策安全。

四　常習便秘

原因　不適當之生活（例如運動不足，攝食無常），及女子妊娠時。屢發本病，又神經衰弱，臆想病等。亦爲其原因。

症候　久久便秘，甚者二三週間，全不通便，有諸般之神經性疾患。即頭眩，耳鳴，全身倦怠，不眠，食思不振等是也。

療法　針療——取大腸俞　小腸俞　左大橫　中注　大巨　外陵，府舍等刺針

灸療——以大腸俞小腸俞，膀胱俞，左大橫，府舍各灸十壯。

「按」本病療法，雖依其原因，而其治療之根本方針無異，即不外調節腸之蠕動，以促其排便

機能而已。

五　痔疾（古始痔瘡）

原因　痔靜脉爲結節狀擴張（痔核），由於便秘，攝護腺腫大，直腸癌，子宮腫瘍，妊娠，及慢性心肺疾患而發，又荷重及坐食，亦往往發本病，男子較女子爲多。

症候　有內痔及外痔之區別，內痔，發於肛門括約筋上，外痔，發於該筋之外部，自覺症，雖輕重不一，大概當於運動或便秘時，肛門有不快之緊張及疼痛，又擴張之痔靜脉，因破裂而出血，出血之原因，雖有種種，然以飲酒、便秘、房事、久坐、過度步行、乘馬、爲主要、此出血之前驅，有一種之苦惱，患者每自覺頭痛，眩暈，心悸亢進，呼吸促迫，肛門搔癢緊滿及搏動是也，內痔，有時脫出，發嵌頓症，使患者劇痛而苦惱，又外痔於肛門來裂創，因排便招來劇痛，稱之爲痔裂云。

療法　以百會與會陰，各灸十壯，多奏偉効，或用大腸兪，小腸兪，秩邊，長強，會陰，各針一寸至二寸，施以迴旋旋撚術，并由足之商丘，絕骨，陽輔試以反射或誘導之法。

「按」本病治療，以上各穴施以適當之手技，而誘導局部之鬱血至他部，并會收縮之痔靜脉得以擴張，血液循環佳良，則痔結節之灸症消散而得治愈，較諸一般之醫療可得更良好之結果。

六　神經性腸疝痛

原因　（一）神經衰弱，臟躁，脊髓痨，貧血，痛風等，（二）尿毒症，及銅中毒，鉛中毒，（三）寄生蟲，子宮，肝腎，疾患。

症候　臍部劇痛，脉細數，心悸亢進，甚則神識亡失，發作時腹部緊張，鉛毒性，則陷凌如釜，硬固如板。

療法　本病爲針灸之最適應症，可針肓兪　志室　三焦兪　大腸兪　小腸兪　氣海兪　關元兪，等用三寸之針刺入約二寸，施以彈雀啄術，并刺手足三里，三陰交等刺入三分乃至五分　，行强度之單刺術。

同時關於便意之有無，以促排便而減輕腹腔之負担，欲達此目的可行大小腸兪之單刺術，大横　大巨　外陵　丹田（即氣海　石門　關元三穴）等之前腹部穴約一寸位之刺入，而輕予以廻旋術等。

灸療——可用盲門　志室　胃兪　三焦兪兪腎兪等穴各灸大五壯。

「附」 腸弛緩症

本病爲針灸醫術之最適應症，遠非如一般醫療之所能，針以三焦兪，以深約二寸之向內上方刺針，施行弱雀啄術，以傳達於太陽叢（即大內臟之神經叢）之刺激，更針大腸兪深約二寸，以籍下腸神經叢，而傳達刺激於腸之運動神經，同時更用外陵 大巨 中柱 關元等前腹部之經穴，深約一寸至二寸而直接刺激腸管外，並用湧泉，懸鐘，行單刺强刺激，傳達反射刺激，此外胸腹部及四肢各穴，皆施以皮膚針（淺之單刺針）籍反射作用，以調節一般神經系，及各種內分泌之産生。

第五節 腹膜疾患

一 急性腹膜炎

原因 （一）由於感冒及外傷而原發，（二）傳染病（例如傷寒，急性關節痛痺，瘧疾，發疹傷寒，猩紅熱等）。（三）瘦削性疾患（肺癆，癌腫，壞血病，慢性腎臟炎等），之續發症，（四）

鄰接器官炎症及膿瘍之傳染，（五）潛原性，據以上所記各原因，可知本病有種種之細菌。

症候　（一）廣汎性，局部的症狀，緊要者爲疼痛。不可撫摩及接觸，又屢屢噯氣，嘔吐，便秘，或下利，全身的症狀甚重篤，體溫昇騰，脉細數呼吸促迫，兩頰及眼球陷凌，鼻銳，口舌乾燥，呈衰弱之狀態，（二）最局性，與廣汎性無大差，僅範圍狹小，其全身狀況亦較輕，有不定型之熱度及嘔吐，全身衰脫。

療法　取氣海俞　關元俞　上髎　次髎　中髎　中極曲骨，以小豆大之灸十二壯。

「按」本病針治稍差，灸法而可應用之以著效，灸以溫熱之刺激，其消炎鎮痛皆有偉大之効果，並以加熱蛋白體之吸收，而各種之免疫體增加，白血球之活動性旺盛，并由於血循環良好，以達安靜消炎之目的，此外恐尚有其他未明療治病之作用，正待吾人之發明耳。

二　慢性腹膜炎附結核性腹膜炎

原因　雖有自急性炎症轉移者，然以結核性原發者爲多，或與其餘之結核症併發。

症候　腹痛　鼓腸　嘔吐　全身症狀等，比急性症爲輕，其爲結核性與否，可視其他臟器有無結核症狀爲據，又可以結核素檢其反應。

療法　本病爲灸之適應症　取胃兪　三焦兪　腎兪　肓門　志室　等穴灸以八壯，此外可參考腹水治法而臨機應用之。

「按」本病治療以利尿，及增進新陳代謝，血液循環，營養良好，並細胞組織之抵抗力爲治療目的。

三　腹水（水鼓）

原因　（一）鬱血性腹水，自門脈血行障礙　心　肺　腹膜　疾患而來。（二）惡液質性腹水。自肺癆　癌腫　化膿症　下利　腎臟疾患而來。

症候　腹部膨滿　臍溪增大，前面扁平，擴張於側方。不硬固，無疼痛，按之波動，呼吸困難，尿少。

療法　本病應依其原因自當行以原因療法，但亦應試以利尿，發汗，誘導等法。

針灸點依古典用水分與人中爲利尿之穴，三焦兪，腎兪，氣海兪爲主治之穴，此外如上脘，關元陰晉腹結，作爲補助之穴，以足三里，懸鍾等爲反射刺激之穴，此病在今日尚無特效葯，故針灸治療僅爲一種補助療法而已。

第六節 肝臟疾患

一 黃疸

原因 單純性黃疸，因胆汁排泄於腸內發生困難，遂移行於血液。（二）溶血性疸，胆汁排出正常，由於血球崩壞，形成胆汁色素，瀦溜於血液中，如斯之黃疸，發生於黑水病，惡性貧血，發作性血色素尿等疾患。

症候 單純性者，呈胃腸炎之病候，故別稱爲炎症性黃疸，其症候以皮膚 粘膜 血清之變黃色爲主徵，患者之皮膚變爲汚穢黃色。眼球 結膜 口唇 咽喉腔膜變黃，血清亦帶黃色 尿色暗黃，多溷濁，糞便之色灰白，皮膚搔癢，脉遲，食慾缺乏，失眠，便秘，體溫當初期輕微上昇，二，三日而消散，肝臟腫大，其實硬固，胆囊膨大，可以觸知，重症者，精神朦朧，譫語，間代性全身痙攣，皮下及粘膜出血，呼吸不正，二便失禁，遂致取死的轉歸，此則由於消化障碍，腸中發生鹽基性物質，胆汁之自家中毒也。溶血性者，尿中無胆汁色素爲特徵。而皮膚及眼球鞏膜之黃色甚輕，當達於高度時，皮膚之變黃，比較的顯著。

療法 針療——取肓門，志室，針入二寸，此外可針右不容，關門，日月，章門，京門，深約一寸之單刺術，或針手三里。

灸療——可用右膈俞，肓門，志室，各灸八壯，手三里灸七壯。

二 肝癰（肝膿瘍）

原因 爲化膿性球菌（連瑣狀及葡萄狀）及大腸菌之侵入，因敗血症，膿血症，腸潰瘍，盲腸炎，門脉炎，胆石症等而續發。

症候 急性病，以寒戰而起，始是弛張熱，或間歇熱。慢性症，熱型不定，肝部（右脇）疼痛，按之增劇，無食慾，自汗，漸次衰弱。

療法 本病治療以血行恢復其生理狀態爲目的，針療——取足太陽之背部，腹部第一行第二行各穴，并四肢末稍之各穴。

灸療——肝　胆　脾　胃　三焦　腎　氣海　大小陽俞各灸七壯。

三　肝硬化

原因　（一）營養（主要原因），（二）傳染病（例如黴毒　肺痨　瘧疾）。（三）胆道疾患。（四）物質代謝疾患（糖尿病　痛風　佝僂病等。）

症候　以消化系統之症狀徐徐發起。心窩膨滿，壓重，便通不整。皮膚帶一種污穢黃色，然無黃疸之症候，漸次腹[illegible]膨脹，上腹靜脉突起如蛇行，遂致胃腸鬱血，發生吐血，下血，皮下溢血等症，全身衰弱，逐[illegible]進，甚且併發慢性腎臟炎，心筋炎，脂肪肝臟等而致命。

療法　主爲利尿，誘導法，用腎俞　大　小腸俞　上髎　冷[illegible]，肝俞　胆俞　脾俞　針一寸乃至二寸，或用上述諸[illegible]灸十壯亦可。

四　胆石

原因　坐業　美食　窄小之衣服，肥胖痛等爲主因。

症候　其特徵，為一種之疝痛發作（疸石疝）。自胆囊部放散於右胸，右則肩胛，及右腕，患者呻吟叫號，前額冷汗，惡心，嘔吐，體溫騰昇，甚且不省人事，全身痙攣，平均二、三日後發黃疸。

療法　針療——刺右之不容，期門　日月　章門　左之大横　京門　志室　肓門，用强雀啄右之肝俞，胆囊，脾俞，行强雀啄術，湧泉，厲兌，行强度單刺術。

灸療——肝　胆　脾俞，以米粒大灸二十壯

「按」本病之治療，對症的以鎮痛為主，並輔助刺激使胆石通過而排泄為目的，此外更須注意催進其通便而調節之。

第四章　泌尿器疾患

第一節　腎臟疾患

一　血尿及血色素尿

原因　血尿。（一）腎臟疾患（打撲　創傷　腎臟炎　腎臟栓塞　萎縮腎　結石　癌腫）。（四）其他重症疾患（猩紅熱　傷寒　痘瘡　血友病　壞血病　出血性素質）（五）藥物　激（芫菁　松節油，等）。血色素尿。由發作性血色素尿症，火傷　痘瘡　黴毒　惡瘧　傷寒　猩紅熱　中毒等而來。

症候　血尿。尿中有多量之赤血球及血色素。　血色素尿，則僅呈暗褐赤色而無赤血球。

療法　本病應依其原因，施以適當之治療

二　尿毒症

原因　爲尿成分之中毒，在昔謂由於排泄障礙，尿之鬱積，然多數之症，排尿固少，甚且閉止，却亦有尿量不減，甚且增量者，近時有人謂血中殘餘氣之含量，與本症有關係，是以現今有下列三說。（一）鬱積性尿毒說。又名大氣氣血症說，就中繁之原因，為諸般腎臟疾患，其他則為膀胱麻痹，尿道閉塞等。（二）腦刺戟症說（子癇性尿毒症）。（三）腦之血行變調（出血 血塞 或障碍）。

症候 （一）急性症。又稱痙攣性症，或子癇性症。以發生於急性腎炎，及妊娠腎者為最多。又萎縮腎之經過中，亦有現者，急性症大多以頭痛 惡心 嘔吐 遲脈 高熱 精神朦朧為前驅，繼則俄然或短時日之後，現定型的癲癇發作。體溫上昇，瞳孔散大，失明，偏癱，失語。（二）慢性症。由於所謂大氣氣血症而來者為最多，其主因為慢性腎炎，以急速之羸瘦，全身倦怠，及貧血而始，伴之以皮枯 舌燥 口臭 食減及吃逆。此際有發口腔炎，胃腸炎者，是症可特記者，為神經系統之障礙，頭痛，失眠，諸事厭倦，居常不樂，易於憤怒，遂漸次陷於昏睡，痙攣，搐搦，皮膚搔癢，體溫下降，視力障礙，呼吸困難，而取致死的轉歸。（三）假性症。主由於慢性血壓亢進症，脈管痙攣，及腦之血行障礙而來。此際腎臟無顯著之障礙，其主徵，為興奮狀態 失眠 眩暈 嘔吐 弱視 失語 偏癱等。

療法 針療——天樞 左腹結 命門 腎俞 氣海俞 大腸俞 小腸俞 足三里 三陰交 大敦 厲兌

湧泉 三間 二間 少府 勞宮 魚際 等各穴 試以强單刺術。

灸療——取二間 三間 湧泉 以小灸七壯，其他則可臨機取穴應用之。

三 腎盂炎

原因 爲淋濁菌 化膿性球菌 以及大腸菌 結核菌 傷寒菌 肺炎菌之侵入，妊娠及産褥。最易惹起，又發於其餘之腎臟疾患以及泌尿生殖器結核 敗血症 傷寒 猩紅熱 肺炎 赤痢 丹毒之經過中，其他并由於礦酸，石炭酸，樹香膠，斑蝥等之中毒而起。

症候 寒戰 高熱 呈弛張性 間歇性 頭痛 體倦 食思缺乏，腎部按之覺痛，其主徵，爲膿樣尿，或血樣尿，慢性症，自急性症漸次轉移，然亦有初期即發生緩慢者，是由於輸尿管炎，結石，或妊娠，妨礙排尿而來者。

療法 本病應以安靜，腎部行以冰罨法並以消炎利尿爲目的，可選用腹結，秩邊，足三里，三陰交，腎俞，氣海俞，大小腸俞，或灸腹結七壯，腎俞，氣海俞，大小腸俞各八壯亦可奏効。

第二節　膀胱疾患

一　膀胱炎（古稱[illegible]淋）

原因　（一）淋菌，化膿性球菌，大腸菌等之侵入。（二）藥物中毒。（斑蝥，綠鉀。）（三）感冒（四）傷寒　赤痢　霍亂　肺炎　脊髓炎，脊髓癆之併發症。（五）鄰接器官炎症之傳播。其他若膀胱結石，泌尿生殖器結核。亦有誘發者。

症候　尿之性狀。由於種類而異，或含多量之粘液（炎症性），或爲膿樣。放寫透性臭氣（化膿性）。或爲血樣而溷濁（出血性），患者面色蒼白，食思亡失，煩渴，鬱鬱不樂，漸次羸瘦，時時有小熱來潮，其經過，在急性症，不過數日，或一二週，慢性症或延及數月。

療法　針療　取上髎　次髎　中髎　下髎　各針二寸左右　膀胱俞　腰眼（本穴位于第四五腰椎之棘突起間，承扶，會陽，殷門三分乃至六分，足三里五分，行以中等度之雀啄術，大腸俞行二寸行以強單刺術，左大橫針一寸乃至五分，並行以強度單刺術。

灸療——用上，中，次髎穴以米粒大各壯十壯，會陽小灸八壯。

「按」本病治療以利尿消炎，亢進免疫性粘膜之恢復等爲目的，此種針可予以骨盤神經及位部之血管刺激，爲一種針術固有之刺激療法也。灸治使加熱蛋白體之吸收，而增加免疫性，並誘導血管擴張，新陳代謝機能使之旺盛。所取承扶，會陽，殷門爲海道氏帶傳達反射刺激之有力者，刺大腸俞與大横則使之排使爲目的。

二　遺尿症

原因　本症恒發於十二歲以下之小兒，其原因，由於糖尿病，萎縮腎，腸寄生蟲，膀胱結石，及不適當之睡養等，若發於大人，則爲重篤之神經疾患，癲癇狂，腦髓化膿症之所致。

症候　多於夜間熟睡時，夢如厠，或知或不知而排尿，又或晝間，由於腹部之努責而遺，患兒面色蒼白，神經過敏易於興奮，嫌惡與他兒同遊戲。

療法　針療——用小兒皮膚針，并針會陰，會陽一分乃至三分。

灸療——用膀胱俞，三陰交，行小灸，或以長強，會陰小灸五壯。

三 膀胱麻痺（古稱癃閉）

原因 （一）諸般之脊髓疾患，（二）腦膜疾患，（三）神經疾患，（四）其餘之膀胱疾患，（五）重症傷寒，產褥，手淫，房事過度等，居常忍尿者，亦易罹本病。

症候 膀胱壓縮筋麻痺，當於排尿時，强度努責，放出僅微，甚且不能放出，鬱積之尿充盈於中，膀胱漸次擴張，其麻痺症狀，愈趨增惡，膀胱括約筋麻痺，尿點滴淋瀝，分裂菌因而侵入，遂致膀胱發炎，壓縮筋及括約筋共麻痺時，尿不隨意溢出，至於膀胱外口之下方，則停止不流。

療法 針療——純官能性者，可用天柱，風池，命門 針三分乃至五分，足三陰交行單刺術。對于其他原因，可用承扶，會陽，長强，殷門（以上皆膀胱之海道氏帶）行二三分之單刺術，此外更對上，中，下，次，髎刺入二寸左右，藉骨盤神經叢而傳達刺激。

灸療——可用上，次，中窌及會陽各小灸八壯。

「按」本病治療以恢復膀胱肌之緊張及神經機能爲目的。

四 膀胱痙攣

原因 為淋濁，膀胱炎，膀胱結石，腦脊髓疾患之併發症，又發於神經衰弱，臟躁，臆想病中，受子宮及卵巢疾患，腸寄生蟲等反射之影響，亦發生。

症候 膀胱壓縮筋痙攣，膀胱中存有少量之尿，那尿意頻數，待一滴全無而後已，膀胱括約筋痙攣，尿意雖亦頻數，然排出極少，甚且閉止。當排尿時，有劇烈之痛，患者面色蒼白，易興奮，憚交際，恆閉居於一室中。

療法 針療——本病治療主對骨盤神經之興奮，加以鎮靜為目的，故用大小腸俞，上 次 中 下髎 膀胱俞 刺入一寸多行强雀啄術，中注，腹結，秩邊施以深九分至一寸之強單刺術。

灸療——可取 次 中 下髎，以米粒大灸十一壯，會陰殷門則小灸八壯。

第五章 生殖器疾患

一 淋濁

原因 由淋菌之侵入，在男子以尿道為主，在女子，則發於子宮內膜及膣道，本病之發生，由於與淋濁患者之交媾，或由於附著淋濁膿汁之手指，及器具而傳染。

症候 其潛伏期，約一日至三日，有急性及慢性之區別。

（甲）男子 （一）急性症，尿道口為分泌液所閉塞，放尿障礙，尿道中搔癢或疼痛，尿意頻數，利尿困難，在其初期，尿道僅分泌少許之粘液，病勢漸進，遂為膿液，淫慾亢進，陰莖勃起疼痛，呈弓狀緊張，其併發症之重要者，為副睾丸炎，攝護腺炎，精系炎，膀胱炎，橫痃，關節炎，龜頭炎，包皮炎等，（二）慢性症，續發於急性症之後，尿中混有炎性產物（淋絲，）早晨尿道唇端粘稠，放尿困難，壓之排出膿滴，併發症較急性症為稀，其頻繁者為膀胱炎，及關節炎。

（乙）女子 （一）急性症，自尿道分泌膿樣之液，排尿時疼痛，灼熱，搔癢，淫慾因而亢進，其併發症，以子宮炎，喇叭管炎，腹膜炎爲主要，（二）慢性症，續發於急性症之後，其症狀甚輕，自子宮頸不絕漏出分泌物，下腹部緊張，疼痛，一旦分娩，則容易招來子宮內膜炎，及腹膜炎，其他亦有併發化膿性喇叭管炎，子宮周圍炎，骨盤內結締組織炎者。

療法　針療——急性淋者可針天樞五分　上　次　中　下髎　約二寸，行中等度之雀啄術，左大横約一寸五分行强單刺術企使排便，膀胱俞，腰眼，約五分，承扶，會陽，三陰交約五分行單刺術，慢性者可按此加減取用之。

灸療——急性者用次　中　下髎　膀胱俞　三里　三陰交　漏谷　腰眼，各灸十壯，天樞灸八壯，大横灸八壯，漏谷灸七壯，若慢性者，特以腰眼，與漏谷二穴以米粒大灸，持續九周時，可獲意外之効果。

其次關於女子尿道淋病，針療，可取上　次　下髎，刺二寸左右行中等度之雀啄術，膀胱俞，中膂內俞，命門針五分，行迴旋撚術，大横針一寸，行强單刺術，灸療，以上，次中髎各十壯，曲骨，横骨灸八壯，更灸足三里，漏谷，三陽交等穴，奏効更捷。

二　遺精

原因　其頻繁之原因，爲房事過度，手淫暴行，其他則發於淋濁，包莖，痔疾等，反射的影響，又爲神經衰弱，脊髓炎脊髓癆，糖尿病，臆想病之一症候，至居常精神過勞，及烟酒茶與咖啡濫用，亦往往發生本病。

症候　每夜或隔夜，有一，二回之漏出，陰莖既不全勃起，亦無快夢，此際患者，身體疲勞，頭痛眩暈，心悸亢進，在疾之甚者，晝間醒時，因生殖器機能之興奮亦往往漏出。

療法　本病療法，主以營業療法及一種暗示療法，營養療法，以胃兪，三焦兪針入二寸左右，行弱雀啄術，大杼　風門　魄戶　肩中　肩外　單刺五分乃至七分，中脘單刺一寸，其次則用一種之催感療法，以天柱　風池　針五分乃至七分　大椎　身柱　手三里　合谷　足三里　大敦，針一分乃至三分。

灸療——以胃兪，三焦兪，小灸八壯；曲骨小灸五壯。

三　陽萎（陰萎）

原因　由於陰莖之變行及大小而來，手淫暴行，房事過度，及睾丸疾患，亦爲本病之原因，又爲重症疾患，糖尿病，萎縮腎，脊髓癆，神經衰弱之併發症。

症候　性交時，陰莖不完全勃起，或早洩，無快感，因之鬱鬱而眠，遂誘發神經性疾苦。

療法　針療——以次，中，下髎爲主治穴，刺入二寸行中等度之雀啄術，以曲骨，歸來深一分之單刺術。

灸療——用次，中，下髎，小灸八壯，曲骨，歸來以極小灸五壯。

第六章 運動器疾患

一 急性歷節痛痺 一名風濕痛 又名關節僂麻質斯（古稱白虎歷節黃汗等）

原因 其病原體，尚未能確知，本病之發生，以春秋寒之候爲多，又有遺傳的素因，至症候的關節痛痺，則起因於淋濁，猩紅熱，痘瘡，水痘，風溫，赤痢，結核，黴毒等。

症候 以十歲至三十歲之年齡爲最頻繁，其起也，先有一回之戰慄或數回之惡寒，乃繼之以高熱，爾後四肢之關節腫脹，遊走於諸關節之一事（例如甲健康，乙發炎，至於翌日則乙健康，甲發炎），經過週餘之後，暫見輕快，熱亦下降，爲日無幾，每又反復，如斯者延及月餘，然其症亦有數日即愈者。併發症中之緊要者，爲急性心內膜炎及腦脊髓症。

療法 一腰肌僂麻質斯——懸樞，命門，陽綱，腎俞氣海俞，大小腸俞，三焦俞，上，次，髎，肓門，志實胞肓針三分至七分。

二頸肌僂麻質斯——天柱 風池 完骨 各頸肌之一拇指兩側，肩中 肩外 大椎 大杼 天窗天容，缺盆等，針二分乃至五分。

灸療——可用以上諸穴，選用五，六穴各灸十壯。

三背肌僂麻質斯——肩中　肩外　肩井　大抒　風門　肺俞　厥陰俞　心俞　膈俞　附分　魄戶　膏肓　神堂　意喜　膈關　魂門　曲垣　秉風，等針二分至五分。

灸法——依其症狀可選用以上各穴。

二　急性及慢性筋肉痛痺又名筋肉僂麻質斯（古稱邪風惡風）

原因　亦如關節痛痺，以冒寒濕，外傷等爲誘因，其真正之原因，現尚未知，春秋兩季爲頻發之時期。

症候　主侵襲大人，急性者，往往以身熱及多汗而經過。大概襲單一之筋肉爲常，所患筋肉腫脹浸潤，運動障礙，壓之激痛，最頻繁且最劇者。爲三角筋。而僧帽筋，腰腹筋，頸筋，胸筋次之，腰痛頗甚，體軀運動因起障礙，即俗所稱爲鬼箭風者是也，慢性者無熱候，其疼痛遊走於身體之諸部，以天氣之冷煖燥濕爲增減。

療法　本病之療法，可在病關節之周圍及上下刺針或點灸。

第七章 神經系統疾患

第一節 末稍性神經疾患

一 三叉神經痛又名顏面痛

原因 （一）感冒及傳染病風濕傷寒，瘧疾，（二）中毒（鉛，汞）。（三）頭部，鼻腔，眼，耳等炎症及齒牙之疾患，（四）貧血萎黄病等。

症候 本病爲最頻繁之神經痛，第一枝爲尤甚，往往無因而起，第二枝較稀，第三枝尤稀，依其侵襲之範圍，區別爲眼神經痛，上顎神經痛，下顎神經痛，多者來於偏側，其疼痛之性狀頗急劇，時放散於後頭部，及肩胛部，又往往顏面攣縮及瞬目，面色等則蒼白，後乃潮紅，並發匐行疹，痛之壓點，眼部在上眼窩孔之直下，上顎部在下眼窩孔，上顎部在顎骨孔。

療法 針療——針陽白 攢竹 四白 上星 下關 頰車 聽宮 承漿等三叉神經末稍之鎮靜 並針肩中 肩外 手三里，以達反射刺激之目的。

灸療——取風池　肩外　肩中　手三里，二間，以小灸七壯。

二　後頭神經痛

原因　（一）上頸椎骨瘍，（二）感冒，傳染病，刺激。重荷等。

症候　發於大後頭神經，波及於顱頂骨，有劇烈之發作性疼痛，時則放散於背部及膊部，壓點在乳嘴突起與載域之間，脈管運動神經障礙，頭髮脫落。

療法　針療——取天柱　風池　後頂　百會　翳風　肩中　肩外　大杼　手三里等穴。

灸療——取風池肩外，手三里以小灸七壯。

三　肋間神經痛

原因　（一）肋骨骨瘍，脊柱疾患（結核，癌腫），肋膜炎等，（二）脊髓癆，脊髓膜腫瘍，脊髓黴毒，大動脉瘤，臟躁，神經衰弱，貧血等，（三）感冒及外傷。

症候　多現於偏側，以左側爲多，其疼痛放散於胸側，壓點在脊柱旁，腋窩腺及胸骨緣等三處，時併發匐行疹或癰疹。

療法　針療——神封　步廊　不容　玉堂　璇璣，一分至三分，厥陰俞，膈俞，肝俞，膽俞，五分，身柱三分，手三里三分。

灸療——以璇璣　身柱　厥陰俞　膈俞　不容　手三里，小灸三五壯。

刺針上之注意，未熟練針術者，每使疼痛加劇，可在側胸部刺針的。每有更增加病勢者，此均不可不注意也。

四　坐骨神經痛

原因　由於感冒（例如溺水、濕地露臥），外傷，腫瘍及炎性滲出物之壓迫而來，在婦人則由子宮及卵巢之疾患，又脊髓癆，糖尿病，瘧疾，傷寒，淋濁，黴毒，急性痛痺，痛風，萎黃病，鉛，汞中毒等，亦發本病。

症候　爲最頻繁之神經痛。多現於偏側，其疼痛自臀部之坐骨神經派出部，沿大腿及下腿之後面，波及於足部，直立及步行之際，疼痛增劇，患者常傾倚體軀，以圖緩解，因而招致脊柱側彎之症，使伸展下肢，屈曲股關節時，大腿後面發劇痛（拉雖薔氏症候），又使患者自坐位起立，則須屈曲患側之脚，徐徐送於前方，以兩手伸於後方，並以患側之手支持地上，始能起立（來諾爾氏現象），其壓點在坐骨孔，大轉子直後，大腿後側之中央，腓骨小頭之直下，內外踝緣之後側等處。

療法　針療——針上，次，中，下髎，二寸左右　承扶　殷門　委中　承山，三五分深行雀啄術，膝眼陽陵泉，三陰交，陽輔，太谿，三五分，太白，大都，至陰，通谷，一分行單刺術。

灸療——承扶　委中　三里　三陰交　承筋　陽輔　崑崙　太谿　大都　以米粒大灸五壯至十壯。

五　關節神經痛

原因　由於貧血，臟躁，冒寒，生殖器疾患，及因該關節受外傷，且伴以恐怖而來。

症候　其發也，或隨其原因，或逾一週至二週而始來，最多者，爲股關節或膝關節。患者有疼痛樣倦怠感覺，伸展患部，嫌惡運動，診斷上易誤者，爲股關節炎，然由於腫脹缺如，疼痛不定，及其他之神經症狀，可以鑑別，在困難時，並可照愛克司光線。

療法　本病療法，以原因的療法爲主，關於針灸之要穴，略爲述之。

一、橈骨神經痛者，大杼五分，臂臑　消爍　三里　曲池　三陽絡，陽池三分乃至五分，灸以大杼　消爍　曲池小灸五七壯。陽池三壯。

二、尺骨神經痛針肩中　肩外　五分，少海　神門　三分至五分，灸小海　神門　五七壯。

三、正中神經痛，針俠白，郄門二分至五分，少府，少衝　二分，灸郄門，少衝小灸五七壯。

四、腋下神經痛，針大杼　肩髎　腰俞二至四分灸上穴五七壯。

五、胸廓神經痛者，針大杼　肩中　肩外　中府　曲垣　秉風　極泉三五分灸肩中　中府　秉風　缺門五七壯。

六　顏面神經麻痺（古稱口眼喎斜）

原因　冒寒，受濕，耳下腺，頸淋巴腺，耳及腦之疾患，又為傷寒，風濕，黴毒，癩病，糖尿病，鉛中毒，腦髓及延髓疾患，多發性神經炎之一症候。

症候　多者來於偏側，患側之顏面，平滑無皺，且不能使眉間生縱劈，瞼裂廣大，閉眼不全（兔眼），鼻唇溝消失，口裂牽引於健側，不能營鼓頰運動及閉口，故嚏笑，吹噓，吐唾，吹火等，皆所不能，其他則聽覺過敏，味覺，咀嚼，談話以及唾液之分泌，皆有多少障礙，其來於兩側者，則失表情的機能，上唇下垂，下唇外翻，語帶鼻音，閉目不能，此則於癲病往往見之，

療法　針療——一、陽白　頭維　翳風　頰車　地倉　下關　顴髎，大迎　承漿，一二分。

二、風池　天柱　完骨三五分，三，肩中　肩外　手三里　合谷三五分。

灸療——翳風　三壯　肩中　肩外　肩井　手三里各七壯。

「按」本病之手技，深刺，不必最强刺激，宜用單刺術，震顫術，雀啄術。

七　顏面筋痙攣又名顏面搐搦

原因　三叉神經痛，眼疾患，齒牙疾患，及婦人卵巢子宮疾患之反射，其他則爲神經興奮，臟躁，搐搦症，模倣等。

症候　多爲代性痙攣，恒冒於偏側，其主徵、爲前額皺襞，顏面攣蹙，口唇喎斜，瞬目等，以精神興奮時爲顯著，强直性者，恒發於局部，其中犯眼瞼輪匝筋者，各爲眼瞼痙攣。

療法　針療——天柱　風池　完骨　五六分　翳風天容二三分　攢竹　絲竹空　陽白　巨髎　顴髎　手

三里，五分二間一分。

灸療——天容小灸五壯，手三里七壯，二間三壯。

八　腓腸筋痙攣

原因　霍亂，糖尿病，重傷寒之恢復期，其他則爲神經性體質及貧血，又以過勞，游泳，體操，舞蹈等爲誘因。

症候　腓腸部突然發激劇之疼痛，腓腸筋强度收縮，硬固如板。

療法——可取　委中　承筋　承山　合陽　三陰交　隱白等經穴。

第二節　脊髓疾患

一　脊髓膜炎

原因　其主因爲急性傳染病（痘瘡，傷寒，白喉，風濕，丹毒，痲疹，猩紅熱，瘧疾，淋濁），瘭疽，盲腸炎，以及結核，黴毒，又由於冒寒，身體過勞，中毒（氧化炭，硫化炭，綠仿）而發，且續發於惡液質，貧血性疾患（癌，惡性貧血，白血病），腎臟炎，糖尿病，痛風等之後。

症候　（一）急性症，始則脊痛，腰痛，脚部倦怠，及知覺變常，體溫昇騰，數小時或一，二日後，即呈運動痲痺之狀（痿），　（二）慢性症，始則下肢無力，漸次步行困難，所有肢部，呈弛緩性痲痺，該部知覺異常（蟻行及冷熱）及亡失，體軀周圍緊扼疼痛，伴以膀胱直腸痲痺，膝蓋腱反射或缺如，或亢進（依炎症之高下而異），其他則皮膚因榮養障礙，發生褥瘡，經過自數月至數年或二，三十年。

療法　針療——針陽關　命門　懸樞　脊中　身柱　大椎　膏肓　三焦兪　腎兪　心兪　膀胱兪　手足三里等。

灸療——大椎 命門 陽關 陽陵陵 手足三里等。

二 脊髓癆

原因 黴毒，其他則脊柱外傷，冒寒，精神興奮，酒色沉溺，多產，久乳，麥角中毒，過度吃烟，傷寒，白喉，肺炎等，亦誘發本病。

症候 多發於三十至四十歲之男子，以脊髓後索之灰白色變性爲特徵，其經過頗緩慢，延及數十年之久，臨床上大別爲三期，（一）初期，下肢電擊性疼痛，腰背緊扼，膝蓋腱反射消失，瞳孔强直，（二）失調期，手足失調，閉目時，身體動搖，皮膚知覺障礙，（三）麻痺期（癥癱），脚及膀胱完全麻痺（尿失禁），呼吸困難，胃痛，嘔吐，下利，腎痛，血尿，加之以球麻痺症狀，遂因體力疾弱而斃。

療法 本病治療頗困難，尤其針灸更爲難困，可按照脊髓炎之療法，以輔助葯物之治療。

第三節 腦髓疾患

一 腦充血（古稱肝火上升，類中，大厥等）

原因　爲精神興奮，暴飲，暴食，大動脈瓣閉鎖不全，萎縮腎，動脈硬化，臟躁，腦神經衰弱，便秘等。

症候　以頭部充血，顏面潮紅，顳顬部搏動，眩暈，耳鳴，瞳孔散大，眼火閃發，心悸亢進，胸中苦悶爲主徵，又往往神識障礙，甚則人事不省，全身筋肉攣搦。

療法　針療——頭維　百會　角孫　以淺單刺術　天柱　風池　完骨　作深五分之迴旋術，身柱以強單刺術，此外手足三里　合谷　上巨虛　三陰交　懸鐘　陽輔二分至五分之强雀啄術　行間　申脉，以强單刺術。

灸療——百會五壯，手三里七壯，通谷七壯，（半米粒之小灸）

本病要穴爲百會　天柱　通谷。

二 腦貧血（古稱暈厥，失神，類中等）

原因 由於大出血後胸腹之液體俄然減少，或消散而來，其他則爲貧血，白血病，癌腫，臟躁腦神經衰弱，大動脈瓣孔狹窄之併發症。

症候 以顏面蒼白，耳鳴，心悸亢進，心窩苦悶，瞳孔狹小，嘔吐爲主徵，加以神識朦朧，視野暗黑，皮膚知覺異常，間代性筋肉痙攣等症狀。

療法一、急性病者之用針：身柱 肩外 肩中 前頂 後頂 風池，手足三里，巨虛上廉，束骨，足竅陰，大敦，厲兌，以強之單刺術，同時全身行以皮膚針。

二、慢性病者之用針，胃俞 三焦俞 肓門 志室各二寸，以中等度之刺激，手足三里行單刺入。

三、急性病者之用灸 身柱 大椎 手足三里 厲兌 小灸三五壯。

四、慢性病者之用灸 身柱 胃俞 三焦俞 小灸五七壯。

「按」本病之要穴爲 身柱 胃俞 三焦俞 大敦等穴。

三　腦溢血（古稱中腑，中臟，中風等）

原因　多見於四十歲以上之男子，脂肪多而身體矮短者（卒中質，）尤易犯本病，其原因以腦動脈發生粟粒動脉病，最爲頻繁，又由於黴毒性血管內膜炎而發生，遺傳亦爲重要之原因，其他則因憤怒，努責，牛飲，馬食，身體激動，大聲呼叫而誘起，腎臟炎，萎縮腎，動脉硬化，大動脉閉鎖不全，左心室肥大等，亦促其發生。

症候　本病往往見一定之前驅症，頭搏動，眩暈，頭痛，耳鳴，言語障礙，精神興奮，肢部麻鈍，或强直，數時間或數日間持續之後，而卒中發作，亦或有並無前驅症，夜間猝然發作而卒倒者，人事不省，皮膚知覺及反射消失，瞳孔散大，顏面潮紅，脉大而緊，呼吸發鼾聲，又間有顏面蒼白，脉搏細小者，在高度之昏睡，則二便失禁，其持續之長短甚異，或數時間，或數日間，而在此發作時，有因心臟或呼吸痲痺而死者，苦幸而醒覺，則體溫昇騰，遂遺下缺落症狀，而成爲偏癱，疾病日進，則手指屈曲，前膊亦屈曲，上膊向胸部內轉，膊部筋肉短縮，即所謂半身不遂性姿勢是也。

療法　針療——角孫　百會　前後頂，各行單刺術，天柱　風池　針五分行弱雀啄術，手足三里　曲池，針三分至五分，行弱雀啄術，後頸部可行皮膚針。

灸療　翳風　風池　肩中　肩外　大椎　三里等，半米粒大之灸各七壯。

第四節　官能的神經疾患

一癲癇

原因　遺傳，又發於有其他神經疾患（臟躁，神經衰弱）之家族中，兩親之飲酒及梅毒，分娩困難，頭部外傷，精神感動等，亦爲本病之因，又鼻腔，咽頭及耳內之茸腫，腸寄生蟲，子宮轉位，妊娠等，由於反射的發本病。

症候　本病分爲三種，（一）重症，有種種一定之前驅症，發生知覺異常，幻視，耳鳴，噯氣，胸悶腸鳴，筋肉短縮，痙攣，皮膚蒼白厥冷等現象，繼乃癲癇發作，俄然卒倒，人事不省，瞳孔散大，全身痙攣强直，數秒間後，乃代以間代性痙，眼球廻轉，瞳孔縮小，鬥牙，口流泡沫，且咬傷其舌，發作之後，暫時昏睡，其發作之持續，約五至十分間，患者徐徐醒覺，其發作之回數，頻疏不一，或一日數發，或一年發一，二回，（二）輕症，以眩暈及輕度之失神爲徵，患者當談話或遊戲時，突然中止，一時失神，後乃醒覺，再繼續其事業，又有當行路時，俄然神識亡失，尚繼續步行誤入人家，或至非其目的地，後始醒覺，（三）類似症，患者神識亡失，或犯罪（例如放火殺人〕，醒覺後，全然不知，或一時精神强度興奮，恐怖驚駭，以發作性而現出症狀，又或突向前走，於前方或作環狀旋轉而不自知，其他則有俄然發汗之事。

療法　針療——百會　前後神顖　水溝　本神　風池　針三分，行强單刺術　大椎　身柱　天樞　手足三里，針二三分以雀啄術，行間　申脉　崑崙，行强單刺術

灸療——百會半米粒大灸十壯，申脉，厲兌五壯。

二　臟躁（歇斯的里）

原因　多發於婦人，精神興奮，失望，苦慮，爲其主要之原因，其他不適當之教育，及生活，生殖器疾患，舞蹈病，烟酒濫用慢性鉛中毒，亦促發本病，又爲遺傳的，發於有官能的神經疾患之家族。

症候　本病發於諸般之精神機能障礙其狀態千差萬別，今且錄其緊要者如次，（一）精神變常性易興奮，小事苦慮，或者反之，其性癡鈍，各事不問，又屢屢頭痛，眩暈，耳鳴，失眠，全身倦怠，就業不能，（二）五官的障礙，視野縮小，色盲，弱視，黑視，耳鳴，重聽，嗅覺及味覺障礙，（三）知覺障礙，皮膚知覺亡失，發於半側或全身，又或知覺過敏，頭痛，關節痛，卵巢痛，粘膜

，之知覺亦障礙，乾欬，言語困難，（四）運動障礙，有麻痺，痙攣，攣縮三種之不同，發於麻痺者，偏癱，單癱，或截癱（偏側），聲音嘶嗄（喉頭痲痺），嚥下困難（咽頭麻痺），發於痙攣者，爲瞼眼，顏面（搐搦），舌唇及食道（歇斯的里球）之筋肉痙攣，其他則振顫，舞踏，强梗，幷筋肉間代性痙攣及短縮），（五）脈管運動性及分泌障礙，皮膚潮紅，唾液過多，排尿異常，其他則有喘息狀態，心動急速，呃逆，腸鳴，鼓腸等，特可記者，爲癲癎發作，此際絕叫呼嘯，輾轉反側於床褥間，爲諸般之妄想的運動，幷角弓反張（歇斯的里弓）。

療法　針療——天柱　風池　手三里　曲池　湧泉等穴。

灸療——風池　大杼　身柱各穴，如有婦科病時，宜加中　次　中髎　血海　三陰交等，

三　神經衰弱症

原因　精神過勞，焦心苦慮，烟酒濫用，手淫暴行，房事過度等，爲其主因，又兩親爲酒客及高齡，並酩酊大醉時交接，使其小兒得具有本病之原因，其他若重症傷寒，風溼梅毒，內臟下垂症，及生殖器疾患，亦爲其誘因，又往往爲肺癆之前驅症。

症候　其特徵，爲頭內朦朧，頭重，眩暈，耳鳴，眼火閃發，視力減退，心悸亢進，失眠易忘，就業不能，思考力減退，胃痛，食減或善飢，其他則有毛皮起蟻行感覺，眼手振顫等，又或四厥冷，頭部充血，顏面潮紅，胸現紅斑，是則由於脈管運動性神經衰弱之現象，精神變狀，屢爲本病主徵，患者陷於强迫感念，恐怖狀態，每至廣場或闊衢，頓起恐怖而暈倒（恐場症），其他則腸鳴，鼓腸，便通不整，於輕度身體運動時，則胸悶，氣促，心悸亢進，患者脊柱之一部或全部時覺疼痛，打拍之則激增（脊髓過敏）。視力障礙，易於疲勞，讀書及閱報至於後頁，則已忘其前，若病由手淫而來，則有早洩，遺精，陰萎等種種之疾苦（生殖器神經衰弱）。

療法　針天柱　風池　完骨　刺入五分，大椎　身柱，三分肝　胆　脾　胃　三焦　大腸俞各一寸至二寸，手足三里，陽陵泉，三陰交各五分，均行弱雀啄術。

灸療——風池　大椎　身柱　天樞　手足三里，以米粒三分之一大各灸七壯。

——實用針灸治療學講義終——

中華民國二十六年十月一日第一版
中華民國三十七年十月十日第五版

近世針灸學全書
（實用針灸治療學）
全一册

編著者　中州楊醫亞中醫師
發行者　國醫砥柱月刊社
印刷者　國醫砥柱月刊社印刷部
總發行所　國醫砥柱月刊社發行部
社址北平宣外米市胡同乙五十二號
分發行所　重慶中西醫藥圖書社
上海千頃堂書局

针灸讲义（夏禹臣）

提 要

一、作者小传

夏禹臣，生卒年不详，民国时期针灸名家，曾执教于华北国医学院，著有《针灸讲义》《医学讲义》。

二、版本说明

该书出版时间不详，但封面题有“山左夏禹臣编”字样。该书前80页为石印本，后52页为书口标有“华北国医学院”字样的铅印本，但与1934年华北国医学院出版的《针灸讲义》对比，两本书的内容相差较多。

三、内容与特色

该书不分卷，内容大致分为两部分。前一部分共80页，主要内容又分为针科讲义（包括九针、刺针手法歌、人身度量标准、十二经穴主治、奇经八脉等）和八法神针讲义（包括八法神针穴道歌、八法治病特效西江月、八法交会歌、八法歌、八法五虎建元日时歌、八法逐日干支歌、八法临时干支歌、洛书画）；后一部分共52页，包括督脉经穴分寸歌、行针注痛法、消针毒法、邪气与谷气之区别、针后行灸法。“针后行灸法”部分主要是按病证分节，共26节，介绍常见病的辨证分型与治疗方法。

现将该书特色介绍如下。

（一）图文并现，重视针灸理论

该书前一部分主要介绍针灸理论及八法神针等内容，在介绍经络穴位时，并附有经穴图，简单明了，便于学习。该书中涉及人身度量标准与经脉的部分内容与现代教材不符，如该书中“鸠尾尖至脐心作八寸，如无鸠尾尖者，取歧骨至脐折九寸”，与现代教材中“歧骨至脐中为八寸”的描述不符，又经脉部分中腧穴定位与现代教材中的描述亦稍有差异。

（二）辨证施治，临证针后行灸

该书后一部分较前一部分字迹清晰，为铅印本，主要包括督脉经穴分寸歌、行针注痛法、消针毒法、邪气与谷气之区别、针后行灸法，其中大部分文字在讲述针后行灸法（针刺取针后，在针眼处放置艾炷）。“针后行灸法”按病证分节，每个疾病下均有病因、辨证分型、治则、方穴与操作等内容。如在第一节头痛中，介绍其病因为风寒袭人，兼夹痰热，亦可为精华内痹郁于空窍。邪袭太阳，头痛后脑与项部；邪袭少阳，多患偏头痛；邪袭阳明或阳明之热上攻，则头额痛等。治疗以脑项痛为例，治法为上星针入2分，留捻2分钟，再灸2壮；风池针入2分，留捻2分钟；脑空灸3壮；百会针1分，留捻1分钟，灸3壮；天柱针入2分，留捻2分钟，灸3壮；少海针3分，留捻2分钟。该书突出反映了作者重视辨证施针、针刺与艾灸同用的学术思想，其医疗经验值得临床借鉴。

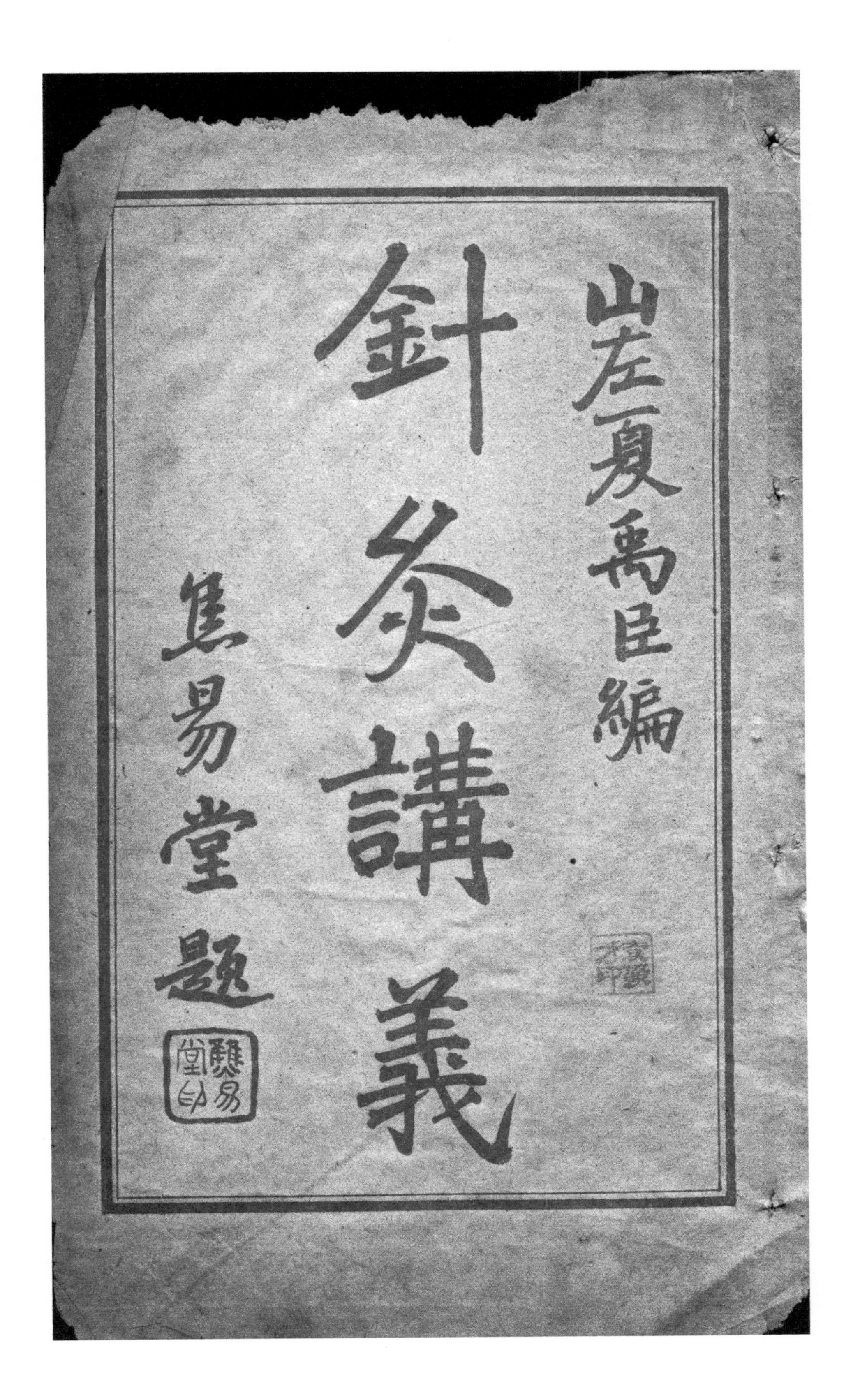
針灸講義
山左夏禹臣編
集易堂題

針灸目錄

鍼灸源始

黄帝問曰。醫之治兵也。一病而治各不同。皆愈何也。岐伯對曰。地勢使然也。故東方之域。天地之所始生也。魚鹽之地。海濱傍水。其民食魚而嗜鹹。皆安其處。美其食。魚者使人熱中。鹽者勝血。故其民皆黑色。踈理。其病皆為癰瘍。其治宜砭石。故砭石者。亦從東方來。西方金玉之域。沙石之處。天地之收引也。其民陵居而多風。水土剛強。其民不衣而褐薦。其民華食而脂肥。故邪不能傷其形體。其病生於內。其治宜毒藥。故毒藥者。亦從西方來。北方者天地所閉藏之域也。其地高陵居。風寒冰冽。其民樂野處而乳食。臟寒生滿病。其治宜灸焫。故灸焫者。亦從北方來。南方者天地所長養。陽之所盛處也。其地下。土水弱。霧露之所聚也。其民嗜酸而食胕。故其民皆緻理而赤色。其病攣痺。

其治宜微針。故九針者亦從南方來。中央者其地平以濕。天地所以生萬物也眾。其民食雜。其民不勞。故其病多痿厥寒熱。其治宜導引按蹻。故導引按蹻者亦從中央來也。故聖人雜合以治。各得其所宜。故治所以異而病皆愈者。得病之情。知治之大體也。

人體總論

經曰。天圓地方。人頭圓足方以應之。凡人之四肢百骸。皆以天地相應者也。頭為諸陽脉之會。故頭獨耐寒也。腦海在巔頂之中。司人知覺運動。而腦汁實發源於腎臟。腎精足則散油膜於周身之骨而為髓。其主幹循脊大椎上通於巔頂而為腦髓。是精氣之所會。故稱為髓之海。又曰。諸髓皆屬於腦也。兩目司視。為肝之竅。五臟六腑之精皆上注於目。又曰骨之精為瞳子。

筋之精為黑眼。血之精為絡。氣之精為白眼。肌肉之精為約束。故曰諸脉皆屬於目也。耳為腎之竅。兩少陰同氣。故又屬之於心。水火交明以司聽也。鼻為肺之関。以位居中央。又屬脾土。鼻内口鼻交通之處。則為頏顙。氣從此分出。於口為嗌。分出於鼻為涕。口為脾竅。内外唇肉脾所主也。舌為心苗。齒為骨餘。兩齒齦則為牙牀。又屬手胃。舌之下腮之内為廉泉玉英。乃水液之上源也。胃足陽明之脉起於鼻交頞中。循鼻外入齒中。挾口環唇。胆足少陽之脉起於目鋭眥。上抵頭角。循耳後入耳中。出走耳前。此人體之部位。大略如此。

四肢之部

兩手兩足曰四肢。兩手之上則有肘腋。兩足之上則有膕髀。兩肘兩腋兩膕兩髀名曰八谿。從胸至手。乃手太陰肺金所出。而兼手少陰厥陰。此手之三陰從胸走手也。從足至腹。乃足太陰脾經所出。而兼足少陰厥陰。此足之三陰。從足走腹也。夫手足三陰三陽十二經脉。交相通貫行於周身。手之三陰從胸走手。手之三陽從手走頭。是手三陰三陽而循行於手臂矣。足之三陽從顛走足。足之三陰從足走腹。是足三陰三陽而循行於足股也。此手足之部位。各有所屬也。

鍼訣

針下如龍投大海。起針似猛虎離山。針有切病之功。藥有拔山之力。江河閉塞。鑊鋤開之。氣血凝滯。須用砭針刺之。針頭如粟米。氣出似雲煙。內經云。人身三百六十五穴。以應人身三百六十五節。病處不同。識得陰陽。辨得虛實。知其順逆。方可行針。虛則補之。實則泄之。不虛不實。依經取之。毫針隱顯莫測。下針必在經驗。一呼一吸如江河滾滾而來。一按一提似角弓展展而開。針之奧妙。至難通達。天有五氣。風寒濕燥熱。地有五岳。恒衡泰華嵩。人有五臟。心肝脾肺腎。針有五穴。井滎腧經合。溝渠閉塞。水在於內。經絡不通。氣血在中。開渠流水。引氣血行。亘古至今。補虛泄實。宜淺宜深。雖不針枯骨重活。自然有起死回生。覽此斯言。神明祚之。

辨經認穴

昔人謂針一穴而必取五穴。治一經而先辨三經。蓋恐其認穴不真。則針灸錯用。經絡不清。則陰陽倒治。其實不必泥此。人身寸寸是穴。前後左右取二三穴。則可比較真切。陽經穴眼多在骨側陷處。按之痠痲為真。陰經穴眼按之多有動脈應手。初學針法固不得不多取幾穴。以防錯誤。然用針熟者。伸手便得。在背則數脊。在腹則量臍。在頭面髮際則於骨縫有隙處求之。在手足四肢則於筋骨側臨下取之。針過一次則成熟眼。分寸不失。自無差誤。至陰陽經絡各有交會起落。太陽行身之背。少陽行身之側。陽明行身之前。直臍而上者為任脈。俠臍兩旁各開一寸而上者為足少陰腎脈。又為衝脈。與腎脈並行。針腎脈即是針衝脈。俠臍兩旁各開二寸。由上而下者為足陽明胃脈。臍上二寸又各旁開六寸者為脾募。章門穴乳際下直量四寸。至近腹處第二肋間者為肝募期門穴。肝脈環陰器抵小腹俠胃貫膈布脇肋而上循喉嚨之後。督脈直脊而行。俠脊兩旁各開寸半為太陽經穴。俠脊兩旁各開三寸亦為太陽經穴。此陰陽經絡之在腹背者也。其在手則陽經由手指外側循脊背而行至頭面。陰經由足內側而上行入腹。陰升陽降手足皆同。無論初學久學必須先辨經認穴經絡分明。則取穴自無差謬。否則臨症時始學辨經。

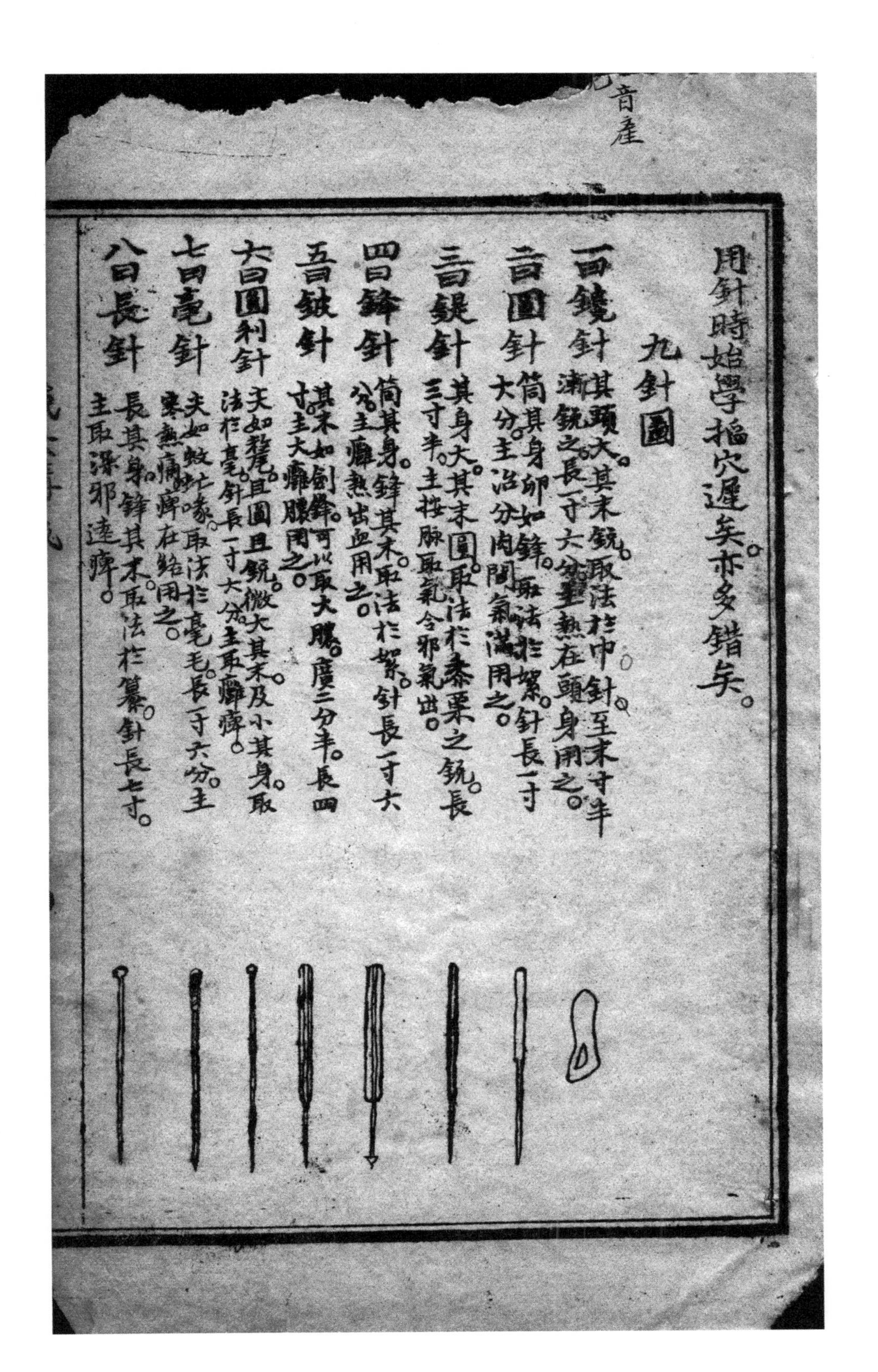

用針時始學指穴遲矣亦多错矣。

九針圖

一曰鑱針　其頭大。其末銳。取法於巾針。至末寸半漸銳之。長一寸六分。主熱在頭身用之。

二曰圓針　筒其身卵如鋒。取法於絮。針長一寸六分。主治分肉間氣滿用之。

三曰鍉針　其身大。其末圓。取法於黍粟之銳。長三寸半。主按脈取氣。令邪氣出。

四曰鋒針　筒其身。鋒其末。取法於絮。針長一寸六分。主癰熱出血用之。

五曰鈹針　其末如劍鋒。可以取大膿。廣二分半。長四寸。主大癰膿用之。

六曰圓利針　尖如氂。且圓且銳。微大其末。反小其身。取法於毫。針長一寸六分。主取癰痺。

七曰毫針　尖如蚊虻喙。取法於毫毛。長一寸六分。主寒熱痛痺在絡用之。

八曰長針　長其身。鋒其末。取法於綦。針長七寸。主取深邪遠痺。

九曰大針 其鋒微圓。取法於鋒。針長四寸。主取大氣不出關節。

夫九針者。應天地之數。而詳其大小長短之法。而取用不同也。一以法天。二以法地。三以法人。四以法四時。五以法五音。六以法六律。七以法七星。八以法八風。九以法九野。正以聖人起天地之數。一以至九。分天下為九野。故制之為九鍼耳。其針之曰第一者。所以應天也。天屬陽。而五藏之應天者肺也。肺為五藏之華蓋。皮則為肺之合。乃人之陽也。故治針者。其頭大。象天之陽也。其末銳。令無得深入而使陽氣出也。故曰鑱針。取法於巾。其針頭雖大。其近末約寸半許而漸銳。長一寸六分。主熱在頭身者。用之以出陽氣也。其針之第二者。所以應地也。地為土。而人之應土者肉也。故治針者。其身雖筩。筩以竹為之。其體直。故謂直為筩。其末則圓。令無得傷肉分。則邪得竭。故二曰圓針。取法於絮筒。其身而卵其鋒。長一寸六分。主治分肉之氣也。其針之第三者所以應人也。人之所以成其身而得生者。唯血脉。故為之治針者其身則大其末必圓。令可以按脉使正氣復邪氣獨出耳。故下文三曰鍉針。取法於黍粟之銳。長三寸半。主按脉取氣令邪氣出也。其針之第四者。所以應四時也。四時有八風而客於經絡之中。乃為瘤病。瘤者留也。痼病也。故為治針者。必筩其身而鋒其末。令可以泄其熱出其血而使痼病之得竭。故曰鋒針。取法於絮針。其身則筩其末則鋒。長一寸六分。主癰熱出血也。其針之第五者。所以應五音也。夫五者主冬夏之分。子午兩分。所以有病者陰與陽別。寒與熱爭。兩氣相搏。合為癰膿。故為之治針者。令其末如劍鋒。可以取大膿也。故下文五曰鈹針。取法劍鋒。廣二分半。長四寸。主大癰膿兩熱相爭者也。其針之第六者。所以應六律也。六律所以調陰陽四時而合於人身十二經絡。令虛邪客於經絡。而為暴痺。故為治針者。必令其尖如氂。且圓且銳。其中身則微大。所以取此暴氣也。故下文曰圓利針。取法於氂。其末微大。其身反小。令可深納。其針長一寸六分。主取癰痺者也。其針之第七者。所以應七星也。天有七星。人有七竅。為邪之所客。則舍於經絡而為痛痺。故為治針者。令尖如蚊虻之喙。靜以徐往。微以久留。則正氣因之而復。其真邪雖俱往而出針。則可以養其正氣。不使之外泄也。故下文七曰毫針。取法於毫毛。長一寸六分。主治寒熱痛痺在絡者也。其針之曰第八者。所以應八風也。人之手足各有股肱關節。受八方之風。八風傷人。則內於骨解腰脊節腠理之間為深痺。故為之治針。必長其身。鋒其末。而可以取深遠之痺。故下文八曰長針。取法於綦。針長七寸。主於取深遠之邪痺也。其針之曰第九者。所以應九野也。人之節解皮膚之間。似地之有九野。而淫邪流泆於身如風水狀。其流不能過於機關大節。故為之治針者。令其狀大如鋌。其鋒微圓。可以取大氣之不能過於關節。故下文九曰大針者。取法於鋒針。其鋒微圓。正以取大氣不能過於關節也。

刺針手法歌

一爪切者。凡下針用左手大指爪甲重切其針之穴。令氣血宣散。然後下針。不傷於榮衛也。取穴先將爪切深。須教毋外慕其心。致令榮衛無傷礙。醫者方堪入妙針。二指持者。凡下針以右手持針於穴上。着力旋插。直至腠理。令病人吸氣三口。提於天部。依前口氣。徐徐而用。正謂持針者手如握虎。勢如擒龍。心無依慕。若待貴人之說也。持針之士要心雄。勢如握虎與擒龍。欲識機關三部穩。須將此理再推窮。三曰温針者。凡刺針先入口中。必須温熱。方可與刺。使氣血調冷熱不相爭鬬也。溫針一理最爲良。口内調和納血暢。毋令冷熱相爭搏。榮衛相通始得祥。四進針者。凡下針要病人神氣定息數匀。醫者亦如之。切不可太忙。又須審穴在何部分。如在陽部必取筋骨之間陷下爲真。如在陰分郄膕之内動脉相應。以爪重切經絡少待。方可下手。進針理法取機関。失經失穴豈堪施。陽經取穴陰經脉。三思已定再思之。五指循者。凡下針若氣不至。即用指於所屬部分經絡之路。上下左右循之。使氣血往來。上有均匀。針下者。況緊得氣。即泄之故也。循其部分理何明。只爲針頭不緊沉。推則行之引則止。調和氣血兩來臨。六爪攝者。凡下針如針下。針濇氣滯不行者。隨其經絡上下用大指爪切之。其氣自通行也。攝法應知氣滯經。須令爪切勿交輕。上下通行隨經絡。故教學者亦窮經。七針退者。凡退針必在六陰之數。分明三部之用。斟酌不可不誠心着意。如混亂差訛。以泄為補。以補為泄。欲退之際。三部一部。以針緩緩而退也。退針手法理誰知。三才訣內總玄機。一部六陰三氣吸。須臾疾病愈如飛。八指搓者。凡轉針如搓線之狀。勿轉太緊。隨其氣而用之。若轉太緊。下入肉纏針。則有大痛之患。若氣滯塞。即以第六攝法切之。方可施也。搓針泄氣最為奇。氣滯針纏莫急移。渾如搓線悠悠轉。急轉針纏肉不離。九指撚者。凡下針之際。治上大指向外撚。治下大指內撚。外撚者。令氣向上而治病。內撚者。令氣至下而治病。如出至人部。內撚者為之補。轉針頭向病所。令真氣以至病所。如出至人部。外撚者為之泄。轉針頭向病所。令挾邪氣至針下出也。撚針指法不相同。一般在手兩般窮。內外轉移行上下。邪氣逢之豈能容。十指留者。如出針至於天部之際。須在皮膚留一豆許。少時方出針也。留針取氣候沉浮。

出容一豆入容件。致令榮衛縱横散。巧妙玄機在指頭。十一針搖者。凡出針三部。欲泄之際。每一部搖一次。計六搖而已。以指捻針如扶人頭搖之狀。庶使孔穴開大也。搖針三部六搖之。依次推排指上施。孔穴大開無窒碍。致令邪氣出如飛。十二指拔者。凡持針欲出之時。待針下氣緩不沉緊。便覺輕滑。用指捻針如拔虎尾之狀也。拔針一法最為良。浮沉濇滑任推詳。勢如取虎身中尾。此訣誰知蘊錦囊。

總歌曰。

針法玄機口訣多。手法雖多亦不過。切穴持針溫口內。進針循攝退針搓。指撚泄氣針留豆。搖令穴大拔如梭。醫師穴法叮嚀說。記此便為十二歌。

人身度量標準

經穴度量尺寸。與各種制尺不同。當以患者手中指彎曲。取其第一節與其

第二節之横紋夹與第二第三之横紋夹。兩夹相去為一寸計算之。作量四肢之標準。頭部以前髮際至後髮際作為一尺二寸計算之。前髮際不明者。以眉心直上三寸。後髮際不明者。取大椎上行三寸。前後法髮際俱不明者。以大椎直上至眉心作為一尺八寸。此量頭部直行之尺寸也。頭部之横寸。以眼内眥角至外眥角作一寸為標準。胸腹之量法。以兩乳相去作八寸計算。為腹胸横寸之標準。鳩尾夹至臍心作八寸計算之。如無鳩尾夹者。取歧骨至臍折九寸。再由臍下至毛際横骨折作五寸是矣。背部由大椎骨至尾骶骨共二十一椎。共合三尺。故謂人為三尺之軀者此也。上七椎每椎一寸四分一厘。中七椎每椎一寸六分一厘。下七椎每椎一寸二分六厘。此人身尺寸之標準也。

人身骨度圖

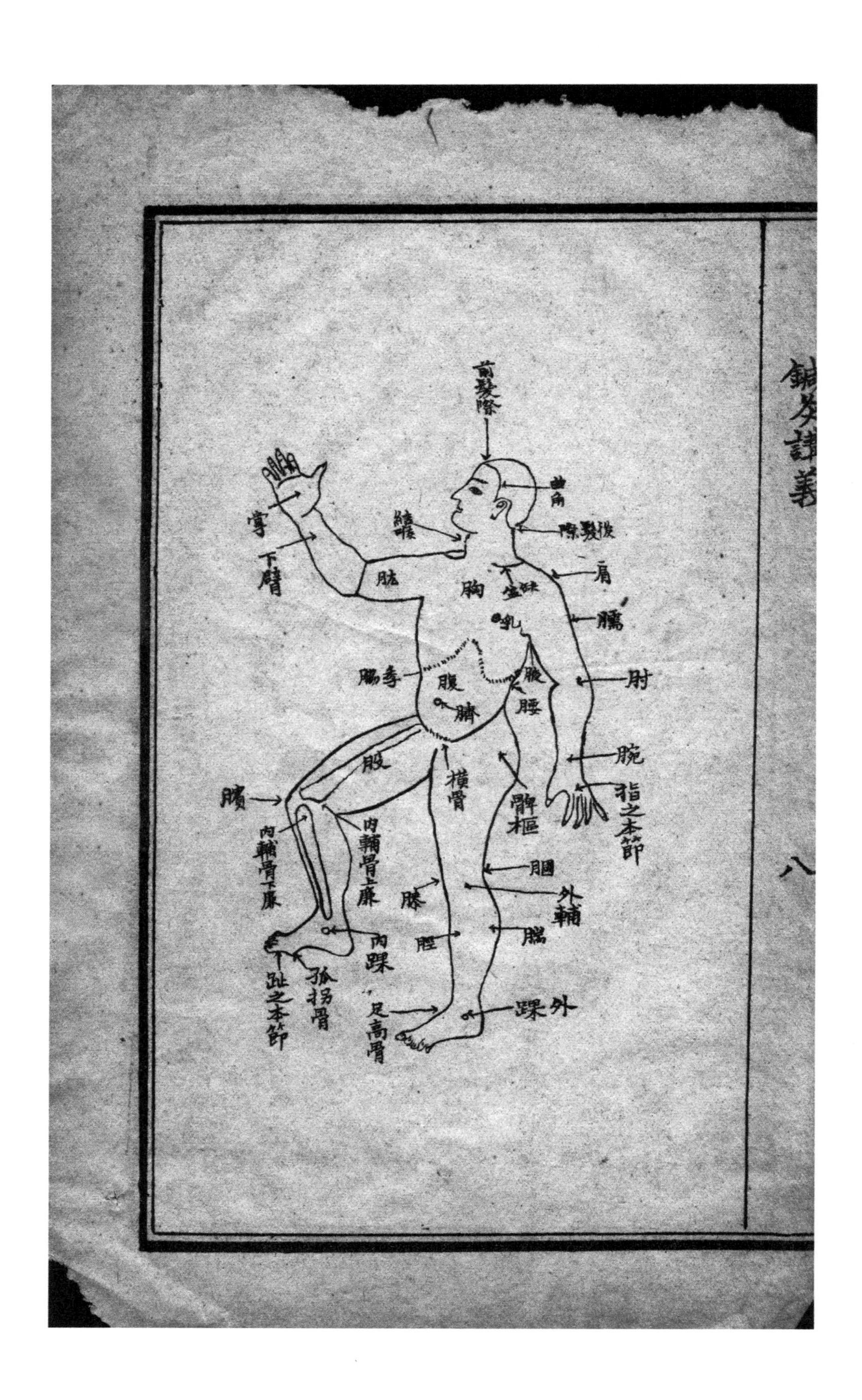
鍼灸講義
八
前髮際
曲角
掌
結喉
後髮際
下臂
肱
胸
缺盆
肩
臑
乳
季脇
腹
腋
肘
臍
腰
腕
股
橫骨
髀樞
指之本節
臏
內輔骨下廉
內輔骨上廉
膕
膝
外輔
脛
腨
內踝
孤拐骨
趾之本節
足高骨
外踝

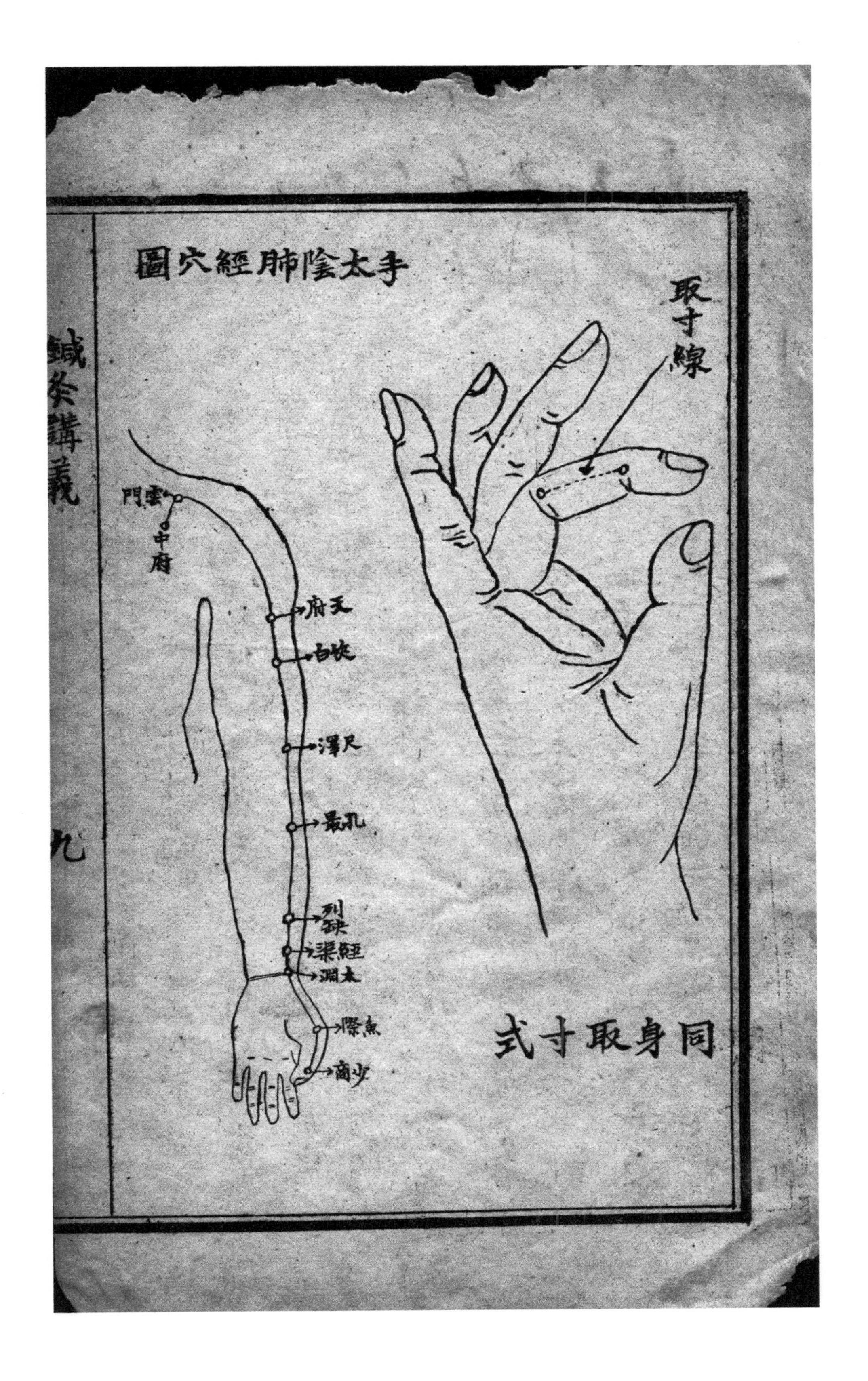
手太陰肺經穴圖
鍼灸講義
九
取寸線
雲門
中府
天府
俠白
尺澤
孔最
列缺
經渠
太淵
魚際
少商
同身取寸式

手太陰肺經穴主治

中府　在雲門下一寸六分。第三肋間。(針三分)　主治胸滿喘氣。善噎。食不下。咳嗽等。

雲門　在缺盆下二寸。旁開二寸。針三分。　主治四肢熱不已。肩痛。咳逆。喘不得息。

天府　在腋下三寸。尺澤上七寸。針三分。　主治口鼻衄血。中風中惡。寒熱瘧疾。

俠白　在天府下二寸動脉中。針五分。　主治心痛短氣。嘔逆煩滿。悶胸悶。

尺澤　在肘中約紋上兩筋間。針三分。　主治心痛肺脹。風寒痎瘧。口乾喘滿。

孔最　在腕上七寸。尺澤下三寸。針三分。　主治肘臂痛。屈伸難。頭疼咽痛。失音。

列缺　在腕側上一寸五分是穴。針二分。　主治偏風。口眼喎斜。半身不遂。口不開。

經渠　在腕後五分寸口脉上。針二分。　主治心痛嘔吐。胸臂拘急。咳逆上氣。

太淵　在寸口橫紋上是穴。針二分。　主治目痛生翳。煩悶不得眠。肩背痛。

魚際　在大指本節後内側白肉際。針二分。主治頭痛欬嗽。目眩。煩心腹痛。食不下。

少商　在大指爪甲根。如韮葉。針入一分。主治頷腫咽喉疼痛。腹脹腸鳴瘧疾。

手太陰（肺）中焦起。下絡大腸胃口行。上膈屬肺從肺系（即喉管也）横從腋下臑内廉。（臑下對腋處曰臑）前干心與心包脉。下肘循臂骨上廉。遂入寸口上魚際。大指内側爪甲根。支絡還從腕後出。接次指交陽明經（大腸）此經多氣而少血。是動則為喘滿咳。膨膨肺脹缺盆痛。兩手交瞀為背厥。肺所主病咳上氣喘渴煩心胸滿結。臑臂之内前廉痛。為厥或為掌中熱。肩背痛是氣有餘小便數欠或汗出。氣虛亦痛溺色變。少氣不足以報息。

手陽明大腸經穴主治

商陽　在食指内側。去爪如韮葉。針一分。主治頤腫齒痛。胸滿耳聾。肢背疼痛。

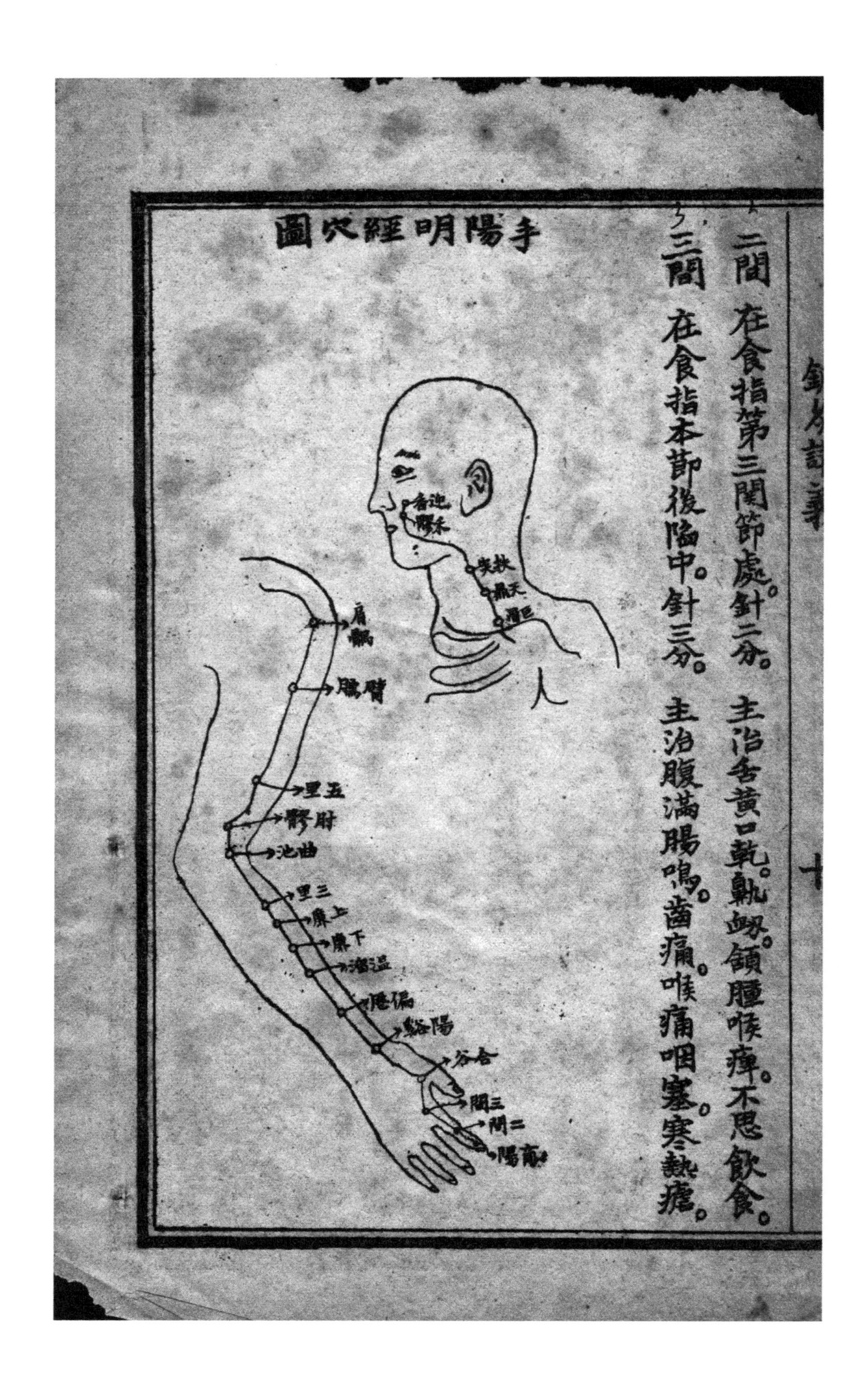

二間　在食指第三関節處。針二分。

主治舌黃口乾。鼽衂。頷腫喉痺。不思飲食。

三間　在食指本節後陥中。針三分。

主治腹滿腸鳴。齒痛。喉痛咽塞。寒熱瘧。

合谷　大指次指歧骨間。針五分。主治乳蛾。牙齒痛。產後脈絕不還。口噤面腫。

陽谿　在合谷上兩筋間陷中。針二分。主治熱病。狂言善笑。目赤翳爛。耳鳴齒痛。

偏歷　在腕後三寸是穴。針三分。主治痎瘧寒熱。目䀮。喉痹。鼻衄汗不出。

溫溜　去偏歷二寸。腕上五寸。針三分。主治善笑狂言見鬼。口舌腫痛。肩肘痠痛。

下廉　在腕後六寸是穴。針五分。主治飧泄。小腹滿。小便血。腹痛不可忍。乳癰。

上廉　下廉上一寸微向外。針五分。主治腦風頭痛。半身不遂。手足不仁。喘息。

三里　曲池下二寸肉銳處。針三分。主治中風手足不遂。瘰癧。五勞七羸瘦。虛乏。

曲池　屈肘橫紋頭陷中。針一寸。主治偏風筋緩。屈伸難。筋骨痠疼。風疹。經閉。

肘髎　在曲池上一寸。外斜一寸。針五分。主治肘節風痺。臂痛不舉。麻木不仁。嗜臥。

五里　在肘上三寸是穴。針不宜。灸十壯。主治項生瘰癧結核。針曲池通此穴。

20. 19. 18. 17. 16. 15. 14

臂臑　肘上七寸。肩髃下三寸。針禁。當灸。主治臂痛無力。瘰癧。頸項拘急等。

肩髃　在肩夹下寸許。舉臂取之。針五分。主治中風半身不遂。肩臂痛不舉。

巨骨　肩髃上。肩胛前陷中。針三分。主治驚癇吐血。胸中有瘀血。臂屈伸難。

天鼎　結喉旁三寸五分再下寸。針三分。主治喉痺咽腫。不得食。暴瘖氣哽。

扶突　在天鼎上前一寸。人迎後寸半。針二分。主治咳嗽多唾。喉中如水雞聲。

禾髎　在人中旁開五分。針二分。主治口禁不開。鼻瘡息肉。鼽衄。多涕等。

迎香　禾髎斜上一寸。鼻孔外五分。針二分。主治鼻塞不聞香臭。多涕有瘡。

手陽明經大腸脉。次指內側起商陽。循指上廉出合谷。兩骨兩筋中間行。循臂入肘行臑外。肩髃前廉柱骨傍。會此下入缺盆內。絡肺下膈屬大腸。支從缺盆上入頸。斜貫兩頰下齒當。挾口人中交左右。上挾鼻孔盡迎香。

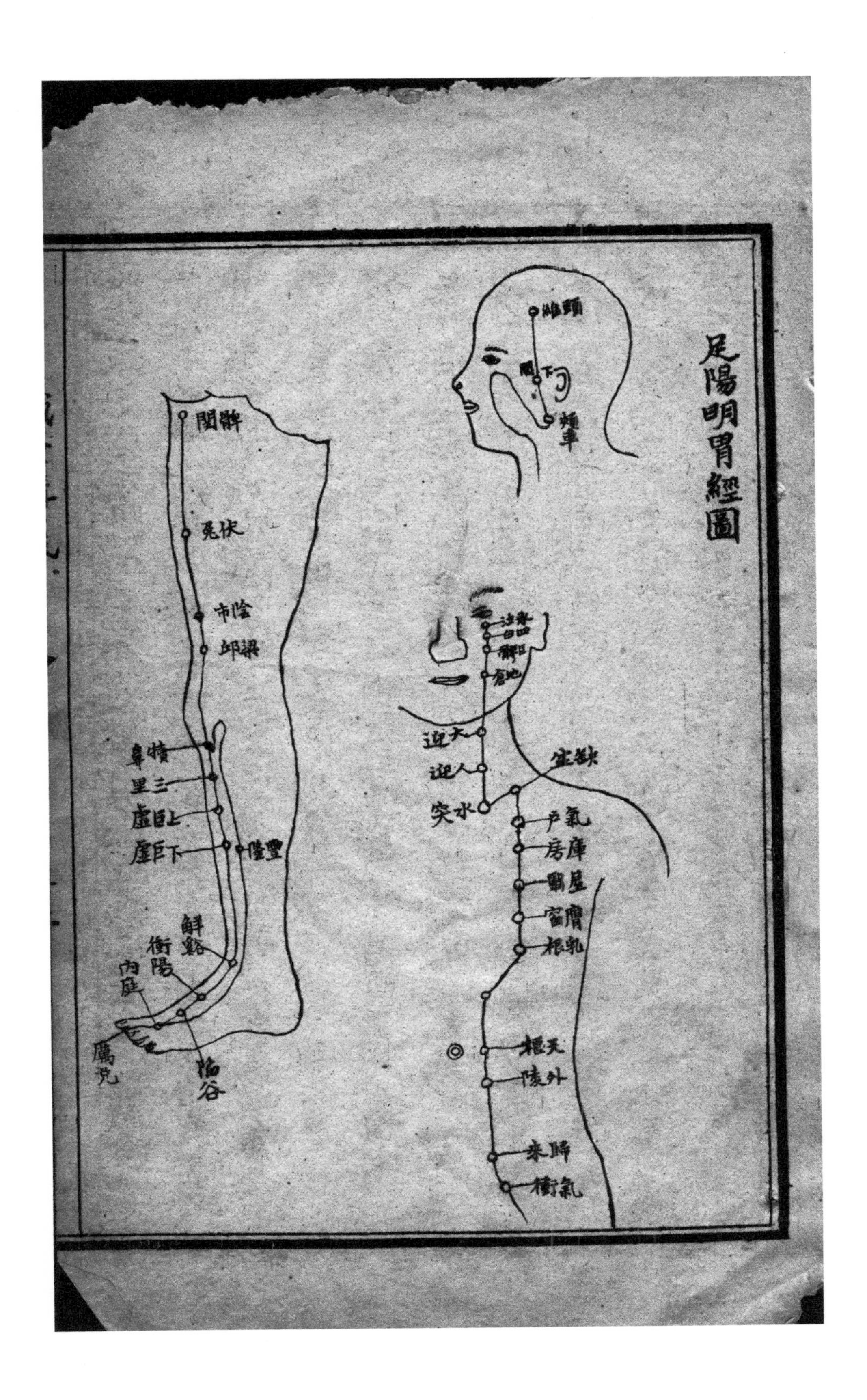
足陽明胃經圖
頭維
下關
頰車
承泣
四白
巨髎
地倉
大迎
人迎
水突
缺盆
氣戶
庫房
屋翳
膺窗
乳根
天樞
外陵
歸來
氣衝
髀關
伏兔
陰市
梁丘
犢鼻
三里
上巨虛
下巨虛
豐隆
解谿
衝陽
內庭
陷谷
厲兌

頭維　額角入髮二分。距神庭四寸五。針三分。主治頭風疼痛如破。目痛如脫。淚出不明。

下關　耳前動脉。合口有空。張口則閉。針三分。主治偏風口眼喎斜。耳鳴耳聾。痛痒。

頰車　在耳下八分。曲頰陷中。針五分。主治中風牙關不開。失音不語。頰腫牙疼。

承泣　目下七分。與瞳子相直。此穴禁針禁灸。

四白　在承泣下三分。直對瞳子。針二分。主治目赤生翳。瞤動流淚。口眼喎斜。

巨髎　四白下。距鼻孔旁八分。針三分。主治唇頰腫痛。目障。遠視䀮䀮。

地倉　在口吻旁四分。針三分。主治口眼喎斜。牙關不開。齒痛頰腫。

大迎　在曲頷前一寸三分。針三分。主治舌强不能言。目痛不能閉。瘰癧。

人迎　有動脉應手。喉旁寸五。針二分。主治咽喉癰腫。喘呼不得息。胸中滿。

水突　在人迎下。氣舍上。仰頭取穴。針三分。主治喉痺。咽哽食不下。項强短氣。

缺盆 在鎖骨上部陷凹中。針三分。主治缺盆腫痛。瘰癧。喘急息奔。咳胸滿。

氣戶 鎖骨下一寸。去璇璣四寸。針三分。主治咳逆上氣。肢滿喘急不得息。不知味。

庫房 在氣戶下一寸六分。針三分。主治胸脇滿。呼吸不利。唾膿血濁沫。

屋翳 在庫房下一寸六分。針三分。主治咳逆濁痰。身腫。皮膚痛不可近衣。

膺窗 屋翳下一寸六分。針三分。主治胸滿短氣。不得臥。腸鳴注泄。

乳根 在乳下一寸六分。針三分。主治噎鬲食不下。乳痛乳癰。咳嗽。

梁門 去中行二寸。對中脘。針五分。主治胸脇積氣。飲食不思。氣塊疼痛。

天樞 在臍旁二寸是穴。針五分。主治水腫腹脹。女人癥瘕。月水不調。血結。

外陵 在天樞下一寸。去中行二寸。針三分。主治腹痛。心下如懸。下引腹痛。

歸來 天樞下七寸是穴。針八分。主治陰丸上縮入腹。痛引陰中。奔豚疝氣。

21 氣衝 在歸來下鼠溪上二寸。針三分。主治婦人月水不利。小腹痛。無子。胞衣不下。

22 髀關 伏兔上距膝一尺二寸。針六分。主治腰痛膝寒。足麻木不仁。股内筋絡急。

23 伏兔 在膝上六寸是穴。針五分。主治脚氣。膝冷不得温。風寒濕痺。

24 陰市 在膝上三寸是穴。針三分。主治痿痺不仁。寒疝。小腹痛。腰膝冷如冰。

25 梁邱 陰市下一寸。兩筋間。針三分。主治脚膝痛。不可屈伸。冷痺不仁。

26 犢鼻 在膝眼外側之陷中。針五分。主治膝痛不仁。難跪起。脚氣作腫。

27 三里 膝眼下三寸。骭骨外。針六分。主治胃寒。腸鳴瀉泄。大便不通。腰疼虚弱。

28 上巨虛 在三里下三寸是穴。針五分。主治骨髓冷痛。手足三焦不仁。飧泄喘甚。

29 下巨虛 上巨虛下三寸是穴。針五分。主治偏風足不履地。暴驚。狂言胃中熱。

30 豐隆 在外踝上八寸。距外五分。針三分。主治喉痺不言。癲狂見鬼。屈伸不便。

35 34 33 32 31

解谿 足腕上繫鞋帶處。針三分。主治頭痛目眩。轉筋霍乱。腹脹。善飢不食。

衝陽 足跗上五寸。距內庭五寸。針三分。主治偏風面腫。口眼喎斜。振寒或胃瘧等。

陷谷 去內庭二寸。針三分。主治腸鳴腹痛。水病痎瘧。疝氣。少腹痛。

內庭 次指中指之間縫處。針二分。主治癮疹。赤白痢。腹滿不得息。瘧不嗜食。

厲兌 在足次趾外側爪甲如韭葉。針一分。主治口禁氣絕。狀如中惡。多驚狂。

足陽明胃鼻頞起。下循鼻外入上齒。環唇挾口交承漿。頤後大迎頰車裏。耳前髮際至額顱。支循喉嚨缺盆入。下膈屬胃絡脾宮。直者下乳俠臍中。支起胃口循腹裏。下行直合氣衝逢。遂由髀關上膝臏。循脛足跗中指通。支從中指入大指。厲兌之穴經盡矣。

此經多氣復多血。振寒呻欠而顏黑。病至惡見火與人。忌聞木聲心惕惕。

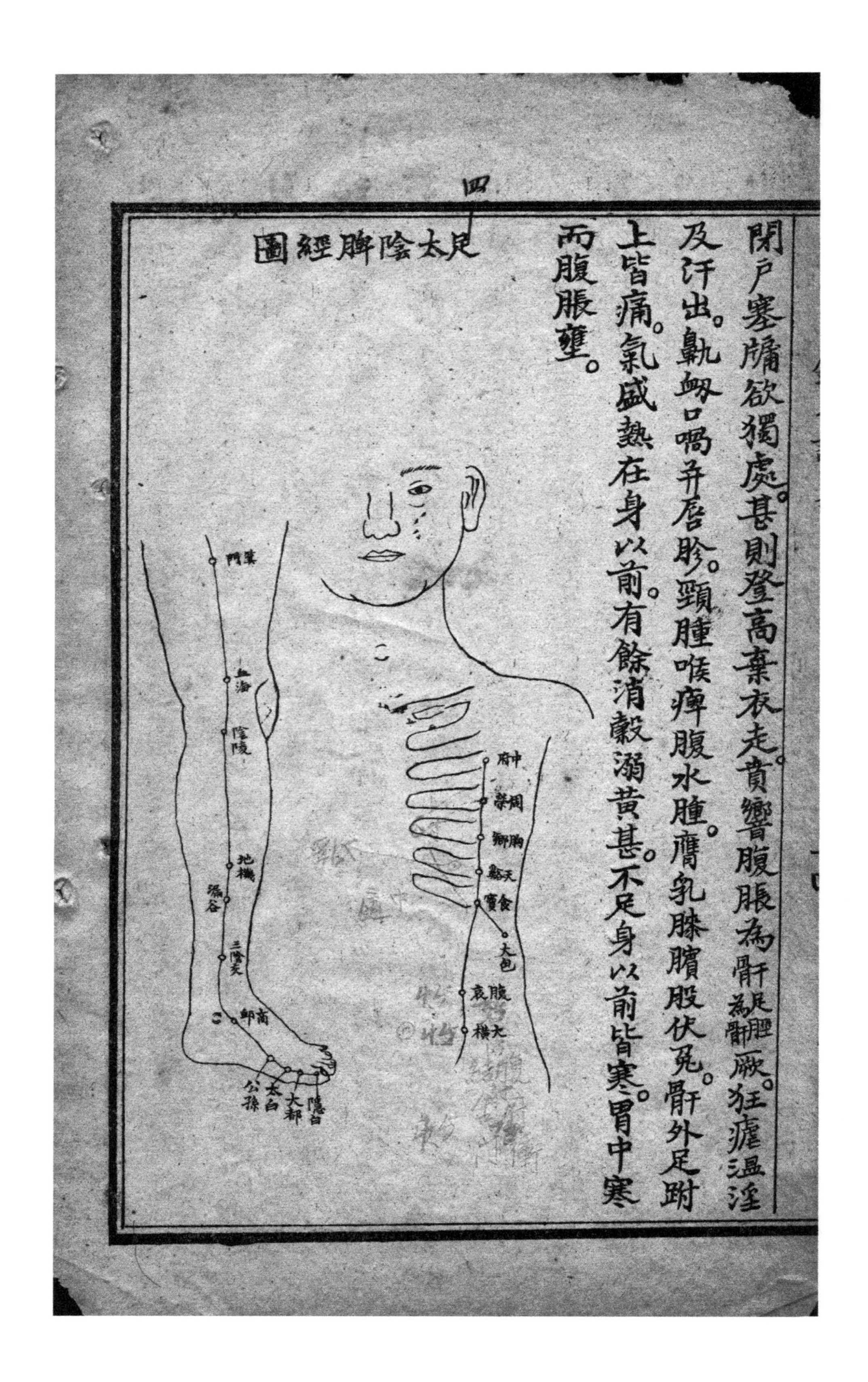

閉戶塞牖欲獨處。甚則登高棄衣走。賁響腹脹為骭（足脛為骭）厥。狂瘧溫淫汗出。鼽衄口喎脣胗。頸腫喉痹腹水腫。膺乳膝臏股伏兔。骭外足跗上皆痛。氣盛熱在身以前。有餘消穀溺黃甚。不足身以前皆寒。胃中寒而腹脹壅。

四

足太陰脚經圖

隱白　足大趾去爪甲一分。針一分。主治婦人月水過時不止。小兒客忤驚風。衄血。

大都　在本節前。第二節後針三分。主治四肢逆冷。腹滿嘔吐。腰痛不可俯仰。

太白　孤拐骨下陷凹處。針二分。主治腹脹。食不化。腹痛腸鳴。膝骨胻痠。

公孫　在太白後一寸是穴針四分。主治胃脘痛。舌強。脾積小腹痛。黃疸寒熱。

商邱　內踝骨下微前陷凹中。針三分。主治怠惰嗜臥。陰股內痛。心悲不樂。喘逆嘔。

三陰交　內踝上除踝距三寸。針三分。主治臍下痛。中風卒厥不省人事。足痿不行。

漏谷　三陰上三寸陷中。針三分。主治膝痺脚冷不仁。小便不利。失精小腹痛。

地機　在膝下五寸內側。針三分。主治腰痛不可俯仰。溏泄腹脹水腫。癥瘕。

陰陵　膝下內輔骨陷中。針一寸。主治霍亂寒熱。陰疝夢遺滑精淋帶等。

血海　膝臏上二寸。膝內側。針五分。主治女子崩中漏下。月事不調。帶下腹脹。

共21穴位.

20 19 18 17 16. 15. 14. 13 12 11

箕門 在血海上六寸。動脉。針三分。主治五淋。小便不通。遺溺。鼠鼷腫痛。

大横 距中行四寸。與臍相平。針三分。主治大風逆氣。四肢不舉。多寒善悲。

腹哀 在大横上三寸半。中脘旁四寸。針三分。主治中寒。食不化。腹痛便膿。

食竇 第五肋間。乳下一寸六分。針四分。主治胸脇支滿。飲食不下。膈有水聲。

天谿 第四肋間。距中行六寸。乳旁二寸。針四分。主治胸滿嘔逆。乳腫乳癰。

胸鄉 第三肋間。天谿上一寸六分。針四分。主治胸脇支滿。背痛轉側難。

周榮 第二肋間。胸鄉上一寸六分。針四分。主治胸滿不得俯仰。欬逆食不下。

大包 在腋窩下六寸。第九肋間。針三分。主治胸中喘痛不得息。身痛虛縱。

太陰脾起足大指。循指內側白肉際。過核骨後內踝前上腨循脛膝股裏股內前廉入腹中。屬脾絡胃上膈。通挾咽連舌散舌下。支者從胃注心宮。

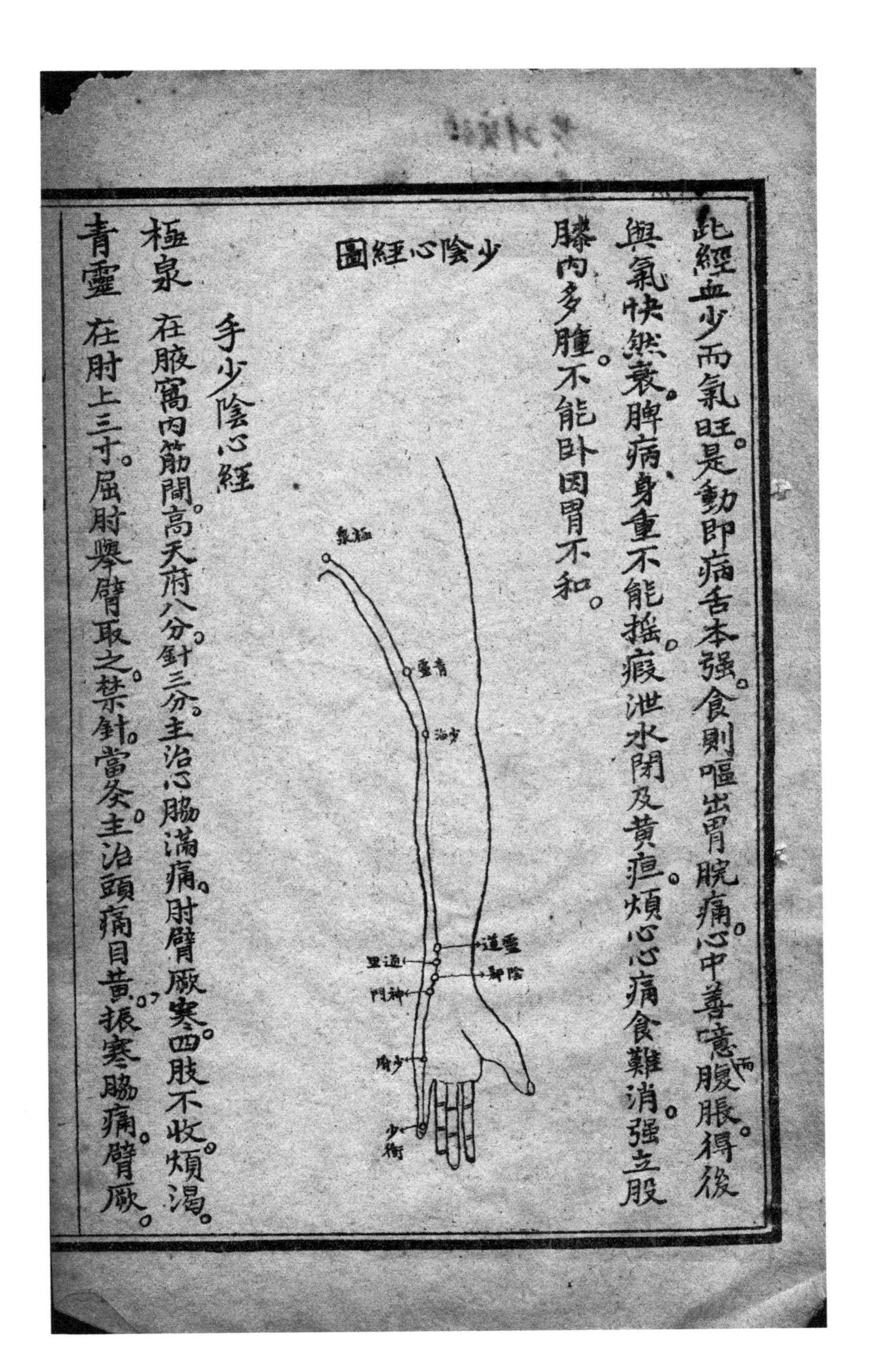

此經血少而氣旺。是動即病舌本強。食則嘔出胃脘痛。心中善噫而腹脹。得後與氣快然衰。脾病身重不能搖。瘕泄水閉及黃疸煩心心痛食難消強立股膝內多腫。不能臥因胃不和。

少陰心經圖

手少陰心經

極泉 在腋窩內筋間。高天府八分。針三分。主治心脇滿痛。肘臂厥寒。四肢不收。煩渴。

青靈 在肘上三寸。屈肘舉臂取之。禁針。當灸。主治頭痛目黃。振寒脇痛臂厥。

少海　肘内廉去肘端五分陷中。針三分。主治癲癇發狂。瘰癧。肘臂腋痛不舉。

靈道　在掌後一寸五分是穴。針三分。主治心痛悲恐。瘈瘲肘攣。暴瘖不語。

通里　腕側後一寸陷中。針三分。　主治暴瘖。心悸。悲恐畏人。婦女崩漏。

陰郄　通里下五分是穴。針三分。　主治鼻衄吐血。失音不能言。洒淅惡寒。

神門　掌後銳骨之端陷中。針三分。　主治瘧疾心煩。大人小兒五癇。手臂拘攣。

少府　小指本節後。骨縫直勞宮。針二分。主治陰挺出。陰痒。遺尿偏墜。便滯。

少冲　在小指内廉爪甲如韮葉。針一分。主治乍寒乍熱。嘔吐血沫。心痛冷疾。手麻。

手少陰心起心經。下膈直絡小腸承。支者挾咽繫目系。直者心系上肺騰。下腋循臑後廉出。太陰心主之後行。下肘循臂抵掌後。銳骨之端小指停。

此經少血而多氣。是咽動乾心痛應。目黃脇痛渴欲飲。臂臑內痛掌熱蒸。

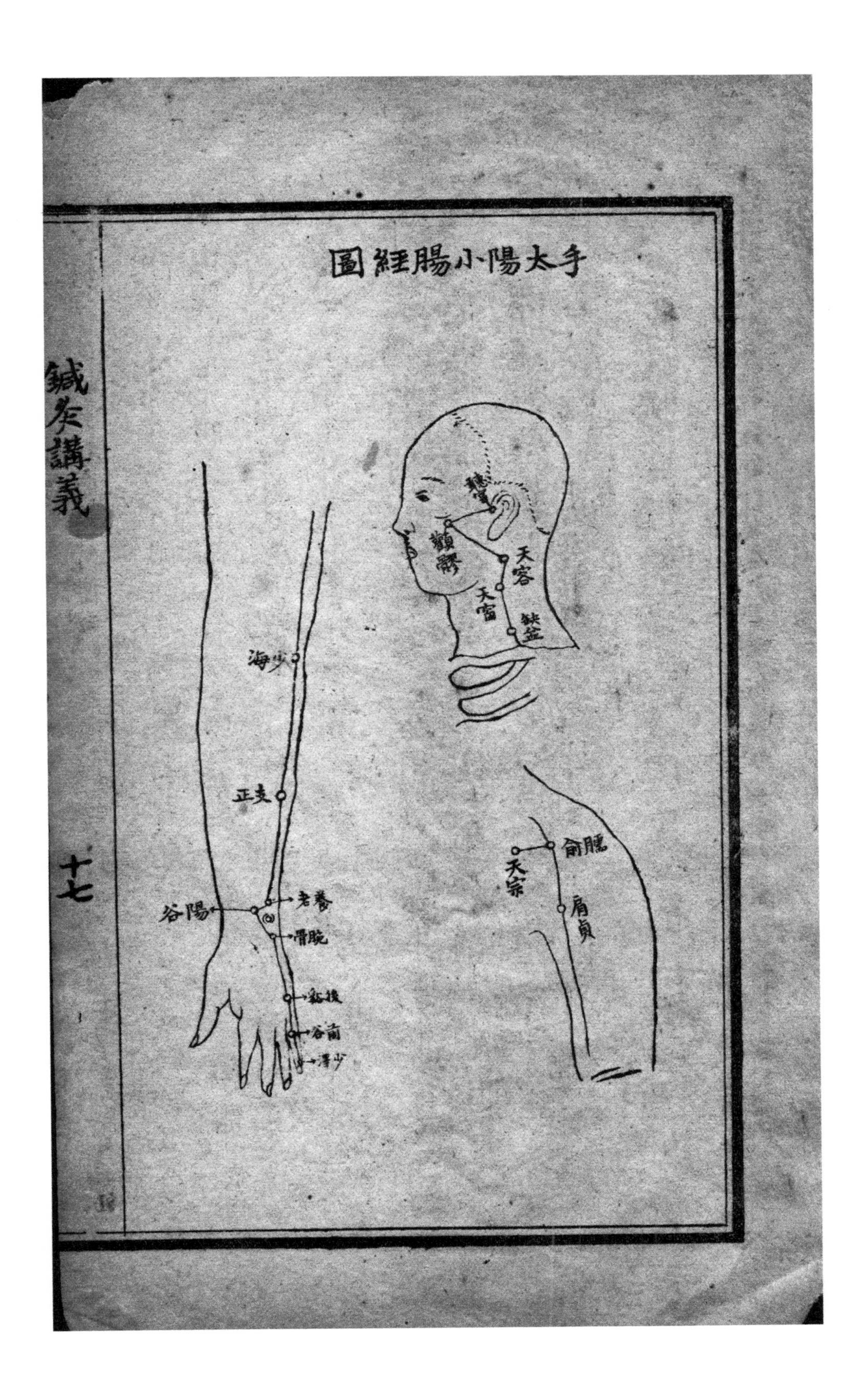

手太陽小腸經圖
鍼灸講義
十七
聽宮
顴髎
天容
天窗
缺盆
少海
支正
臑俞
天宗
肩貞
養老
陽谷
腕骨
後谿
前谷
少澤

少澤 在小指外甲角如韮葉。針一分。主治心煩咳嗽。項臂痛。目生雲翳。婦人無乳。

前谷 小指外本節前陷凹中。針一分。主治瘧疾。手疔。癲狂。頸項頰腫。咳嗽等。

後谿 小指外側。本節後陷中。針三分。主治目翳衄血。五指盡痛。項强耳聾。瘧疾。

腕骨 手外側腕前起骨下。針二分。主治偏枯。臂肘不得屈伸。五指拘攣。瘈瘲。

陽谷 距腕骨一寸二分。兌骨下。針二分。主治齒痛。臂不舉。小兒瘈瘲。舌强癲狂。

養老 陽谷斜向外踝骨上。針三分。主治肩欲折。臂如拔。手上下不遂。目視不明。

支正 距腕後五寸是穴。針三分。主治癲狂驚風。頷腫項强。頭痛目眩。

小海 距肘尖五分陷中。針三分。主治齒根腫痛。小腹痛。五癇。瘈瘲。肘臂疼。

肩貞 去脊橫開八寸。腋縫處。針五分。主治風痺手足不舉。傷寒缺盆中熱痛。

臑俞 肩貞上一寸。橫外開八分。針五分。主治臂痠無力。肩痛引胛。寒熱氣腫。

天宗　在肩貞斜上二寸七分横内閒一寸。針五分。主治肩背痠疼。兩頰腫痛。

天窗　耳下二寸大筋閒。針三分。　主治頸癭腫痛。項不得回顧。齒噤耳聾。

天容　頰車後二寸筋閒。針五分。　主治咽中如梗。癭氣頸腫。嘔逆吐沫。耳鳴。

顴髎　在顴骨下陷凹處。針三分。　主治口喎面赤。目瞤動不止。齒痛。

聽宫　耳前珠子傍陷中。針三分。　主治癲疾失音。耳内蟬鳴。心腹滿脹。

手太陽經小腸脉。小指之端起少澤。循手上腕出踝中。（腕骨為踝）上臂骨出肘内側。兩筋之間臑後廉。出肩解（脊上兩角為肩解）兩繞肩胛。交肩之上入缺盆。直絡心中循嗌咽下膈。抵胃屬小腸。支從缺盆上頸頰。至目鋭眥。入耳中。支者別頰復上䪼。（目下也）抵鼻至於目内眥。絡顴交足太陽接。

嗌痛頷腫頭難回。肩似拔兮臑似折。耳聾目黄腫頰間。是所生病為主液。

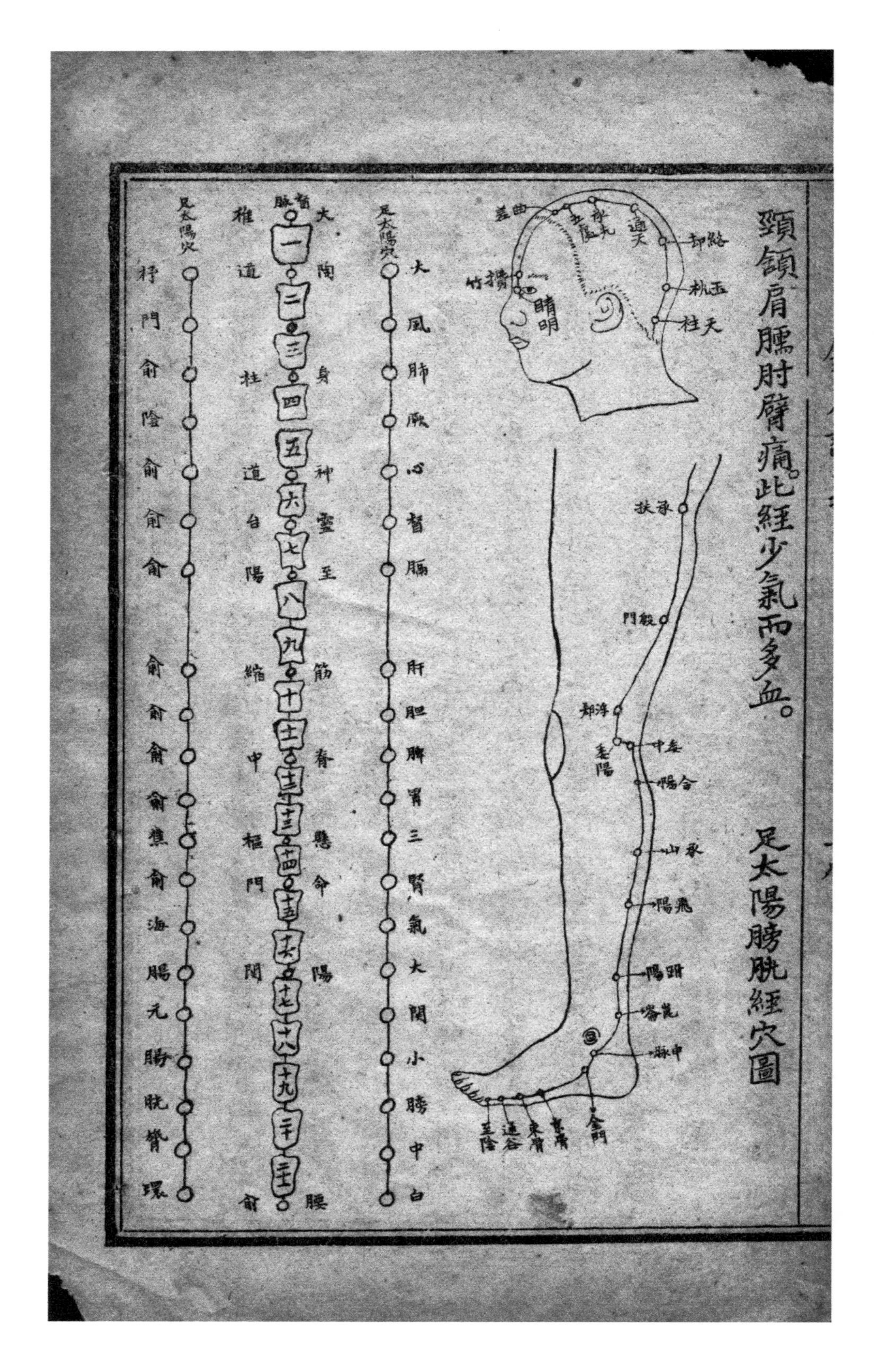

頸頷肩臑肘臂痛。此經少氣而多血。
足太陽膀胱經穴圖
曲差
五處
承光
通天
絡却
玉枕
天柱
攢竹
睛明
承扶
殷門
浮郄
委陽
委中
合陽
承山
飛陽
跗陽
崑崙
申脈
金門
京骨
束骨
通谷
至陰
足太陽穴
大風肺厥心督膈肝胆脾胃三腎氣大關小膀中白
督脈
大陶身神靈至筋脊懸命陽腰
椎道柱道台陽縮中樞門關俞
一 二 三 四 五 六 七 八 九 十 十一 十二 十三 十四 十五 十六 十七 十八 十九 二十 二十一
足太陽穴
杼門俞陰俞俞俞俞俞俞俞焦俞海腸元腸胱膂環

足太陽經穴

睛明　在目内眥角外一分。針三分。主治目痛。視物不明。迎風流淚。努肉攀睛。

攢竹　在眉頭之陷凹中。針二分。主治目視䀮䀮。淚出。目痛目癢。腮臉瞤。

曲差　眉頭直上入髮五分。神庭旁寸五。針二分。主治鼻塞鼽衄。清涕。巔頂痛。

五處　曲差後五分。針二分。主治瘛瘲癲疾。頭痛目痛。脊强反折。

承光　五處後一寸五分。針二分。主治風眩。嘔吐心煩。鼻塞目翳。口喎頭暈。

通天　承光後一寸五分。針三分。主治頭重耳鳴。狂走瘛瘲。目障頭旋項痛。

絡却　通天後一寸五分。針三分。主治頭旋口喎。鼻塞項腫。内障耳鳴。癭瘤。

玉枕　絡却後一寸五分。針二分。主治目痛如脫。不能遠視。頭項痛。鼻塞。

天柱　項後髮上。距中府七分。針二分。主治目明。足不任身。項强肩背痛。

大杼　在第一椎下。横開各一寸五。針三分。主治腰脊項背强痛。筋攣瘈瘲等。

風門　大杼下第二椎下。各開一寸五。針五分。主治癰疽發背。嘔逆喘。卧不安黃疸。

肺俞　風門下第三椎下。各開一寸五。針三分。主治五勞傳尸肺痿咳嗽。喘虚煩滿。

厥陰俞在第四椎下。各旁開一寸五。針三分。主治欬逆牙疼。心痛結胸。嘔吐煩滿。

心俞　第五椎下。各開一寸五。針三分。　主治半身不遂。食噎積結。心驚恍惚。

督俞　第六椎下。去脊各一寸五。灸主壯禁針。正坐取之。主治欬引兩脇轉側不爽。

膈俞　第七椎下。去脊各開一寸五。針三分。主治心痛周痹。翻胃吐食。腹脇脹滿。

肝俞　第九椎下。去脊各開一寸五。針三分。主治氣短欬血轉筋入腹。目中諸疾。

胆俞　第十椎下。去脊各開一寸五。針三分。主治骨蒸勞熱。翻胃心腹脹滿。咽痛。

脾俞　第十一椎下。去脊各開一寸五。針三分。主治煩熱嗜卧。善欠體重。四肢不收。

胃俞 第十二椎下。各開一寸五。針三分。主治小兒痢下赤白。脫肛。腹疼不可忍。

三焦俞第十三椎下。各開一寸五。針五分。主治蔵府積聚。脹滿膈塞不通。脹鳴。

腎俞第十四椎下。各開一寸五。針三分。主治腰痛。夢遺精滑婦女月經不調。

氣海俞在十五椎下。各開一寸五。針三分。主治腰痛痔漏。

大腸俞在十六椎下。各開一寸五。針三分。主治脊強腰痛腹脹。繞臍切痛。腸鳴。

関元俞在十七椎下。各開一寸五。針三分。主治婦人癥瘕。風勞腰痛。小便難。

小腸俞在十八椎下。各開一寸五。針三分。主治淋瀝遺尿小腹脹滿。婦女帶下。

膀胱俞在十九椎下。各開一寸五。針三分。主治婦女癥瘕。遺尿便赤。腹疼泄痢。

中膂俞在二十椎下。各開一寸五。針三分。主治腎虛消渴。腰脊強痛。不得俯仰。

白環俞在二十一椎下。各開一寸五。針三分。主治手足不仁。痲疼。二便不利。温瘧痺。

承扶　在臀部高肉下垂之横紋中。針五分。主治久痔臀腫。二便不爽。腰脊痛。

殷門　在承扶下六寸。委中直上。針五分。主治外股腫。惡血流注。腰脊不靈活。

浮郄　在委陽上一寸是穴。針五分。主治髀樞不仁。股外筋急。霍乱轉筋。

委陽　委中外兩筋間是穴。針七分。主治腰脊腋下腫痛。小腹滿引陰作痛。

委中　當膝膕窩之正中。針一寸五分。主治大風。眉髮脫落。半身不遂。遺尿。

合陽　在委中下二寸是穴。針五分。主治寒疝偏墜。女子崩帶不止等。

承山　在合陽下六寸。腨肉之間。針八分。主治霍乱轉筋。戰慄不能行立。痙痠。

飛陽　在外踝上七寸。骨後廉。針三分。主治痔痛不得起坐。足痠不得屈伸。

跗陽　在外踝上三寸是穴。針三分。主治霍乱轉筋。四肢不擧。屈伸不能。

崑崙　外踝後五分。跟骨陷中。針三分。主治婦人胞衣不下。小兒發癇瘈瘲。

申脉　在外踝下五分陷中是穴。針三分。主治風眩癲疾。腿足不能屈伸。婦人氣血痛。

金門　在申脉前下。骨下陷中。針三分。主治小兒張口搖頭。身反折。霍乱轉筋。

京骨　足外側大骨下。赤白際。針三分。主治腰脊痛如折。目眥赤爛。頭痛癲狂。

束骨　在小趾外側本節後陷中。針三分。主治目眥赤腫。耳聾。腫膝痛。癰疔發背。

通谷　在小趾本節前陷中。針二分。主治頭痛目眩。善驚。留飲。食不化。

至陰　在小趾端外側。去爪一分。針一分。主治風寒頭重鼻塞。足下熱。煩心。小便不利。

足太陽經。膀胱脉。目內眥上額交巔。支者從巔入耳角。直者從巔絡腦間。還出下項循肩髆。挾脊抵腰循膂旋。絡腎正屬膀胱府。一支貫臀入膕傳。一支從髆別貫胛。挾脊循髀合膕行。貫腨出踝循京骨。小指外側至陰全。

此經少氣而多血。頭痛脊痛腰如折。目似脫兮項似拔。膕如結兮腨如裂。痔

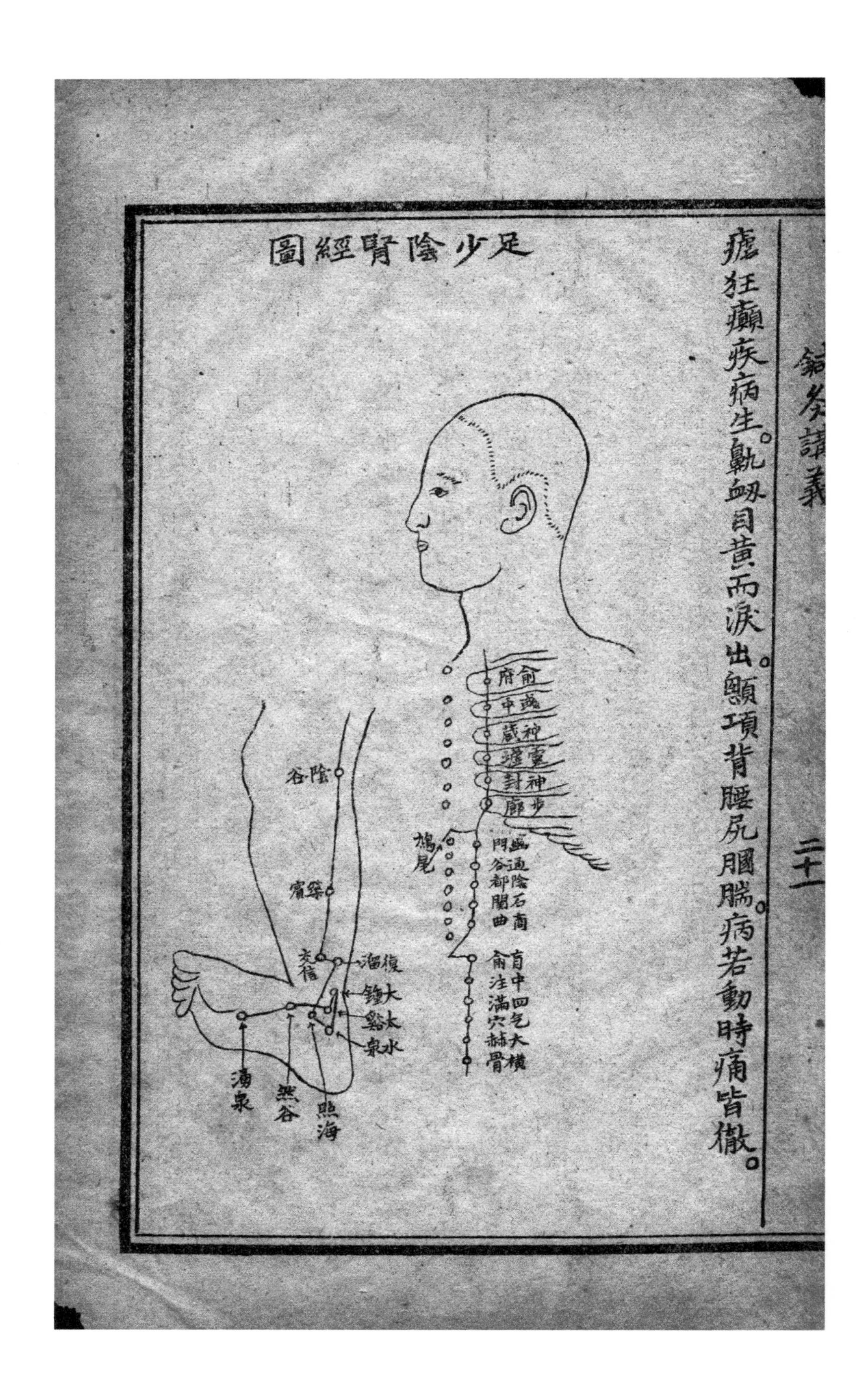
鍼灸講義
二十
足少陰腎經圖
瘧狂癲疾病生。鼽衄目黃而淚出。顖項背脛尻膕腨病若動時痛皆徹。
俞府
彧中
神藏
靈墟
神封
步廊
鳩尾
幽門
通谷
陰都
石關
商曲
肓俞
中注
四滿
氣穴
大赫
橫骨
陰谷
築賓
交信
復溜
大鐘
太谿
水泉
涌泉
然谷
照海

湧泉　在足心中央宛中。針三分。主治心痛不嗜食。熱厥喘嗽有血。風疹風癇。

然谷　在公孫後一寸是穴。針三分。主治男子遺精。婦女月經不調。小兒臍風撮口。

太谿　在內踝後五分。動脈陷中。針三分。主治咽腫咳嗽。善噫。腹痛寒疝。衄吐血。

大鐘　足跟後踵中。太谿下五分。針二分。主治氣逆煩悶。腰脊強疼。善驚。恐不樂。

水泉　內踝後太谿下一寸。針四分。主治心下悶痛。小腹痛。小便淋。陰挺出。

照海　在內踝下一寸是穴。針三分。主治咽乾嘔吐。大風偏枯。半身不遂。卒疝。

復溜　內踝上二寸。距交信後五分。針三分。主治腸鳴腹痛。水病五淋。盜汗目䀮。

交信　內踝上二寸。與復溜並立。針三分。主治五淋癩疝。赤白痢疾。月經不調。

築賓　內踝上五寸。三陰交直上三寸。後開一寸二分。主治小兒胎疝。癩疾。吐舌。發狂詈罵。

陰谷　膝內輔骨之後。大筋下。小筋上。針四分。主治膝痛屈伸難。女人血漏。小腹疝。

橫骨　在大赫下一寸。去中行五分（一寸）。針三分。主治五淋。小便不通。陰器下縱引痛。

大赫　在氣穴下一寸。針三分。去中行五分（一寸）。主治虛勞失精。陰莖下縮。女子赤帶。

氣穴　在四滿下一寸。去中行五分（一寸）。針三分。主治奔豚痛。引腰脊。泄痢。經不調。

四滿　在中注下一寸。去中行五分（一寸）。針三分。主治惡血腹痛。無子。女人月經不調。

中注　在肓俞下一寸。去中行五分（一寸）。針五分。主治小腹熱。大便燥。腰脊疼。目眥痛。

肓俞　去臍旁五分（一寸）是穴。針五分。主治腹痛寒疝。便燥。目赤痛。眥痛。

商曲　在石關下一寸是穴。針五分。主治腹中切痛。積聚不嗜食。目內外眥痛。

石關　在陰都下一寸陷中。針五分。主治噦噫嘔逆。臟有惡血上衝。腹疼不可忍。

陰都　通谷下一寸。去中行五分（一寸五分）。針五分。主治心滿腸鳴。氣搶嘔沫。痎瘧。

通谷　幽門下一寸。去中行五分（一寸五分）。針五分。主治口喎暴瘖。胸滿食不化。清涕出。

幽門　在巨闕旁五分是穴。針五分。主治胸中引痛。洩痢膿血。善吐食不下。
步廊　在神封下一寸六中庭旁二寸。針三分。主治鼻塞少氣。咳逆不得息。嘔吐不食。
神封　靈墟下一寸六分去中行二寸。針三分。主治洒淅惡寒。咳逆嘔吐。乳癰。脇滿痛。
靈墟　在神藏下一寸六分。當三肋間。針三分。主治胸滿不得息。咳逆惡寒。不嗜食。
神藏　在彧中下一寸六分。針三分。主治嘔吐欬逆。喘不得息。胸滿不欲食。
彧中　在俞府下一寸六分。針四分。主治胸脇支滿。多吐喘甚。咳嗽不食。
俞府　在璇璣旁開二寸。針三分。主治欬逆上氣。嘔吐不食。中部作痛。
足腎經脉屬少陰。斜從小指趨足心。出於然谷循內踝。入跟上腨膕內尋。上股後廉直貫脊。屬腎下絡膀胱深。直者從腎貫肝膈。入肺挾舌循喉嚨。支者從肺絡心上。注於胸交手厥陰。

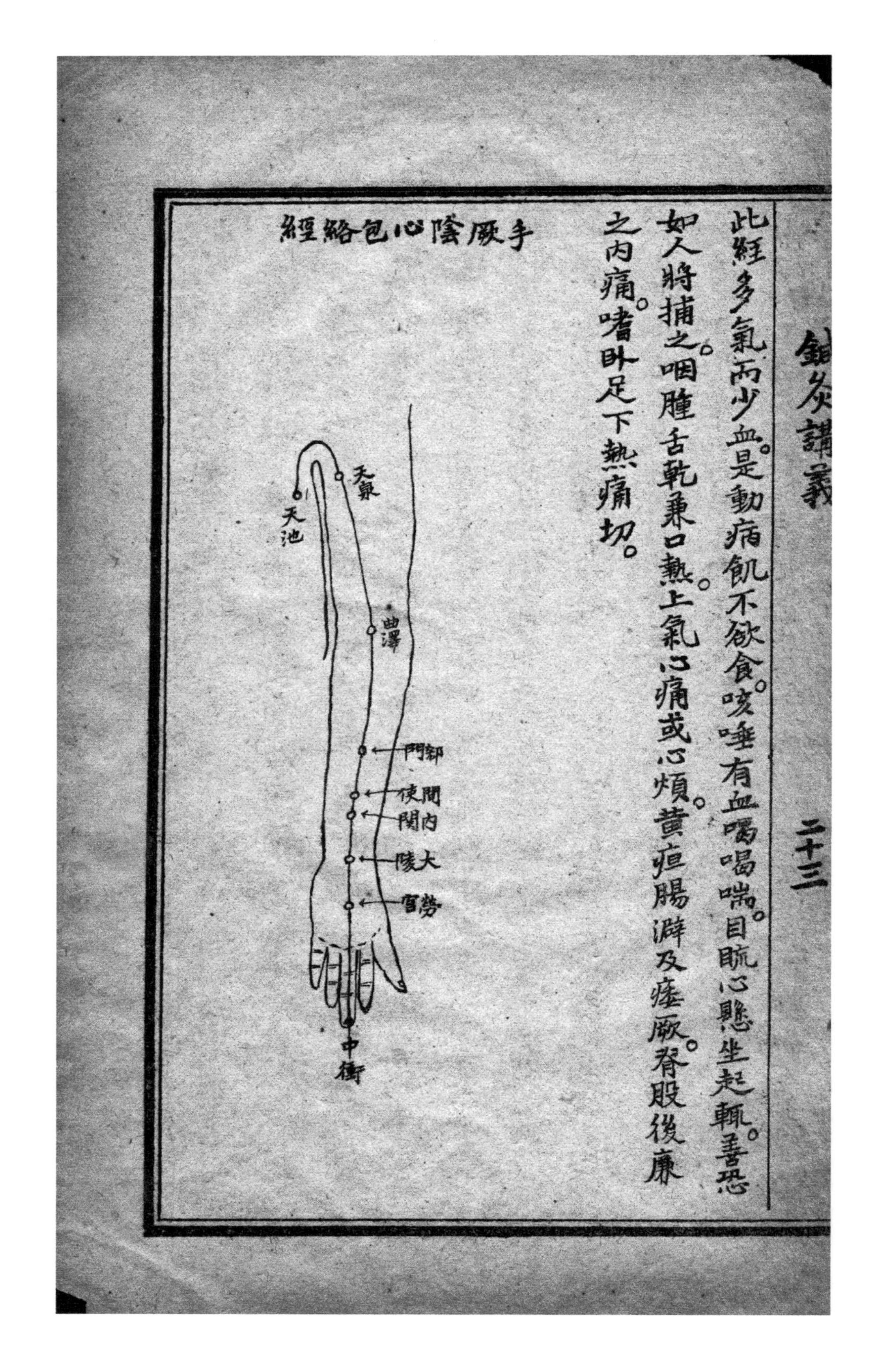

此經多氣而少血。是動病飢不欲食。咳唾有血喝喝喘。目䀮心懸坐起輒善恐如人將捕之。咽腫舌乾兼口熱。上氣心痛或心煩。黄疸腸澼及痿厥。脊股後廉之内痛。嗜臥足下熱痛切。

手厥陰心包絡經

手厥陰心包絡經

天池　乳後一寸。腋下三寸。第四肋間。針三分。主治腋腫。四肢不舉。目眩。胸脇煩滿。

天泉　手之內側。腋下二寸是穴。針六分。主治胸脇痛。支滿膺背胛臂間痛。

曲澤　肘內廉之陷凹中。尺澤內。針三分。主治心痛善驚。身熱。掣痛不可伸。

郄門　在大陵上五寸是穴。針三分。　主治嘔吐衄血。驚恐。神氣不足。久痔。

間使　大陵上三寸。即掌後三寸。針三分。主治傷寒結胸。小兒客忤。婦月水不調。

內關　大陵上二寸。兩悗間。針五分。　主治面熱目昏。支滿肘攣。久瘧不已。

大陵　在手腕橫紋之陷中。針三分。　主治舌本痛。善笑不休。驚恐悲泣。

勞宮　在手掌心。曲無名指盡處。針二分。主治中風悲笑不休。轉側難。黃疸。

中衝　中指之端。去爪如韮葉。針一分。主治中風不省人事。頭痛如破。舌強痛。

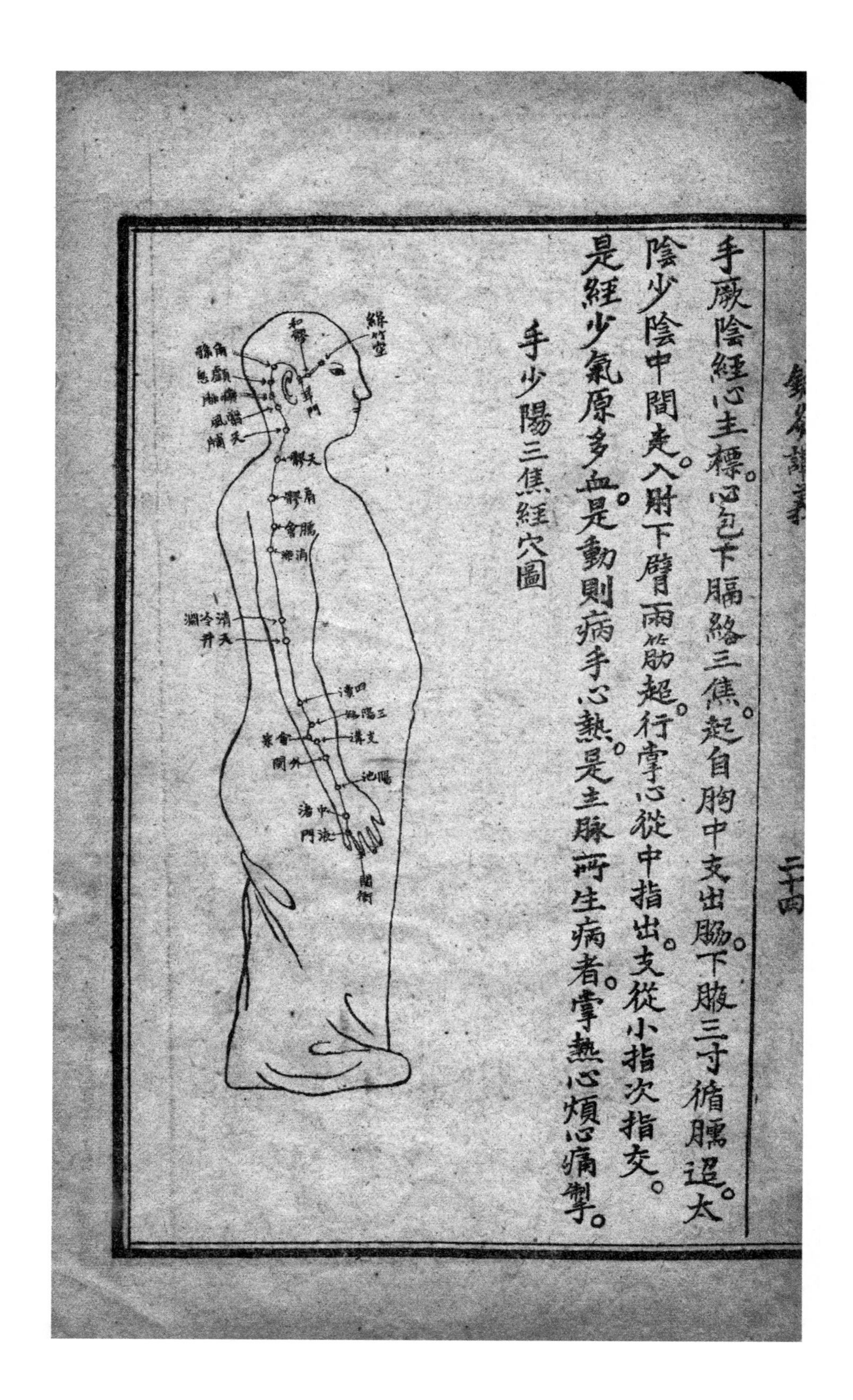

手厥陰經心主標。心包下膈絡三焦。起自胸中支出脇下腋三寸循臑迢。太陰少陰中間走。入肘下臂兩筋超。行掌心從中指出。支從小指次指交。是經少氣原多血。是動則病手心熱。是主脈所生病者。掌熱心煩心痛掣。

手少陽三焦經穴圖

手少陽三焦經穴

關衝　在無名指外側。去介如韭葉。針一分。主治頭痛口乾。胸結不食。肘臂痛不能舉。

液門　小指次指之間合縫處陷中。針三分。主治耳暴聾。咽外腫。驚悸妄言。牙齦痛。

中渚　無名指小指本節後間陷中。針三分。主治目眩咽腫。久瘧腫疼。背痛目翳。

陽池　在手表腕上横紋陷中。針三分。主治心煩悶。寒熱瘧。臂不能舉。手腕無力。

外關　在陽池上二寸陷中兩筋間。針三分。主治耳聾無聞。五指痛不能握。肘臂不舉。

支溝　陽池上三寸。兩筋骨間陷中。針三分。主治產後血暈不省人事。口噤不開。暴瘖。

會宗　在支溝外旁偏在小指一寸。針禁當灸三壯。主治五癇耳聾。肌膚痛。

三陽絡　在支溝上一寸是穴。針禁灸三壯。主治暴瘖不能言。嗜卧身不欲動。

四瀆　三陽絡上一寸五分。檄前陷中。針五分。主治暴氣耳聾。下齒作痛。

天井　在肘尖上二寸陷凹中。針三分。主治咳嗽上氣。胸痛不語。五癇風痺。肩痛。

清冷淵　天井上一寸是穴。針三分。主治諸痺痛。肩背肘臑不能舉。

清濼　在臑會下二寸是穴針五分。主治頸項强急。寒熱頭痛。肩臂急。

臑會　在肩頭下三寸。針五分。主治項癭氣瘤。寒熱瘰癧。肘臂無力。

肩髎　在肩髃後一寸餘。針七分。主治臂重肩疼不能舉。

天髎　鎖骨窩上。肩井後八分。針五分。主治缺盆痛。肩背痠痛。胸中煩悶。

翳風　耳根後。距耳五分陷中。針三分。主治口眼喎斜。口噤不開。牙車急痛。

瘈脉　翳風上一寸。近耳根青絡上。針一分。出血如豆。主治小兒驚癇瘈瘲。泄痢。

顱息　在瘈脉上一寸。青絡上。鋒針見血。主治耳鳴喘息。小兒嘔吐。驚恐發癇。

角孫　耳上角陷凹處。口開闔覺動。針禁。灸三壯。主治齦腫不能嚼物。目生翳。

耳門 在耳前肉峯下。缺口外。針三分。主治耳聾生瘡。生膿汁。唇吻强。

和髎 在耳前髮銳尖下。針三分。主治頭痛耳鳴。牙車引急。項腫作痛。

絲竹空 在眉尾外端陷中。針三分。主治偏正頭風。發狂吐沫。目眩風癇。目赤。

手少陽經三焦脉。起手小指次指間。循腕出臂之兩骨。天井穴 貫肘循臑外上肩。交出足少陽之後。入缺盆布膻中。傳散絡心包而下膈。循屬三焦表裏聯。支從膻中缺盆出。上項出耳上角巔。以屈下頰而至䪼。支從耳後入耳緣。出走耳前交兩頰。至目銳眥胆經連。

是經少血還多氣。耳聾嗌痛及喉痺。氣所生病汗出多。頰腫痛及目銳眥。耳後肩臑肘臂外。皆痛癈及小次指。

足少陽胆經圖

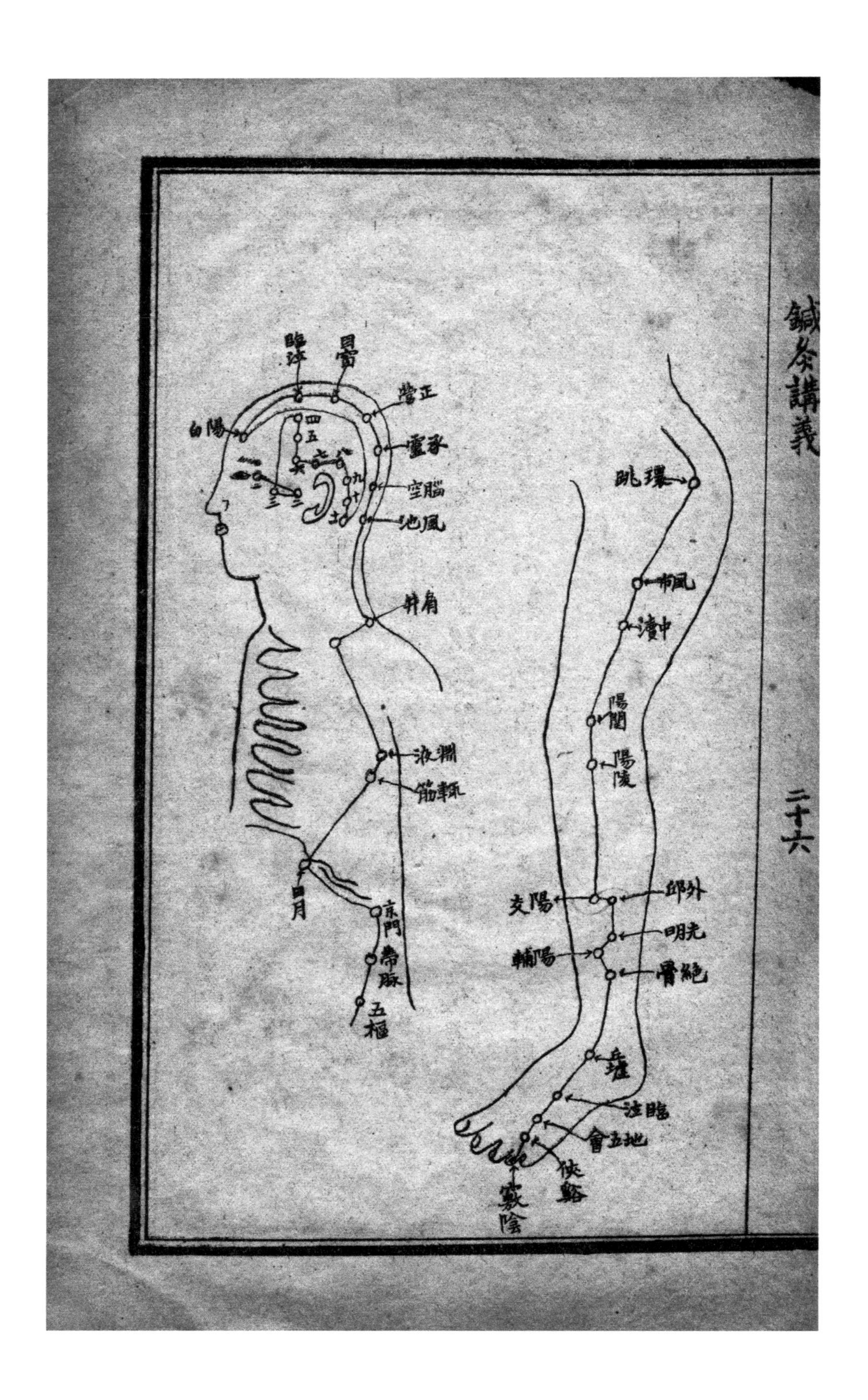
鍼灸講義
二十六
臨泣
目窗
正營
陽白
承靈
腦空
風池
肩井
淵液
輒筋
日月
京門
帶脈
五樞
環跳
風市
中瀆
陽關
陽陵
陽交
外邱
光明
陽輔
絕骨
丘墟
臨泣
地五會
俠谿
竅陰

一瞳子髎　在目外眥旁五分。針三分。主治目痒赤腫。遠視䀮䀮。淚出多眵。

二聽會　在耳珠微前陷中。針三分。主治耳聾耳鳴耳昏牙車齒痛。

三客主人　在目前起骨上廉開口有空。此穴禁針。故不錄主治與手術。

四頷厭　在曲周下顳顬上廉。針二分。主治頭風頸項痛。目眩耳鳴多嚏。

五懸顱　曲周下顳顬中廉。針二分。主治頭痛齒痛。偏頭疼引目。

六懸厘　在曲周下顳顬下廉。針二分。主治偏頭疼。面腫目銳眥痛。

七曲鬢　在耳上入髮際一寸。針二分。主治頷頰腫。項強不得顧。

八率谷　在耳上入髮際寸五。針三分。主治腦痛。頭角痛。煩悶嘔吐。

九天衝　在率谷後三分。針三分。主治癲疾風痙。牙齦腫。驚恐頭痛。

十浮白　耳輪根上入髮際一寸。針三分。主治項癭。痰沫喘息不得。肩背不舉。

十一竅陰　在浮白下一寸是穴。針三分。　主治手足煩熱。目痛耳鳴。癰疽發背。

陽白　在眉毛上一寸。與瞳子取直。針二分。主治頭痛目昏。多眵。背惡寒。

臨泣　在目上直入髮五分。針三分。　主治頭痛目眩。遠視不明。外眥痛。

目窗　在臨泣後一寸陷中。針三分。　主治頭目痛。鼻塞。瘧疾日夕發。

正營　在目窗下一寸是穴。針三分。　主治齒痛頭疼。唇吻強急。

承靈　在正營後一寸五分。針禁。灸五壯。主治腦風頭痛。鼻塞不通。

腦空　在承靈後一寸五。針四分。　主治勞瘵身熱羸瘦目瞑耳聾。

風池　腦空後。髮際邊陷中。針四分。主治偏正頭痛。項如拔。不得回顧。

肩井　在肩上陷解中。缺盆上。大骨前一寸半。針五分。主治痰涎上壅。墮胎後手足冷。

淵液　在腋下三寸是穴。此穴禁針。故不錄其主治與手術。

輒筋　在脇下三寸。距乳房一寸。針四分。主治善太息。多唾噫吐言語不正。

日月　在期門下五分是穴。針五分。主治小腹熱。太息多唾四肢不收。

京門　臍下五分旁開九寸半。針三分。主治腸鳴洞泄水道不利少腹急痛。

帶脉　在京門下一寸八分去臍旁八寸半。針六分。主治兩脇疼。赤白帶下月經不調。

五樞　在帶脉下三寸。針五分。主治小腹疝疼。腎疝。婦人赤白帶下。

環跳　髀樞中。曲足後跟處。針二分。主治半身不遂。腰胯痠疼。膝不能伸。

風市　膝上以手中指垂盡是穴。針五分。主治腿膝無力。腰連足痛。兩腿麻痺。

中瀆　屈膝横紋外角直上五寸。針五分。主治寒氣客於分肉間。攻痛上下。

陽關　陽陵上三寸兩筋間。針五分。主治偏風半身不遂。脚氣筋攣。

陽陵　膝下一寸。外夾骨前陷中。針六分。主治風痺不仁半身不遂屈伸難。

陽交　外踝上七寸。由崑崙直上。針六分。主治膝痛寒〻厥。驚。面腫。足不仁。

外邱　在外踝上七寸。與陽交相並。針三分。主治癲風惡犬傷。毒不出。痿痺等。

光明　外踝上五寸。針六分。　主治脛痛不能久立。膝痛並痠。

陽輔　在外踝上四寸。針三分。　主治腰溶溶如水浸。膝下膚腫。

懸鐘　在外踝上三寸。針五分。　主治手足不收。腰膝痛。脚氣筋攣。

邱墟　外踝下微前陷中。針五分。　主治髀樞中痛。轉筋。目生翳膜。

臨泣　次指本節後。去俠谿一寸五。針二分。主治腋下馬刀。目眩心痛。經水不調。

地五會　在俠谿上一寸。針一分。　主治腋痛。乳癰。内損吐血。

俠谿　足小指次指歧骨間。針二分。　主治胸脇肢滿。目赤。頷腫。耳聾。

竅陰　足四指外側。爪甲如韭葉。針一分。主治手足煩熱。耳聾。癰疽舌強。

足少陽脉胆之經。起手兩目銳眥邊。上抵頭角下耳後。循頸行手少陽前。至肩却出少陽後。入缺盆中支者分。耳後入耳中耳前走。支別銳眥下大迎。合手少陽抵於䪼下。加頰車下頸連。復合缺盆下胸膈。絡肝屬胆表裏縈。循脇裏向氣街出。繞毛際入髀厭橫。直者從缺盆下腋。循胸季脇過章門。下合髀厭髀陽外。出膝外廉外輔膝傍高骨緣。下抵絕骨出外踝。循跗入小次指間。支者別跗入大指。循指歧骨出其端。

此經多氣而少血。是動口苦善太息。心脇疼痛轉側難。足熱面塵體無澤。頭痛頷痛銳眥痛。缺盆腫痛亦痛脇。馬刀俠頸癭腋生汗。出振寒多瘧疾。胸脇髀膝脛絕骨外踝皆痛及諸節。

足厥陰肝經穴圖

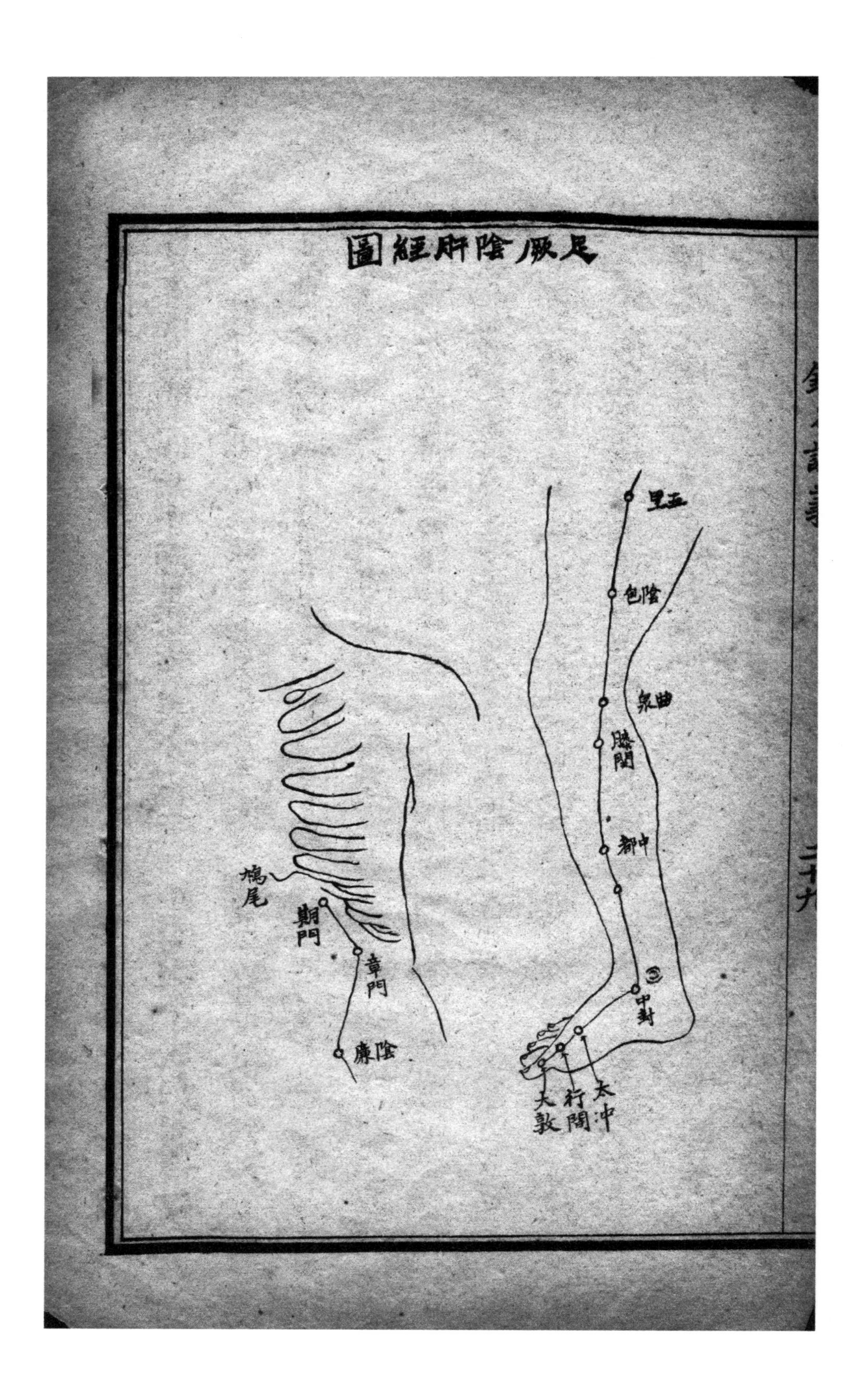
足厥陰肝經圖
五里
陰包
曲泉
膝關
中都
中封
大敦
行間
太沖
鳩尾
期門
章門
陰廉

大敦　在大趾爪甲後毛中。按之有陷。針一分。主治卒心痛。五淋七疝。小腹痛。血崩便數。

行間　大趾次趾合縫後五分陷中。針三分。主治小兒驚風。遺尿癃閉。崩漏白濁。

太冲　在行間後寸半是穴。針三分。主治陰縮入腹作痛。善太息。月經不調。

中封　内踝前一寸微下些陷中。針四分。主治大小便難。足厥冷。身体不仁。筋攣。

蠡溝　在内踝前上五寸是穴。針三分。主治疝痛癃閉。臍下積氣如杯。血不調。

中都　在蠡溝上二寸陷中。針三分。主治腸癖崩中。産後惡露不絕。癀疝。

膝關　犢鼻下二寸。向裏横開寸半。針四分。主治咽痛。風痺引膕不得屈伸。喉瘖。

曲泉　膝内輔骨下横紋陷中。針七分。主治女子陰挺出。少腹痛。男子七疝痛。

陰包　在膝上四寸。股内廉兩筋間。針六分。主治腰尻引小腹痛。遺尿。月水不調。

五里　陰廉下針二寸。去氣衝三寸。針六分。主治腸風熱閉。不得溺。四肢不能舉。

陰廉　在陰部之旁。內下有核狀是穴。針六分。主治婦人不孕灸三壯。經水不調。

章門　季脇之端。臍旁開六寸陷中。針六分。主治兩脇脹。腸鳴。食不化。善恐。下泄。

期門　在乳下第二肋端。去乳頭四寸。針四分。主治胸中煩熱。奔豚上下。喘不得臥。

足厥陰肝脉所終。大指之端毛際叢。循足跗上上內踝。出太陰後入膕中。循股入毛繞陰器。上抵小腹俠胃通。屬肝絡胆上貫膈。布扵脇肋循喉嚨上入頏顙連目系。出額會督頂巔逢。支者後從目系出。下行頰裏交環唇。支者從肝別貫膈。上注扵肺乃交宮。（交扵心主）是經血多而氣少。腰痛俛仰難為工。婦少腹腫男㿉疝。嗌乾脫色面塵蒙。胸滿嘔逆及飧泄。狐疝遺尿或閉癃。

奇經八脉

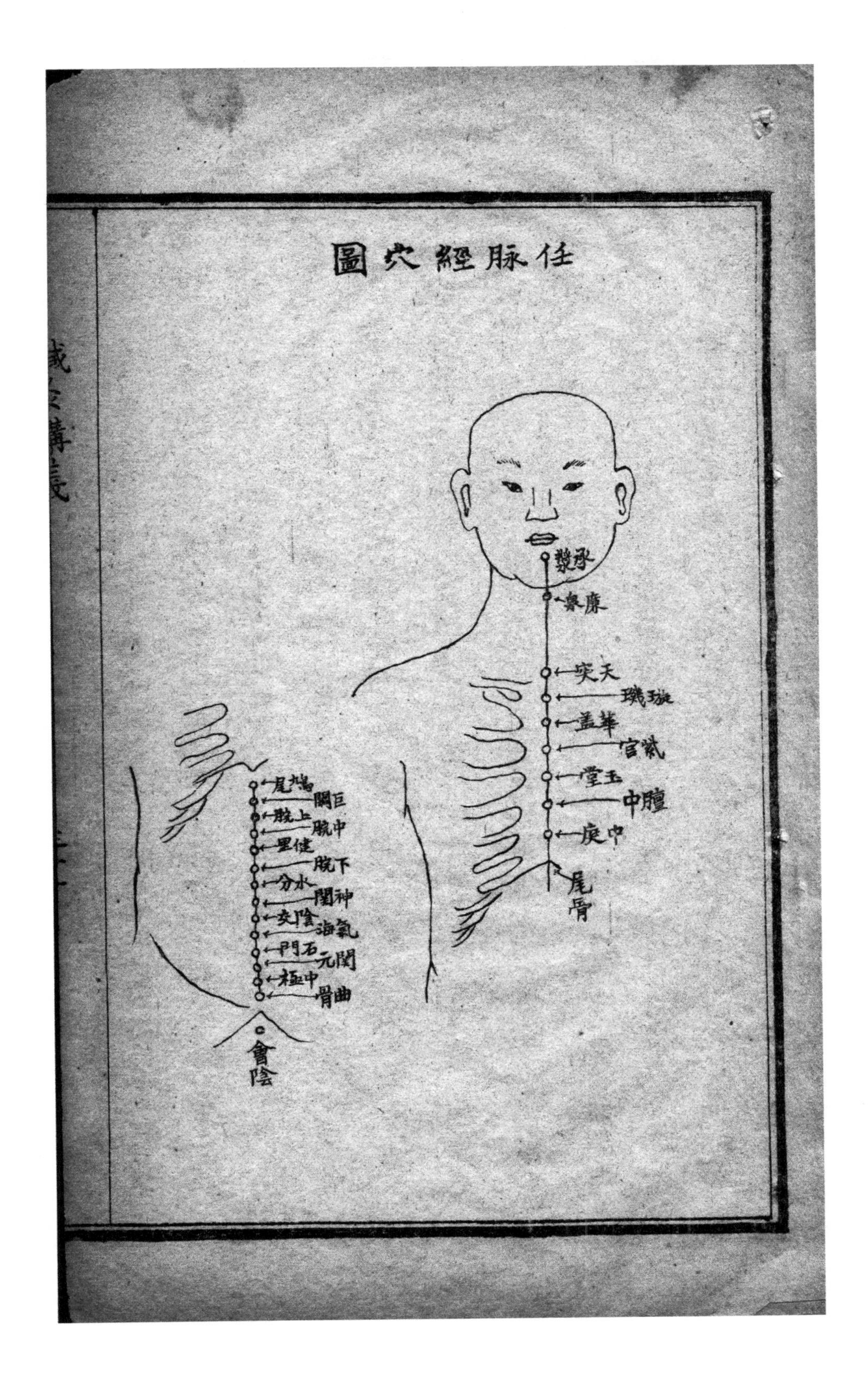
任脉經穴圖
承漿
廉泉
天突
璇璣
華蓋
紫宮
玉堂
膻中
中庭
尾骨
鳩尾
巨闕
上脘
中脘
建里
下脘
水分
神闕
陰交
氣海
石門
關元
中極
曲骨
會陰

會陰　在兩陰之間陷中。針灸皆禁。惟卒死溺死可針一寸。大小便不通針一寸。

曲骨　中極下一寸。陰毛中。針一寸。主治小便脹滿。淋澀血癃。失精。婦女赤白帶。

中極　在關元下一寸是穴。針一寸。主治男婦下元失精。無子。五淋白濁。血崩經閉。

關元　在石門下一寸陷中。針一寸。主治臍下絞痛。少腹奔豚。夜夢遺精。帶瘕。

石門　在氣海下五分是穴。針六分。婦人禁針。主治腹脹堅硬。瀉泄不止。疝痛。

氣海　陰交下五分陷中是穴。針一寸。主治奔豚七疝。赤白帶下。月事不調。

陰交　在臍下一寸陷中是穴。針八分。主治產後惡露不止。繞臍冷痛。崩中帶。

神闕　當臍正中是穴。可灸不可針。主治中風不省人事。角弓反張。脫肛腹大。

水分　在臍上一寸陷中。可灸不針。主治水病腹堅。黃腫如鼓。繞臍痛。小便不通。

下脘　在建里下一寸是穴。針八分。主治腹脹身腫。心痛上氣。腸鳴嘔逆不食。

建里　在中脘下一寸是穴。針八分。　主治腹脹身腫。心痛上氣。腸鳴。嘔逆不食。

中脘　在上脘下一寸是穴。針一寸二分。　主治心下脹滿。噎膈翻胃不食。心下伏梁。

上脘　在巨闕下一寸。臍上五寸。針六分。主治心中煩熱。痛不可忍。奔豚伏梁。霍乱吐。

巨闕　去鳩尾一寸。臍上六寸。針六分。　主治心驚悸。癲癇狂病。神氣耗散。

鳩尾　在歧骨下一寸。針三分。　主治九種心痛。恍惚發狂。癲癇。黃疸。

中庭　在膻中下一寸六分。針三分。　主治脇胸滿。噎塞吐逆。食入還出。兒吐乳。

膻中　在玉堂下一寸六分。乳間。針禁。灸七壯。主治哮喘痰嗽。上氣。膈食反胃。

玉堂　在紫宮下一寸六分。針三分。　主治胸膺滿痛。煩心嘔吐。咽腫。水漿不入。

紫宮　在華蓋下一寸六分。針三分。　主治喉痺咽壅。水漿不入。吐血煩心。

華蓋　在璇璣下一寸六分。針三分。　主治欬逆喘急上氣。胸脇滿痛。水飲不下。

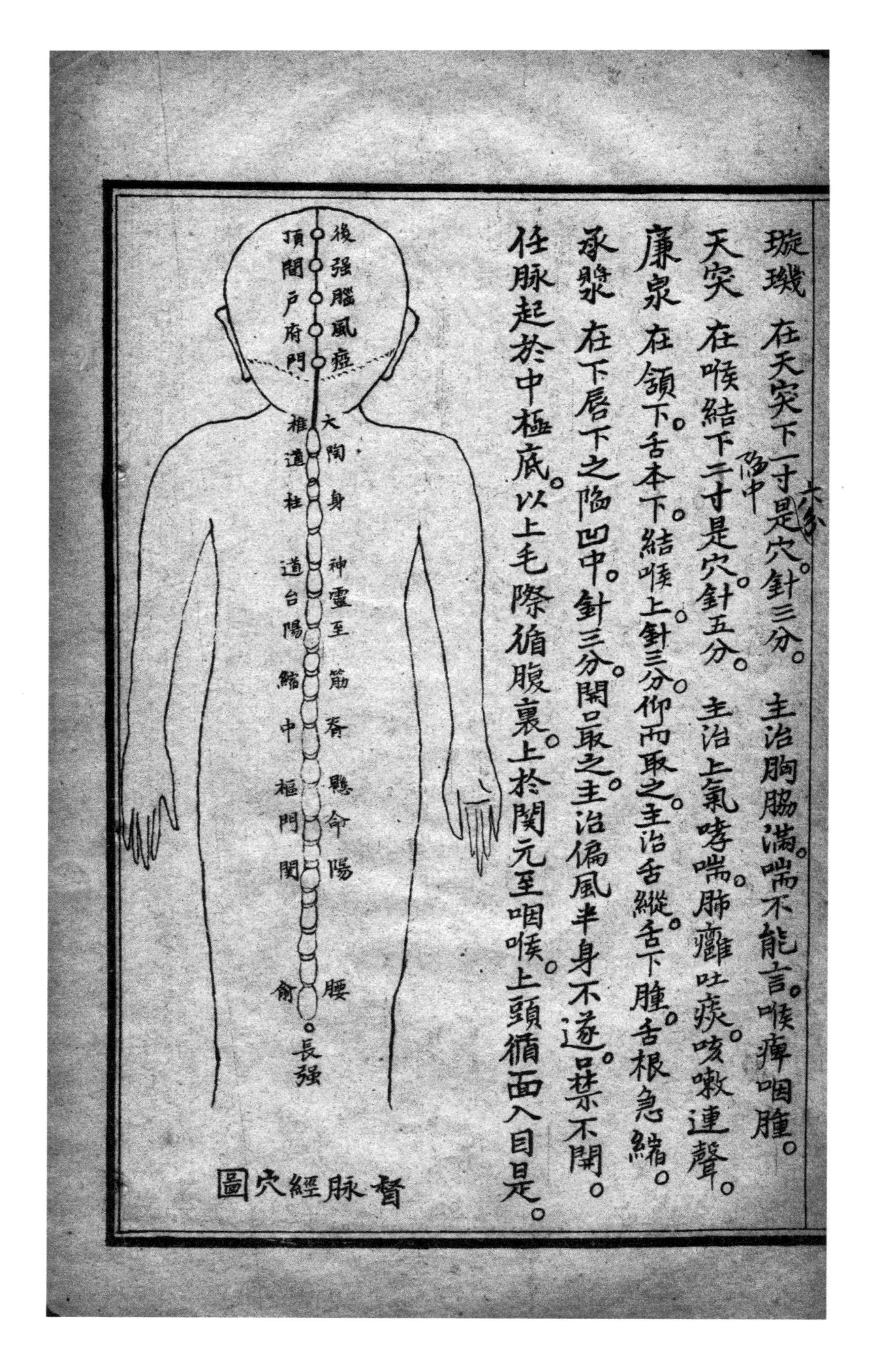

璇璣 在天突下一寸是穴。針三分。主治胸脇滿。喘不能言。喉痺咽腫。

天突 在喉結下二寸是穴。針五分。主治上氣哮喘。肺癰吐痰。咳嗽連聲。

廉泉 在頷下。舌本下。結喉上。針三分。仰而取之。主治舌縱。舌下腫。舌根急縮。

承漿 在下唇下之陷凹中。針三分。開口取之。主治偏風半身不遂。口禁不開。

任脉起於中極底。以上毛際循腹裏。上於關元至咽喉。上頭循面入目是。

督脉經穴圖

長强　在尾閭骨端五分。肛門之上。針二分。主治腸風下血。五痔脫肛。大小便難。

腰俞　在二十一椎之下是穴。針三分。主治腰脊重疼。冷痺不仁。生卧不爽。

陽関　在十六椎之下陷中。針五分。主治膝痛不可屈伸。筋攣不行。

懸樞　第十三椎之下陷中。針三分。主治腹中積氣。上下疼痛。水穀不化。

脊中　第十一椎之下陷中。針三分。主治小兒痢下赤白。脫肛。肛痛不可忍。

筋縮　在第九椎下陷中。針五分。主治癲疾驚狂。脊强風癇。神昏。

至陽　在第七椎下陷中。針五分。主治少氣難言。羸瘦身黄。四肢痠疼。

靈台　在第六椎下陷中。針三分。主治氣喘不得卧。及冷風久嗽。

神道　在第五椎下陷中。針禁。灸五壮。主治牙車急。口張不合。小兒風癇。

身柱　在第三椎之下陷中。針三分。主治妄言。癲癇狂走。小兒瘈瘲身熱。

陶道　在第一椎之下陷中。針五分。　主治痎瘧寒熱。頭重脊强。恍惚不樂。

大椎　在第一椎上之陷凹中。針五分。　主治五勞七傷。瘧久不餘。頸項不爽。

瘂門　在髮上五分陷中是穴。針二分。　主治頸項强急不語。衄血不止。不省人事。

風府　在項後入髮際一寸是穴。針三分。主治中風半身不遂。傷風項急不得回。

腦戶　在枕骨下入髮二寸五分。針禁。灸不宜。

强間　在後頂後入髮四寸。針二分。　主治頭痛項强。煩心嘔吐涎沫。狂走。

後頂　在百會後一寸半。針二分。　主治額顱上痛。惡風目眩不明。

百會　在巔頂上正中是穴。針二分。　主治偏風半身不遂。脫肛。角弓反張。

前頂　在前髮入三寸五分。針二分。　主治頭風目眩。小兒驚風瘈瘲多涕。

顖會　在上星後一寸。針二分。　主治鼻塞不聞香臭。驚癇頭目眩。

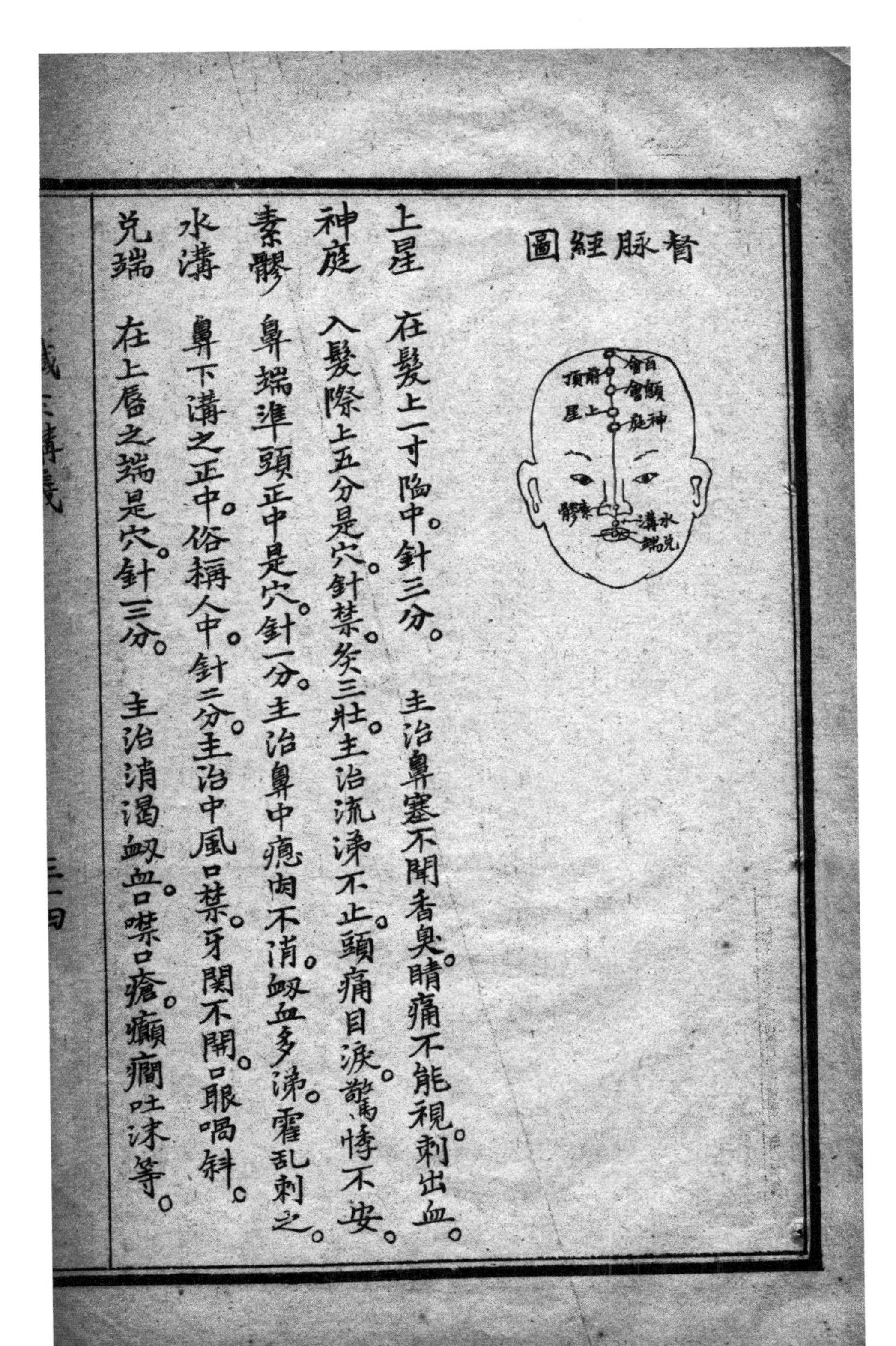

督脈經圖

上星　在髮上一寸陷中。針三分。主治鼻塞不聞香臭。睛痛不能視。刺出血。

神庭　入髮際上五分是穴。針禁。灸三壯。主治流涕不止。頭痛目淚。驚悸不安。

素髎　鼻端準頭正中是穴。針一分。主治鼻中瘜肉不消。衄血多涕。霍乱刺之。

水溝　鼻下溝之正中。俗稱人中。針二分。主治中風口禁。牙関不開。口眼喎斜。

兌端　在上唇之端是穴。針三分。主治消渴衄血。口噤口瘡。癲癇吐沫等。

鍼灸講義　三十四

督起小腹骨中央。入繫廷孔絡陰器。會篡至後別繞臀。與巨陽（太陽中絡）絡少陰。比上股貫脊屬腎。行上同太陽。起內眥上額交巔絡腦間。下項循肩仍（挾）脊。抵腰絡腎循男莖下篡亦與女子類。又從少腹貫臍中貫心入喉頤及唇上繫目下中央際。此為並任亦同衝。大抵三脈皆一本。靈素言之每錯綜。督病少腹衝心痛。不得前後衝疝攻。其在女子為不孕。嗌乾遺溺及痔癃。任病男疝女瘕帶。衝病裏急氣逆沖。蹻乃少陰之別脈。起於然骨至內踝。直入陰股入陰間。上循胸入缺盆。過出人迎前入頄顴（也）眥。合於太陽陽蹻和。

奇經八脉之四帶脉　六穴

一帶脉　見足少陽經。　二五樞　見足少陽經。　三維道　見足少陽經。

帶脉者。起於季脇。迴身一周。其為病也。腹滿腰溶溶如坐水中。其脉氣所發。正名帶脉。以其迴身一周如帶也。又與足少陽會於帶脉。六穴如上。

奇經八脉之五陽蹻脉凡二十穴

一申脉　二僕參　三跗陽　以上三穴見足太陽經

四居髎　見足少陽經　五肩髃　六巨骨　二穴見手太陽經

七臑會　見手少陽經　八地倉　九巨髎　十承泣　以上三穴見足陽明經

陽蹻脉者。起於跟中。循外踝上行入風池。其為病也。令人陰緩而陽急。兩足蹻脉本太陽之別。合於太陽。其氣上行。所發之穴生於申脉。本於僕參。郄於跗陽。與足少陽會於居髎。又與手陽明會於肩髃。與手太陽陽維會於臑俞。與足太陽會於地倉。凡二十穴如上。

奇經八脈之六陰蹻脈 四穴

一照海 見足少陰 二交信 見足少陰

陰蹻脈者亦起於跟中循內踝上行至咽喉交貫衝脈其為病也令人陽緩而陰急故曰蹻脈者少陰之別起於然谷之後上內踝之上直上循陰股入陰上循腹裏入缺盆上出人迎之前入鼻目內眥合於太陽而陰蹻郄在交信四穴如上

奇經八脈之七陽維脈凡三十二穴

一金門 見足太陽經 二陽交 見足少陽經 三臑俞 見手太陽經 四天髎見手少陽經 五肩井 六陽白 七本神 八臨泣 九目窗 十正營 十一承靈 十二腦空 十三風池 十四日月 以上均見足少陽經 十五風府 十六啞門 以上二穴見督脈經

陽維脈者維於陽。其脈起於諸陽之會。與陰維皆維絡於身。若陽脈不能維於陽。則溶溶不能自收持。其脈氣所發。別於金門。郄於陽交。與手少陽及陽蹻脈會於臑會。又與手太陽會於臑俞。又與手少陽會於天髎。又與足少陽會於肩井。其在頭也。與足少陽會於陽白。上於本神。及臨泣目窗。上至正營。承靈。循於腦空。下至風池。日月。其與督脈會則在風府及啞門。其為病也苦寒熱。

凡三十二穴如上。

奇經八脈之八陰維脈凡十四穴

一築賓 見足少陰經 二腹哀 三大橫 四府舍 見足太陰經

五期門 見足厥陰經 六天突 見任脈 七廉泉 見任脈

陰維脈者。維於陰。其脈起於諸陰之交。其脈氣所發。陰維之郄名曰築賓。

與足太陰會於腹哀大橫。又與足太陰厥陰會於府舍期門。與任脉會於天突廉泉。其為病苦心痛。凡十四穴如上。

鬼門十三針耑治鬼祟妖魔

一針鬼宮即人中入三分　二針鬼信即少商入二分　三針鬼壘即隱白入二分

四針鬼心即大陵入五分　五針鬼路即申脉火針三分　六針鬼枕即風府入二分

七針鬼床即頰車五分　八針鬼市即承漿三分　九針鬼窟即勞宮二分

十針鬼堂即上星二分　十一鬼藏男即會陰女即玉門頭入二分　十二針鬼腿即曲池火針入五分

十三針鬼封舌下中縫刺出血　男子先針左起女人先針右起。單日為陽。雙日為陰。

陽日陽時針右轉。陰日陰時針左轉。刺入十三穴即當問病人何鬼何妖為祟。病人自說來由。醫師用筆一一記錄。言盡狂止。乃宜退針。

針科終

八法神針穴道歌

内關掌後取　二寸兩筋間　陷中取此穴　直透外關使

公孫足大指　内側節後取　一寸陷之中　坐蹺兩足底

外關手腕中　骨後二寸處　針透内關前　兩取施妙濟

臨泣足小指　次指在其旁　本節後俠谿　寸半穴中藏

列缺腕骨側　兩手兩交叉　中指頭盡處　沿皮半寸加

照海在内踝　一寸陷凹中　横針五分深　補泄有後先

申脉外踝下　陷中内際边　五分針下取　直刺照心間

後谿手小指　外側節五分　拳手紋尖間　一寸透掌心

八法治病特效西江月

陷中

内踝下

陷中

横紋上

足外関

(申脉)腰背屈强腿腫。惡寒自汗頭疼。雷頭赤目痛眉稜。手足麻攣臂冷。吹乳耳聾鼻衄。癇癲肢節煩憎。徧身腫滿汗頭淋。申脉先針有應。

(照海)喉塞小便淋澁。膀胱氣痛腸鳴。食黄酒積腹臍并。嘔泄胃翻便緊。產難昏迷積塊。腸風下血常頻。膈中快氣氣核侵。照海有功必定。

(外関)肢節腫痛膝冷。四肢不遂頭風。背胯内外骨筋攻。頭項眉稜皆痛。手足熱麻盜汗。破傷眼腫睛紅。傷寒自汗表烘烘。獨會外関為重。

(臨泣)手足中風不舉。痛麻發熱肢攣。頭風痛腫項腮連。眼腫赤疼頭旋。齒痛耳聾咽腫。浮風搔痒筋牽。腿疼脇脹肋肢偏。臨泣針時有驗。

(公孫)九種心疼延悶。結胸翻胃難停。酒食積聚胃腸鳴。水食氣疾膈病。臍痛腹疼脇脹。腸風瘧疾心疼。胎衣不下血迷心。泄瀉公孫立應。

（後谿）手足拘攣戰掉。中風不已癇癲。頭痛眼腫淚漣漣。腿膝腰背痛遍。項强傷寒不解。牙齒顋腫喉咽。手麻足麻破傷牽。盜汗後谿先砭。

（內關）中滿心胸痞脹。腸鳴泄瀉脫肛。食難下膈酒來傷。積塊堅橫脇撐。婦女脇痛心痛。結胸裏急難當。嘈傷不解在胸膛。瘧疾內關獨當。

（列缺）痔瘧便腫泄痢。唾紅溺血咳痰。牙疼喉腫小便難。心胸腹疼噎嚥。產後發强不語。腰疼血疾臍寒。死胎不下膈中寒。列缺乳癰都散。

八法交會歌

內關相應是公孫。外關臨泣總相同。

列缺交經通照海。後谿申脉亦相從。

八法歌

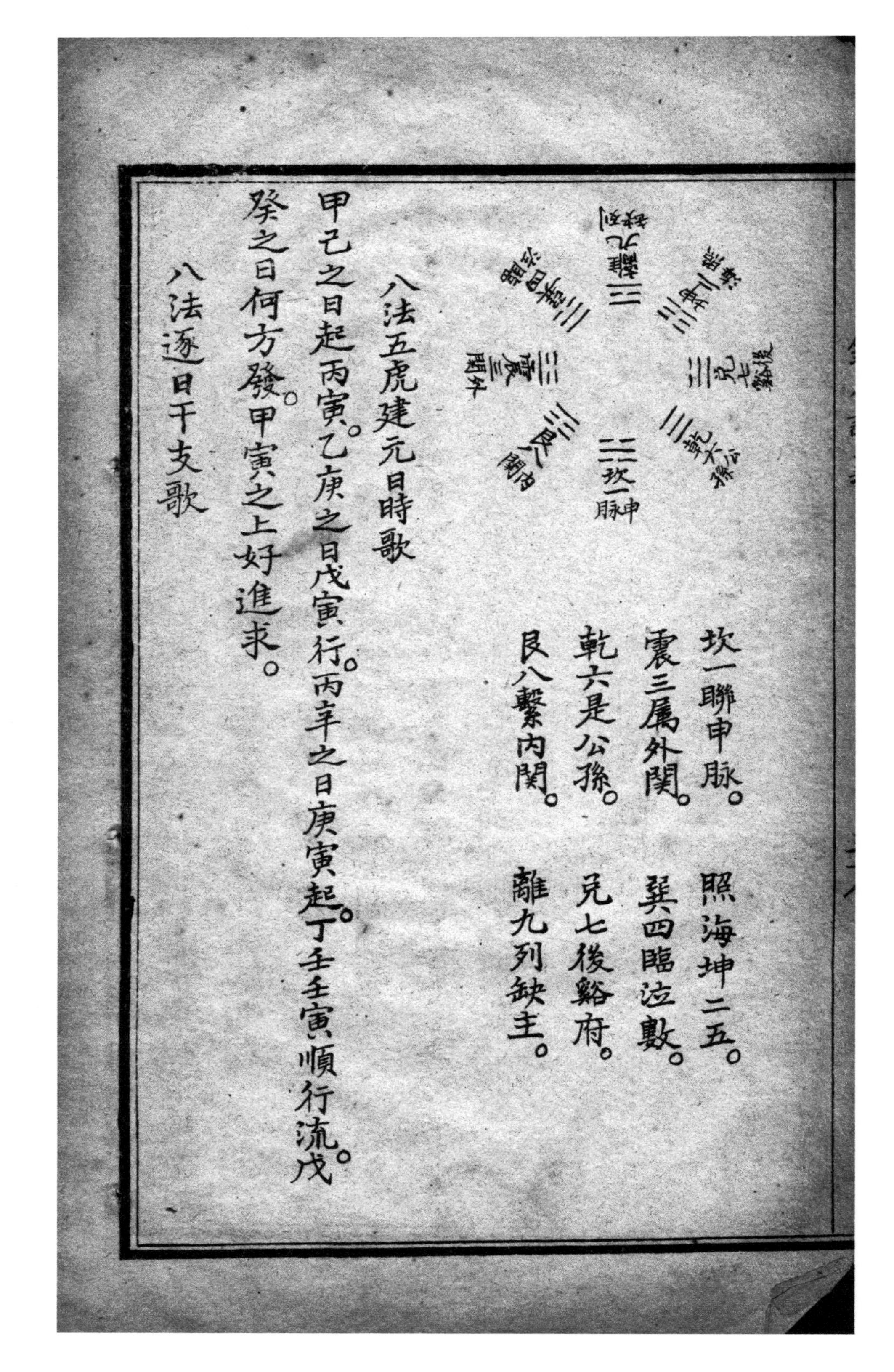

坎一聯申脉。照海坤二五。
震三屬外關。巽四臨泣數。
乾六是公孫。兑七後谿府。
艮八繫内關。離九列缺主。

八法五虎建元日時歌

甲己之日起丙寅。乙庚之日戊寅行。丙辛之日庚寅起。丁壬壬寅順行流。戊癸之日何方發。甲寅之上好進求。

八法逐日干支歌

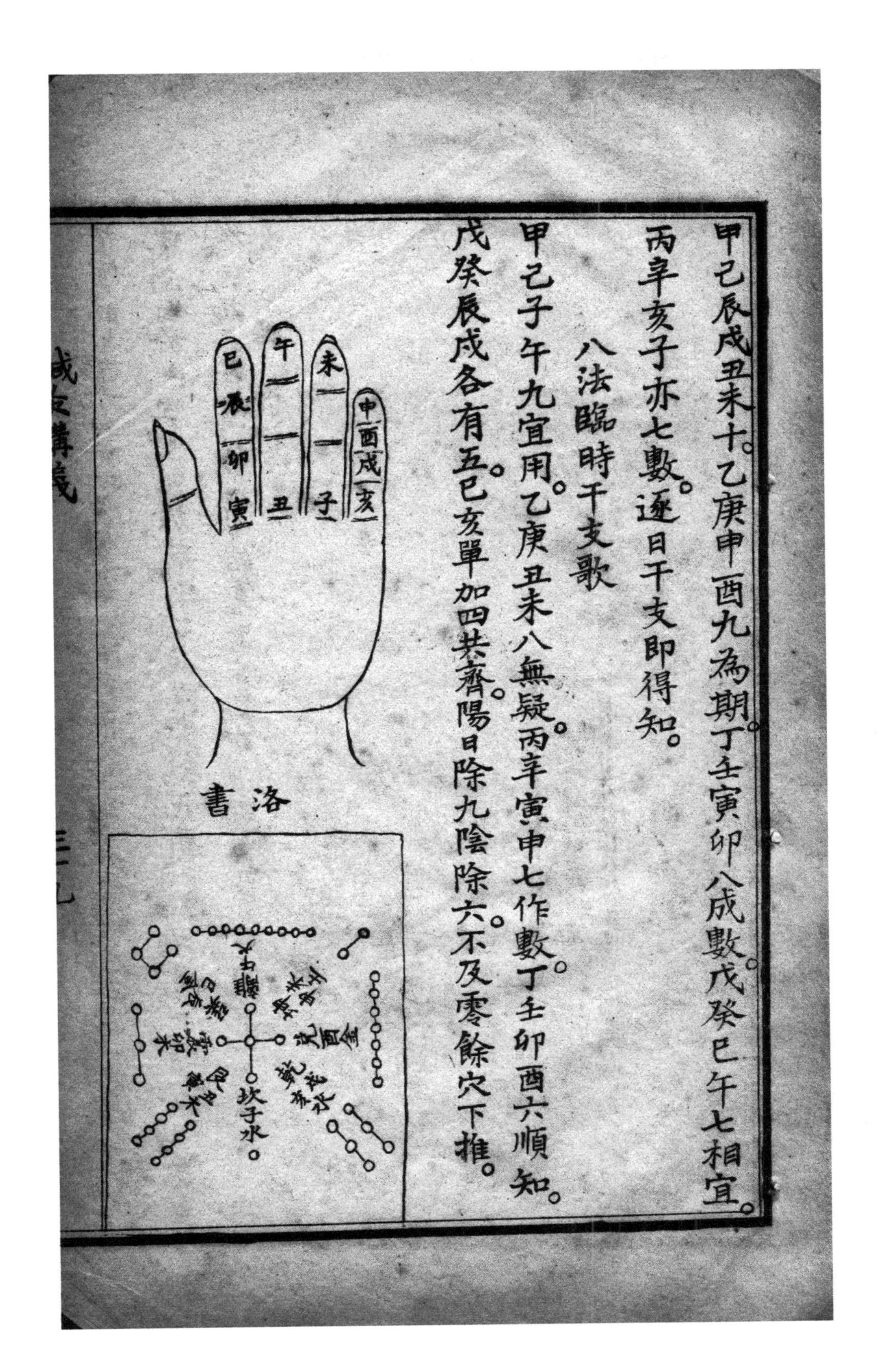
甲己辰戌丑未十。乙庚申酉九為期。丁壬寅卯八成數。戊癸巳午七相宜。丙辛亥子亦七數。逐日干支即得知。

八法臨時干支歌

甲己子午九宜用。乙庚丑未八無疑。丙辛寅申七作數。丁壬卯酉六順知。戊癸辰戌各有五。巳亥單加四共齊。陽日除九陰除六。不及零餘穴下推。

洛書

昔夏時禹王治水功成。有靈龜負書出於洛。（水名即河也。在今陝西定邊縣東南白於山）其文列於背。有數至九。即戴九。履一。左三。右七。二四為肩。六八為足。而五居中。九宮始於靈龜。其數有九。故曰靈龜九宮。

八法神針講義終

督脈經穴分寸歌

尾閭骨端是長强。二十一椎腰俞當。十六陽關十四命。十三懸樞脊中央。十椎中樞筋縮九。七椎之下乃至陽。六靈五神三身柱。陶道一椎之下鄉。一椎之上大椎穴。髮上五分啞門行。風府一寸宛中取。腦戶二五枕當方。再上四寸强間位。五寸五分後頂强。七寸百會頂中取。耳尖直上髮中央。前頂前行八寸半。前行一尺顖會量。一尺一寸上星會。入髮五分神庭當。鼻端準頭素髎穴。水溝鼻下人中藏。兌端唇上端中取。齦交齒上齦交鄉。

行針注痛法

市醫針病。往往於進針行針退針時。使病者大覺痛苦。故病者非病甚不得已未肯求醫針刺。甚或有病雖危急。而終不敢應針者畏痛故也。夫刺而大痛。不成爲針家。刺而微痛者亦不成爲高妙。能知致痛之因。即知注痛之方。注痛之方法不一。有未進針時之注痛法。有進針後施行手術之注痛法。有退針時徐徐出針之注痛法。未進針時之注痛法。如前篇所論。循切指針。按摩等術。預使氣血開散流通。不至滯針是也。進針時之注痛法。則左右撚轉。用平補平泄手法。徐徐撚入是也。進針後之注痛法。則循按所針經絡前後左右不住推切。使邪氣不至纏裹針頭是也。退針時之注痛法。則仍用平補平泄手法。徐徐提起搓出是也。進針後手術頗多。病者疼痛。泄針甚於補針。邪盛故也。然痛雖甚。醫者不能因其言痛而遽行出針。故於病者言痛時。醫者必細加審察。審係手法快而痛。則略爲較緩。審係手法重而痛則略爲較輕。以指切其穴邊四旁。令邪氣稍爲退開一法也。病者言痛令其吸氣一口。再爲轉針二法也。先慢而輕施。使邪氣稍減再快而重施。三法也。緊甚礙針不行者。於所針是經下邊各穴。再進一針。先爲行泄。氣稍退而再行原針。四法也。痛之太甚。有偏施諸法不效者。必另有他故。改日再針。尤爲醫者當注意焉。內經云。驚則氣亂。怒則氣上。勿刺大驚。勿刺大怒。岐黃早有明訓。讀內經者。豈可忽乎。

消針毒法

鐵含毒垢。其因不一。有受空氣感化而成者。有受病邪傳染而成者。受空氣感化而成者。如鐵久生銹。其毒較輕。受病邪傳染而成者其毒甚重。亦甚多。如牛痘點漿着體即發。疥瘡有汁染之成病。其他無論是氣化。是血化。皆爲至易傳染之毒。故針一入內。針上多含毒垢。用時稍爲失檢。其害不一。以彼人之毒邪傳送此人身上。一害也。針有毒垢則針滯。礙於出入搓轉。二害也。針上原有毒垢。進穴後又受病邪腐化。致針損折。三害也。故用針者無論未針前。起針後。齊係針果不凈。將針插入硼酸水瓶內。略爲搖轉。使針毒消化水內。取出擦明。則無毒垢矣。

邪氣穀氣之區別

氣行火下。搓轉針柄而知爲邪氣穀氣者。指之知覺也。轉針無滯則知氣鬆。轉鍼費力。則知氣緊。轉針不動。則知氣閉結而邪盛。氣鬆者邪輕。氣緊者邪重。氣閉結者經絡不通。是以搓轉針柄之緊鬆。可審知病邪之輕重。然邪氣在火下致針緊。穀氣在穴下亦致針緊。在醫者指下覺察耳。邪氣緊而急。穀氣緊而緩。邪氣忽緊忽鬆。其緊也針下如有物纏繞。穀氣往來均勻。始終無異。略覺緊而不至滯針。邪氣促迫象。穀氣見和平象。邪氣抵針吸針天人地何部邪盛。則何部尤緊。不利提揷。穀氣則進針行針上下自然。久用針者不必問病邪輕重。而針下自能知覺。氣鬆者爲虛。鬆甚者爲過虛。曰氣未至。邪未來也。循之按之以助其來。曰不得氣正不至也。正終不至者爲虛極。曰針如揷豆腐者死是也。則穀氣不行也。內經謂無胃氣也。穀氣可以辨虛實別生死謂之眞氣可也。謂之生命亦可也。

針後行灸法

人身穴眼。有禁針者。有禁灸者。有針灸並禁者。除禁針禁灸各穴外。其他諸穴皆可按法針灸。昔人有針而不灸。灸而不針之說。其實誤矣。蓋針頭搓轉。固有泄實補虛之功。而艾大行灸。亦見驅邪扶正之功。艾味苦而氣温。陰中有陽。本草曾言主灸百病。氣盛則能泄。氣虛則能補。故凡病之應灸者。則宜於起針後。勿閉其穴。勿使病者移動。臥針者仍臥灸。坐針者仍坐灸。就所針之穴眼上。安揷艾炷。用火燃着。艾炷燃到底面。將盡時或病者略覺肉痛。則將艾灰取去。再換他炷。壯數多寡。均照此法行灸。灸畢炷盡，則以手指緊捫其穴。防中風寒。然灸病用艾。無非欲艾氣入內耳。艾炷不乾。灸且無效。况中隔薑片乎。不針而灸是氣由毛孔而入。針而行灸。是氣由穴眼而入。由毛孔而入者。較遲較少。由針眼入者。較早較多。隔薑片而灸者。必不如就穴而灸之效大也。至艾炷粗細。壯數若干。古書具載。不必贅述。

第一節　頭痛

病因。頭部多屬三陽經絡。頭痛有正頭痛與偏頭痛之分。多屬於風寒襲入。兼夾痰熱。然亦有精華內痺鬱於空竅。以致清陽不運而作痛者。證象邪襲太陽。頭痛後腦與項部。邪襲少陽多患偏頭痛。邪襲陽明或陽明之熱上攻。則頭額痛。惟因風者惡風。因寒者惡寒。因濕者頭重。因火者齒痛。因鬱熱者心煩。因傷食者胸滿。因傷酒者氣逆。因傷怒者血逆。更有內風擾巔。頭痛如破。昏重不安。乃屬內虛。是不可不辨也。

治療　腦頂痛。上星針入二分。留捻二分鐘。再灸二壯。風池針入二分留捻二分鐘。腦空灸三壯。百會針一分留捻一分鐘。灸三壯天柱針入二分留捻二分鐘灸三壯。少海針三分留捻二分鐘　正頭痛　上星神庭各針入二分留捻一分鐘灸二壯。前項針入二分留捻二分鐘。百會針一分。合谷豐隆各針五分留捻二分鐘。崑崙俠谿各針三分溜捻二分鐘。　額角眉稜痛。攢竹針入二分。合谷針入五分。神庭針入一分。頭維針入二分。解谿鍼三分。以上均留捻二分鐘。

頭項強痛　風池鍼四分。啞門鍼三分。肩井鍼四分。少海鍼入四分。後谿針入四分。合谷鍼入四分。大椎陶道各鍼入三分。以上均留捻二分鐘。　頭項強急脊如折　風府針入三分。承針入二分。偏頭痛頭維鍼二分絲竹空攢竹各針入二分風池針四分前頂針一分上星針一分。痰厥頭痛豐隆曲池各針五分。風池針四分以上均留捻四分鐘。

酒醉復頭痛印堂針入二分刺出血。攢竹針入二分出血。手三里足三里各針入五六分風門膻中各針三分中脘針入八分。以上均留捻三分鐘。

助治宜疎風泄肝。如消風散。川芎茶調散。如係因怒血逆則宜降血潛肝。如涼膈散逍遙散。如因腎虛不攝。則宜納氣補陰。用六味丸加味可也。

六淫外侵頭痛多。可治。惟腦出血之頭痛難治。內經所謂頭痛甚。腦盡痛。手足青至節。死不治。

頭風　素有痰火。復當風取凉。邪從風府而入腦。鬱而爲熱則痛。夫頭痛與頭風并非二症。在新久去留之分耳。其痛卒然而至。易於解散者爲頭痛。其痛作止不常。愈後偶觸又發者。頭風也。與頭痛治療同。以風池腦空頭維合谷諸穴爲主。玉龍歌云　偏正頭風痛難醫。絲竹金針亦可施沿皮向後針率谷。一針兩穴世間稀。偏正頭風有兩般。有無痰飲細推看。若然痰飲風池刺。倘無痰飲合谷安。

第二節　頭眩暈

經云。諸風掉眩皆屬於肝。故眩暈之症。多屬肝腎陰虧、而虛陽上越。其因風邪侵襲、痰涎上干者。亦或有之。証象頭重不舉、目眩耳鳴。頭旋心悸。震眩不定。動即自汗。起則嘔痰。針內庭三分。豐隆針入五分。中脘針入六分。風池針入三分、解谿針入二分。以上均留捻一二分鐘。神庭灸三壯。百會灸二壯。

經云。眩暈取神庭上星顖會前頂後頂腦空風池陽谷大都至陰金門中脈足三里等穴。皆有奇效。

第三節　頭面腫

手足六陽之經雖皆上至頭、而足陽明之脈循行面部者獨多。故古今醫書謂面病專屬於胃。其或風熱乘之。則令人面腫。如大頭瘟。蝦蟆瘟。頷頰腫等症。其病因多屬於此。

証象面頤頸項目胞皆腫大如火熱灼。氣粗而有光澤。實邪之脈洪而滑。夾濕之脈濡而數。虛邪之脈細數或虛緩、舌色實症則紅而有苔、或黃或白、虛則舌淡苔薄或光絳中有芒刺、治療頭目浮腫、火熱面赤、頭瘟蝦蟆瘟之類。急以三稜針貫刺頭額部太陽之血絡出血。仍不息及膝灣與手肘灣之血絡多出惡血。少商。商陽。中衝。少冲。少澤。皆刺出血。合谷針入四分。曲池針入五六分、尺澤針入四分以上均留捻一分鐘。頭頷腫陽谷針二分。腕骨針二分。商陽針一分、邱墟針三分。俠谿針三分。手三里針三分以上均留捻一分鐘。

頬腫　頬車針入四分留捻二分鐘。頭癢面腫迎香針二分。合谷針五分。俠谿針三分。頭目浮腫有光目窗針入二分、陷谷針入三分。

第四節　目疾門

目赤之疾。其因有三。一曰風助火鬱於上。二曰火盛。三曰燥邪傷肝。証象或色似胭脂。或赤絲亂脉。或赤脉貫睛。或血貫瞳人。目赤不甚痛目窗針二分。大陵針三分。合谷針四分。上星針二分。攢竹針二分。絲竹空針二分。目赤有翳太淵針入二分。臨泣針入二分。俠谿針入三分。攢竹針入二分。風池針入四分。合谷針入五分。睛明針入二分。眼暴赤腫痛神庭。上星。顖會。前頂。百會俱微刺出血。迎風流淚頭維針入二分睛明針入三分。臨泣針入三分。風池針入四分。以上均留捻三分鐘。努肉攀睛症因眼先赤爛多年。肝經爲風熱所衝而成。或用力作勞。致血旺止熱而得。或癢或痛。自兩背頭努出筋膜、遂致努肉攀睛。睛明針入四分。太陽針入三分。期門針入三分。

目昏花

症因血液澀少。光華虧耗而昏者。有因目病失治。耗其目光而昏者。此外如六慾七情五味。瞻視哭泣。亦可致眼目昏花。針頭維二分。承泣針三分。攢竹針四分。目窗針二分。百會刺出血。風池風府各針三分肝俞胃兪各灸五壯。手三里灸五壯。暴盲此症因縱酒嗜辛。有所忿怒。或因色慾過度。悲傷太甚忽然視物不見。必當令病者急睡片時。始能見人物。然竟不辨爲何人何物。是其証也。攢竹。前項。上星均刺出血。鼻中以淨草莖尖刺出血頗效。雀目病因肝血不足。纔至黃昏便不見物。但至曉復明。肝兪灸七壯。手大指甲後內廉第一節橫紋頭白肉際灸三壯。助治蛤粉黃臘等分。右鎔臘攪蛤粉成劑捏作餅子。每餅重三錢。用猪肝一斤重二兩。用竹刀批開。裹藥一餅。麻線纏。入砂鍋內以泔水煑熟。乘熱薰目。至溫吃肝并汁。以愈爲度。年少易治。

翳膜症屬於食熱。甚者多是肝氣盛而發在表也。若因勞慾過度。或涼藥過多。致陽氣衰弱。亦可生青白翳於大眥者。不可不辨也。

治療肝俞針三分。命門灸三壯。三里灸五壯。光明灸七壯。睛明針入四分四白針入三分太陽刺出血商陽厲兌各刺出血。助治。內服疏肝清熱藥。外取明礬黍米大。納大眼角中。淚出拭之日久自消。

耳聾

腎開竅於耳。少陽之脉絡於耳。耳病之病。故多屬肝胆之火。或腎氣之弱也。勞傷氣血。風邪襲虛。遂致暴聾。精脫腎憊。肝氣虛衰。遂致重聽。証現兩耳重聽。其聲嘈嘈。久則不聞聲音。

治耳暴聾應針

天牖針三分　四瀆針八分　又以蒼朮長七分。一頭切平。一頭削尖。將尖頭插耳中。於平頭上灸七壯。重者二七壯覺內熱而止。

治耳聾實症

中渚針三分　外關針四分　和髎二分　聽會針一分　聽宮三分　合谷五分

內經刺耳聾法

邪客於手陽明之絡。令人耳聾。時不聞音。刺手大指爪甲上去端如韭葉各一痏立聞。不已刺中指爪甲上與肉交者立聞。其不時聞者不可刺也。耳中生風者亦刺之如此法。左刺右。右刺左。按其不時聞者乃內傷之聾症不可刺也。

聾而不痛者取足少陽經。聾而痛者取手陽明。按手陽明主耳聾者有四穴。商陽。合谷。陽谿。偏歷是也。按足少陽可刺有四穴。聽會。上關。竅陰。曲鬢是也。

（一）鼻塞

症因風冷傷肺。津液凝滯。或火鬱清道。致鼻氣不宣。症象香臭不知呼吸不利。

針　迎香三分　合谷四分　百勞灸　上星二分　風府灸　前谷灸

（二）鼻淵

症因風寒外束。內熱則甚。而移熱於腦也下濁涕不止

針　上星二分　風府三分　迎香三分　人中二分　大推二分　合谷五分

助治辛夷五分炒　蒼耳子二錢半　白芷二兩　薄荷五分　共爲細末食後每服二錢水送

（三）鼻齇

症因嗜酒之人血熱入肺。久則血凝濁而色赤如雞冠、或如豚肝。

針 人中二分 上星二分 復亂刺鼻之紅部出血不惜。日以白鹽和津唾擦鼻無間。多良。

丹溪治一中年人、右鼻凉濁滑且臭、脈弦小。右寸滑。左寸濇。灸上星三里合谷、次以酒芩二兩蒼朮半夏各一兩辛夷以芎白芷石膏人參葛根各五錢。分七帖、服之全愈。乃疾鬱火熱之症也。

針入人體之功能

夫徑而深者爲經。浮而見於皮膚者爲絡、肉之大會爲谷。肉之小會爲谿、谿谷之會以行榮衛、以會大氣。大分者如股肱之肉、各有界畔、小分者肌肉之內皆有紋理。然理路雖分。兩交相會合。是大分處卽大會處、小分處即是小會處也。分會之間以行榮衛之氣。故名之曰谿谷。從谿谷以相通大氣宗氣也。按榮氣生於中焦水穀之精、流溢於脈中。布散於脈外。故曰以行榮衛以會大氣是也。然脈中之榮氣衛氣交通於孫絡之間。孫絡者經脈之支別也。亦三百大十五穴、內通於十二大絡、外通於膚腠皮毛。五藏之血氣從大絡而出於孫絡、從孫絡而出於膚表。表出之氣從孫絡而入於大絡。從大絡而注於經俞、此氣內交通血氣之徑路也。蓋受皮膚之氣血、從此而流注於脈中、十二經脈之氣血始從此而生出、故曰所出爲井。所溜爲滎。所注爲俞、所行爲經。所入爲合。充膚熱肉之氣血、故曰榮衛之行也、上下相貫四肢陰陽之會者。此氣之大絡也。夫宗氣半行於脈中。半行於脈外。營血半行於經隧。半行於皮膚。營行脈中。衛行脈外。陰中有陽、陽中有陰。猶兩儀四象之宗體氣血貫通於內外。應天地之氣交。一息不運、則生化滅矣、賴針以運之。可以轉否爲泰矣。大矣哉針之功也。

傷寒六經病證治法

一太陽　病因身體衰弱。風寒從皮毛侵入、毛孔閉塞。風寒鬱而爲病。頭項强痛。或頭身疼痛。惡寒發熱。有汗或無汗。脈浮緩、或脈浮緊。舌苔白，名曰太陽症。

治療　風府針三分留捻三分鐘。　合谷針三分至五分留捻三分鐘。頭維針入一分留捻二分鐘（注意捻時宜緩）

助治　豆豉三錢　老葱頭五寸煎湯服。覆被臥。取微似有汗者佳。不可令如水流漓。病必不除。

二陽明　病現身熱。汗自出。不惡寒。反惡熱。目疼。鼻乾。不得臥。煩渴喜冷飲。脈洪數。舌苔黃。口臭氣粗。大便秘結是也。

治療　三間針二分留捻二分鐘。合谷針四分留捻三分鐘。曲池針五分留捻三分鐘。內庭針三分留捻三分鐘。解谿針三分留捻二分鐘。

助治　生石膏三錢。薄荷六分。生甘草五分。知母一錢煎服。如大便七八日不下者。三承氣陽斟酌適宜而用。不可過服。

三少陽　少陽三焦經。乃人身內外皮裏。皆有連網相連。凡骨肉之間。臟腑之內。莫不有連網以聯綴之。其經居半表半裏之地位。故頭角痛。目眩。耳聾。喜嘔。多吐。口苦。咽乾。往來寒熱。舌苔白脈弦細是也。

治療　中渚針三分留捻三分鐘。足臨泣針三分留捻三分鐘。期門針入三分留捻二分鐘。間使針入三分留捻三分鐘竅陰針入一分留捻一分鐘。再灸麥粒大之艾性三壯。

助治　柴胡八分　製半夏二錢　黃芩一錢五分　甘草五分　煎湯服。

四太陰　太陰者。陰之極大者也。太陽如天。太陰如地。天無所不包。故太陽起於至陰。而極於皮毛。地無所不有。故太陰內連各臟。而外連皮毛。太陰者脾臟也。其病腹滿而吐食不下。時腹自痛。自利不渴。手足微溫。或兼惡寒舌苔白。或淡黃。脈濡遲。或濡細。

治療　中脘針入五分。至一寸。留捻三分鐘。灸五壯。隱白針入一分留捻一分鐘。三陰交針入三分留捻三分鐘。大都針入二分留捻二分鐘。公孫針入三分留捻三分鐘。章門針五壯。

助治　無熱者淡附子片四分。淡乾姜八分。炙草五分。白朮二錢。紅棗五枚。煎服。⌊有熱者壯熱煩渴舌黃脈洪數者用以軍二錢。元明粉一錢。生草一錢。煎服。

五少陰　腎虛之體。外邪最易侵襲腎經。陰虛者每挾火而動。陽虛者則多挾水而動。挾火動者則爲熱化。挾水動者則爲寒化。症現挾火而動者心煩不寐，肌膚灼燥。小便短數。咽中乾。脈虛數、舌光赤。少津液。挾水而動者。目瞑倦臥聲低息微。不欲言。身重惡寒。四肢厥逆。腹痛泄瀉。脈細數。舌淡白而不渴。

4

治療　挾火而動者湧泉針入三分。照海針入三分。復溜針入三分。至陰針入一分。通谷針入二分太谿針入二分。以上均留捻三分鐘。挾水而動者腎俞灸七壯。肓俞灸五壯。關元灸十壯。太谿灸五壯。復溜灸五壯。

助治　挾火而動者。生白芍二錢。川連五分。黃芩八分。煎湯冲入雞子黃二枚服。挾水而動者。白朮二錢。炒芍二錢。茯苓二錢。附子人卜。生姜一片。煎湯服之。

厥陰　厥陰爲六經之極裏。爲陰之盡。陽之生。故邪之入也。有純陰症。有純陽症。有陰陽錯雜症。大概外邪直入爲純陰症。熱邪由傳變而入爲純陽症。直中之寒邪。與傳變之熱邪交雜。爲陰陽錯雜症。証象純陽症者。張目直視。煩燥不眠。熱甚悪寒心胸灼熱。熱深厥深。脉弦數而洪是也。純陰症者。四肢厥冷。爪甲青黑。腹中拘急。下利清痛穀。兩脉細遲是也。陰陽錯雜症者。心中煩熱。渴喜冷飲。飲下即吐。或四肢冷。腹吐泄交作兩脉細數或伏或細弦舌或黃或白是也

治療　純陽症　大敦針一分。中封針二分。期門針四分。靈道針三分。以上均留捻二分鐘。

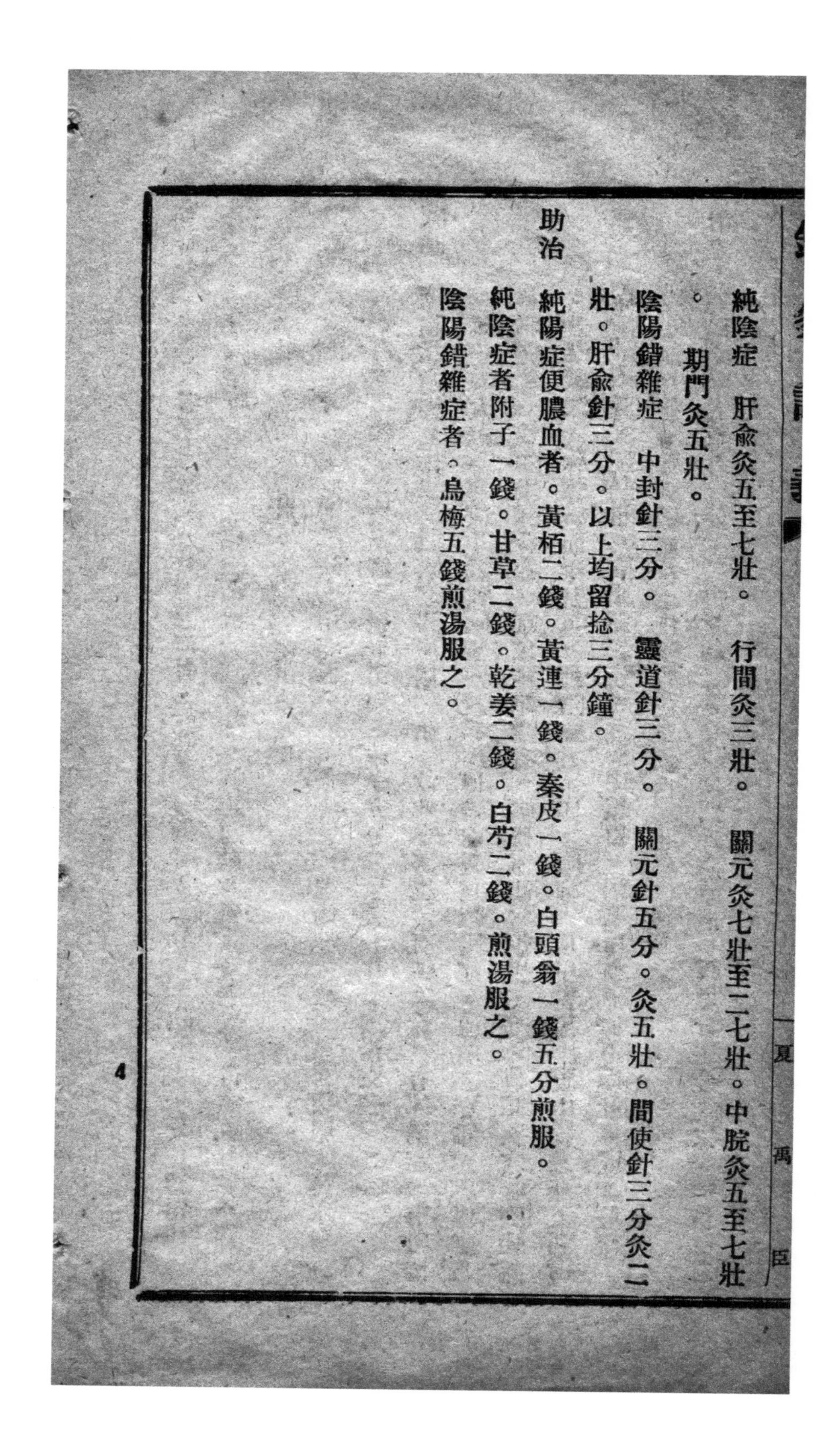

純陰症　肝俞灸五至七壯。行間灸三壯。關元灸七壯至二七壯。中脘灸五至七壯。期門灸五壯。

陰陽錯雜症　中封針三分。靈道針三分。關元針五分。灸五壯。間使針三分灸二壯。肝俞針三分。以上均留捻三分鐘。

助治　純陽症便膿血者。黃栢二錢。黃連一錢。秦皮一錢。白頭翁一錢五分煎服。

純陰症者附子一錢。甘草二錢。乾姜二錢。白芍二錢。煎湯服之。

陰陽錯雜症者。烏梅五錢煎湯服之。

第六節 溫熱病門

春溫 春令時屆温暖。陽乞升洩。腠理漸疎。猝遇時感。因而致病。或內有伏乞。又感時邪相觸而發。証現微惡寒。發熱。頭微痛。口渴自汗。舌黄或白。脉浮數。

治療 魚際針三分。經渠針二分。尺澤針三四分。二間針入一分。以上均留二分鐘。

助治 豆鼓三錢 葱白三寸 桑葉三錢 薄荷一錢 甘草三分煎湯服良

夏暑 暑分陰陽。陰暑證或在於表。或在於裏。惟富貴安逸之人多有之。總由恣情任性。不愼風寒所致也。陽暑症惟辛苦勞役之人多有之。由乎觸冒暑熱。有勢所不容已也。然暑熱逼人者。畏而可避。可避則犯之者少。陰寒襲人者快而莫知。莫知則犯之者多。故凡有病暑者。陽暑多不見。而陰暑居其八九。今之人治暑。但見發熱頭痛等症。則必曰此中暑也。而所用無非寒凉。其不達也亦甚矣。介賓云。陰暑多於陽暑。最爲確切。今之治暑。不別陰陽。一見發燒。遂投凉藥。若此瞀瞀。則害人匪淺矣。

中暑 身熱微惡寒。或不惡寒。汗出而喘。煩渴多言。倦怠少氣。面垢齒燥。舌薄白或紅。脉濡遲。或濡細

治療 少澤針入一分。合谷針入四分。曲池針入五分。內庭針入二分。行間針入二分。以上均留捻三分鐘。

助治 西洋參二錢。煅石羔三錢。香薷二錢。扁豆衣二錢。煎湯服之。

暑厥 暑穢鬱蒸。淸竅閉塞。神視糢糊。因而爲厥。

証象 手足厥冷。神識昏迷。面垢齒燥。二便不通。脉滑而數。或沉伏細數。舌薄白。或光紅。頭汗出或不出。

治療 人中針一分。關冲針一分。少商針一分。乞海針五分。百會針一分。以上拘留捻二分鐘。

助治 安宮牛黃丸一丸開水送下。或牛黃至寳丹一丸亦可。

暑温 温邪兼挾穢濁之乞。觸之成病。眞干心包內臟。壯熱面赤口出濁乞。咽痛目赤。心中煩熱神昏譫語舌蕉或赤脉洪

治療 少商 商陽 中衝 關衝 少冲 少澤 委中 俱針刺出血。支溝針三分。含谷針五分。勞宮針二分。均留捻二分鐘

助治　至寶丹一粒開水化服

陰霍亂　症因恣食生冷之物品。飽受寒凉之風露。陽乞爲之抑遏。中焦因之不和。正乞不守。邪干腸胃。而作絞痛。或吐或泄。或吐泄交作。四肢厥逆。汗出而冷。面唇色青。腹痛轉筋。兩目失神。脉細伏。舌黑潤。

治療　神闕灸七壯。委中針五分。中脘針一寸。合谷針五分。太衝針三分。吐者加針內關針三分。內庭針三分。三里針三分。以上均留捻二分鐘。泄者加灸天樞五壯。陰陵針五分　崑崙針三分。均留捻二分鐘。

助治　藿香一錢五分。蘇梗二錢。川朴一錢　茯苓三錢　蒼朮一錢。姜夏錢半。水煎溫服。

陽霍亂　病因恣意飲食。復挾暑熱。清濁混淆。氣機窒塞。腸胃失其常度。吐泄交作。而霍亂成矣。身燒煩渴。乞粗喘悶。上吐下泄。神識昏迷。頭痛腹痛。舌紅或黃。脉沉數。或伏或代。

治療　少商　關衝　少澤　委中各針刺出血。合谷針五分　太衝針三分。曲池針入四分

中脘針八分　承山針五分。以上均留捻二分鐘。

備考　（楊氏）冒暑大熱。霍亂吐泄。先針列缺。復針委中。百勞中脘。曲池十宣。三里合谷。如不愈。用三棱針刺尺澤委中等處紫絡，（即靜脉管也）出紫黑血爲佳

助治　八寶紅靈丹用井河水各半送服二五分。或濃白明礬盡量飲之。覺澀而止。

乾霍亂　暑熱穢濁之乞交蒸。蒙閉中焦。陰陽之乞不通。升降之機失常而病作矣。証現腹中絞痛。欲吐不得吐。欲泄不得泄。爪甲青紫。煩燥不安。舌黃或白。脉沉伏。

治療　人中　少商　關冲　十宣　委中　各針刺出血。　合谷針入五分。　曲池針入五分。　素髎針入二分。　太冲針入三分。　內庭針入三分。　中脘針入八分。　間使針入三分。　絕骨針入五分。　以上均留捻三分鐘。

助治　用銅錢蘸水刮手肘灣。足膝灣。背脊。與兩脊旁筋肉高處。使皮膚現紅紫而止。內服蕎麥湯。

備考　醫學正傳。急令飲鹽湯吐宿食痰涎碗許。并針刺手足眉心出血。與六和湯一劑而愈。

痧症　多因風寒暑溫諸乞。雜揉阻遏。不能宣達所致。亦有因穢濁觸鼻而發者。夏秋最多。

冬春次之。其見証多係身體寒熱。頭痛腹痛。神昏喉痛。上吐下泄。指甲靑黑。或手足直硬痲木。凡痧症脉微細者生。實大急數者重。洪大無倫者凶。一部無脉者輕。一手無脉者重。兩手無脉。放血服葯不起者死。痧在疑似之間難辨者。急取生黃豆令病人嚼之。無腥乞者即是。痧出起時。先檢其頭頂有仁髮一莖。或數莖者。急速拔去。篩其尙在痧分者。即於背脊頸骨上下。及胸前脇肋兩肩臂等處。用錢刮之。凡刮時須由上而下。自輕而重。則邪乞隨之而降矣。痧毒已入血分者。必有靑筋紫筋。或見於一處。或見於數處。須用銀針刺去毒血。再察其腿灣上下。有細筋深靑色。或紫黑色處下針。方有紫黑毒血可出。至於項正一針。祗宜挑破。畧見微血。以泄痧毒。不宜深入。刺指尖時不宜太近指甲。令人頭眩。如痧筋隱隱。放之無血。人昏不醒者。此必有積血痰食阻滯於中。急用鹽湯或礬湯冷飲以取吐。或用礬如綠豆大十餘粒吞之。或白水送下立醒。痧症開竅之劑。如玉樞丹。蟾酥丸。臥龍丹之屬均妙

子午痧　此症忽然腹疼。上吐下泄。煩悶畏寒。四時逆冷。轉筋入。腹汗出口渴。重則腿足發痲。色滯唇白。乞絕而死。輕者亦六時而亡。宜急

治療　刺手足十指尖。背部督脈太陽經。胸前任脈舌尖等處。或刺委中大陵湧泉曲池間使五穴。再於腿彎上下及腿肚用手蘸涼水拍

助治　出紫塊。或各處筋刺出血再用燒黃土綠豆煎湯磨冲玉樞丹服之。外用艾葉蘇葉除酒煎湯。乘熱揩洗手足徧體。即愈。

羊毛疔　此症最爲危險。重者一二時。輕者三日即死。初起頭痛寒熱。狀類傷寒。視其前心坎。後背心。有紅點如疹子者。當先用銀針

治療　挑破。取出羊毛。再用明雄黃面三錢。以潔布包紮。蘸熱燒酒於前心坎上四圍徧擦瘡孔。其毛即奔至背心。再於背心照前法徧擦。其毛俱拔於布上。此布埋入土中。恐其傳染他人。

助治　紫花地丁一刃　白礬三錢　甘草三錢　銀花三刃法用清水煎服。各人生紅絲疔。已走乳旁者。服之立愈。神驗。又法葱白七個　明礬三錢研共搗爛分作七塊。每服一塊。熱酒送下。服後即睡。蓋被取汗。各無汗再用一塊。仍用熱燒酒送下。汗出各淋。其病若失。

痲疹

備考　如醫藥不及者。即將衆人行走十字路口之泥土。冷水和丸。如雞卵大。在病人臍旁及心窩內外。磨擦良久。俟泥丸稍熱。開視有羊毛者。便是此疔。即另易泥丸。擦至無毛而止。雖已氣絕。而身未冷者。亦可有效。如用黑豆蕎麥各等分。磨面爲丸。照擦更妙

羊毛痧　此症因天熱時臥風露中。爲遊絲沾着鑽入肉裏所致。發時滿身刺痛。愈痛愈緊過六時則死。宜急用紹酒罈頭

治療　泥打細。加燒酒和成團。或用蕎麥麪雞子清和丸。隨痛處滾之。滾至一時許。其團內有絲如毛此邪氣拔出即愈。服藥仍照治羊毛疔法服之。尤妙。如有紅點如疹狀者。仍用銀針挑破。取出羊毛。用明雄黃和酒法。照前治可也。

翻症　翻有七十二種。男女皆染。此症雖種類甚多。其來源不過好貪寒凉。或夜臥地中。迎風露宿。病一發作。頭疼惡心。上吐下泄。呃聲不止。有欲死之形狀。治法先令病人舉舌視之。舌根下或有紅黃黑紫等泡者。名曰翻。即用銀針

治療　將泡刺破出血，以鹽少許點之即愈。或用雄黃田點之亦佳。

助治　法用鮮白菊花葉連梗，不拘多少，搗取自然汁一茶盅，陵酒沖服。毒重者多服，蓋被睡臥出汗，其毒自散。如無鮮者可用乾白菊花四兩，甘草四錢。酒煮溫服亦可。雖欲氣絕，亦可起死回生至穩至靈。

無語翻　如遇無語翻者，其症得病不語。法當先看病人如舌底有泡者。仍用銀針刺破出血。再針百會，瘂門，兩湧泉，兩兩曲池自能語也。

治療　瘂門針四分，風府針三分　百會針二分

助治　八寶紅靈丹　臥龍丹　間服開關通竅

第七節　中風門

夫風之爲病　當半身不遂。或但臂不遂者此爲痺。按此症由於氣虛血衰，營衛失調，腠理不密，風邪乘虛而深入。迥非外感傷風之比　故多見卒然昏仆。不省人事。痰涎壅盛。語言蹇塞，半身不遂。六脉沉伏。並有脉隨乞奔，指下洪盛兼緊者多表邪，兼大者多氣虛，兼遲者多虛寒，兼滑者多痰濕　浮遲者吉，堅大急疾者凶。治法如下。

4

中經絡　風爲陽邪每從表入。由皮毛而入經絡。刺激神經。內經云中於面則下陽明。中於項則下少陽。中於背則下太陽。故風之中人。三陽經絡當其衝。證現形寒發熱。身重疼痛。肌膚不仁。筋骨不用。頭痛項强。角弓反張。病皆起於猝暴。兩脈浮弦。舌白。

治療　合谷針五分　曲池針五分　陽輔針三分　陽陵針一寸　內庭三分。

風府針三分　肝俞針三分　以上均留捻二三分鐘

助治　活絡丹每日早晚各服一丸。用陳酒送下。以愈爲度。

肘復方云治中風莫如續命湯之類。然此可扶持初病。若要收全功。大艾爲良。蓋中風皆因脈道不利。血氣閉塞也。灸則喚醒脈道。而氣血得通矣。

中血脈　風邪入中絡脈。血脈爲之痺阻不通。熱則筋弛。寒則筋急。因是喎斜不遂之症見矣。証現口眼喎斜。或半身不遂。或手足拘攣。或左癱右瘓。脈弦或滑。舌白或紅。

口眼喎斜治療　地倉針入三分。斜向左者針灸右面。他穴皆同。頰車針入五分至八分人中灸三壯。合谷針五分。間使灸二十壯。餘穴均留捻三分鐘。

半身不遂治療 百會灸三壯。合谷針五分曲池針入五分。肩髃針入四分。手三里針入五分。絕骨針入三分。崑崙針入三分。陽陵針入八分。足三里針入八分。肝俞灸五七壯餘穴均留捻三分鐘灸三五壯先針無病一邊。後針有病一邊針他穴亦同。

手拘攣或麻木 手三里針四分。肩髃針入四分。曲池針入五分。曲澤針入三分。間使針三分。後谿針三分合谷針五分。以上均留捻三分鐘。各灸五壯。

足拘攣或麻木 行間針二分。邱墟針三分。崑崙針三分，陽輔針三分。陽陵針一寸。足三里針八分以上均留捻三分鐘各灸五壯。

中臟腑 素多痰濕。體氣不充。或有煙酒嗜好。或多惱怒。外邪乘虛直入臟腑經絡。即今之所謂腦充血。症現口噤不開。痰涎上壅。喉中雷鳴。不省人事。四肢癱瘓。不知疼痛。言語蹇濇。遺尿等。

治療 口禁不開。頰車 百會 人中 均灸三五壯 痰涎上壅 百會灸三壯 關元 氣海均灸數十壯 不省人事宜刺人中 中衝一分 合谷五分 前頂二分 百會二分 言語蹇塞 啞門針二分 風府針三分

助治　吉林人參三錢煎湯服

靈樞經曰。中風痰聲盛如曳鋸。服藥不下。宜灸關元。奏效如神。

第八節　驚風門

急驚風　小兒陰氣不充。陽氣有餘。腠理疎散。易感風邪。或痰食積滯。發生蘊熱。或胆怯猝受外物震驚。皆足致此病。手足抽掣不定。面紅頰赤。或角弓反張。不哭直視。脈弦數或滑。

治療　少商刺出血。人中微刺。曲池微刺。大椎微刺。湧泉微刺　中脘微刺　委中微刺

助治　琥珀抱龍丸鈎藤薄荷湯下

備考　雜病穴法歌云。小兒驚風少商穴。人中湧泉瀉莫深。

慢驚風　小兒禀賦薄弱。每在瘧痢熱病痘瘮之後。元氣不復。遷延致此。面色淡白。神昏氣促。四肢清冷。眼慢易驚。小便清白。大便溏泄。或完穀不化虛寒潮熱喉中痰聲。脈數虛細舌胎薄白。

治療　大椎灸三壯　天樞灸五壯　關元灸五壯　神闕每日灸三壯　連灸十日

助治　白朮三錢　白芍一錢　附子五分　炙草一錢　甘草一錢　生姜五分　紅棗五枚

備考　小兒慢脾風。先針列缺。繼針大敦。脾俞。百會。上星。人中。

第九節　痙厥門

一柔痙　證因太陽病發熱。重感於濕。或誤汗下。津燥液涸。風寒濕邪因而乘之。以致發熱汗出。不惡寒。身體強。脈沉遲。

治療　合谷針四分　曲池針五分　風府針三分　人中針二分　風門針三分　復溜針四分

以上均留捻三分鐘。

助治　天花粉三錢　芍藥二錢　桂枝一錢　甘草一錢　煎服

二剛痙　症因傷風而發熱。重復感寒而得之。症現發熱無汗。口噤不語。氣上衝胸。背反張。脚攣急。脉沉弦。舌苔白。

治療　與柔痙針灸同。加灸百會三壯　大椎五壯　太冲二壯　崑崙三壯　承山針入三分留捻二分鐘。

助治　麻黃五分　桂枝一錢　葛根一錢　白芍二錢　甘草一錢煎服

備考　肘後歌。剛柔二痙最乖張。口禁眼合面紅粧。熱血流入心肺府。須要金針刺少商

三痰厥　病因素多痰疾。偶因感觸。痰阻中宮。因而厥逆。喉內痰聲。面白神昏。目閉不語。兩脉沉滑。

治療　中脘針一寸　豐隆針五分　合谷針四分　靈台灸十壯

助治　法製陳皮三錢　膽星二錢　法夏三錢　雲苓二錢　煎服

四食厥　此病多見於小兒感冒發熱。復傷飲食。鬱於中焦。阻滯氣機。猝然厥逆。面黃噯氣。發熱口渴時時煩厥。胃脘高起。脉滑

治療　內庭微針　中衝微針　按摩胃脘三百轉。輕重得宜。

助治　枳實導滯丸五錢煎服

五氣厥　此症神經猝受刺激。四肢厥逆。面色恍白，氣促不語。神志雖清而不能自主。脉遲緩或伏

治療　膻中灸五壯　建里針五分　氣海針五分內關針三分　均留捻二分鐘。

助治　沉香摩服五分。

六寒厥　症現手足逆冷。身寒面赤。指甲青紫。不渴而吐。下利清穀。偶作腹痛。脉沉遲細舌苔淡白

治療　神闕　氣海　關元　各灸數十壯至百壯

助治　乾姜三錢　炙草二錢　炮附片一錢　煎服

七熱厥　手足膚冷爲寒厥。手足熱而指冷爲熱厥。熱厥者陽氣盛也。煩渴昏冒。溺赤脉數。譫語自汗。痰紅而乾。

治療　行間針三分　湧泉針三分　復溜針三分　曲池針五分　合谷五分　以上均留捻三分鐘。

助治　柴胡一錢　芍藥一錢　枳實一錢　甘草一錢　煎服

備考　百症賦　厥寒厥熱湧泉清。

第十節　癲狂癇

癲病　症由七情抑鬱。所希不遂。以致鬱痰。鼓塞心包。神不守舍。或笑或歌。或悲或泣。語言顛倒。精神恍惚。如醉如癡。時輕時重。經年不愈。

治療　人中針二分　陽谿針三分　列缺針三外　大陵針三分　神門針三分　百會灸五壯
心俞灸五壯　以上均留捻三分鐘

助治　金箔鎮心丸。

狂病　喜怒無常。歌哭無時。妄行妄詈。自高自尊。少臥不飢。棄衣而走。登高踰垣

治療　間使針三分　曲池針五分　大椎針三分　絕骨針三分　湧泉針二分　以上均留捻三分鐘

助治　鬱金丸日服四五錢。

癇病　因病後虛怯。心腎陰虛。肝風膽火倏逆。痰涎上壅心包而發。發時猝然眩仆。抽搐瘈瘲。目上視口眼喎斜。口吐涎沫。忽作五畜之鳴。移時即醒。有一日數發。或數日一發。兩脉緩細。分為五癇。

羊癇　吐舌目瞪。聲如羊鳴。　灸天井七壯　巨闕灸五壯　百會灸三壯　神庭灸三壯　大椎灸五壯　湧泉灸三壯

牛癇　直視腹脹。治療鳩尾。大椎。間使。湧泉。各灸三狀

馬癇　張口搖頭反張。　治療　僕參。風府。神門。金門。百會。神庭。各灸三至七壯

猪癇　如尸厥吐沫。　針崑崙三分　僕參針二分　湧泉針二分　人中針二分　勞宮灸五壯。以上均留捻三分鐘。百會。率谷。腕骨。少商。間使。以上各灸三五壯。

雞癇　善驚反折。手掣自搖。　靈道灸三壯　足臨泣　內庭　各灸三壯　金門針三分留捻三分鐘。

五癇助治　指迷茯苓丸常服

第十一節　瘧疾

熱瘧　暑邪內伏。陰氣先傷。陽氣獨發。故但熱不寒。發時骨節煩疼。但熱不寒。飢肉消爍。煩渴或嘔。脈數苔黃。

治療　太谿針三分　後谿針四分　間使針四分。陶道針二分。均留捻二分鐘。

寒瘧　症因寒邪內伏太陰脾經。與陰陽之氣交爭。而寒熱作。發時寒多熱少。始而戰慄頭痛。繼乃作熱煩渴。遂數時汗出。或不汗出而解。脈多弦滑。

治療　大椎灸五壯　間使針五分灸三壯　復溜灸三壯　神道灸三壯

間日瘧　暑邪內伏之淺者。則日作。若病伏三陰。則須間日或三四日一作。日數愈多。則病溜伏愈深。故日發者輕。間日者重。三四日更重。

治療　與寒熱瘧針灸類同。惟日針灸一次。連治三日。無不愈。

瘧母　瘧發時多飲食生冷之品。或瘧挾痰濕。結於脾臟而另腫脹。外皮按之似爲積塊。脇下痞滿。飲食減少。兩脈弦細。

治療　章門針四分灸十壯　脾俞灸十壯每三日治一次

助治　瘧塊上貼消痞狗皮膏。

第十二節　泄痢

寒泄　寒濕內蘊。脾失運輸。水穀因是不分。糟粕甚至不化。清濁混淆。留走腸間而泄瀉矣。其症腸鳴腹痛。大便泄瀉。小便短少。四肢厥冷。體重無力。脈遲緩。苔白膩。

治療　神闕灸三壯　三陰交灸五壯　中脘針五分灸三壯　氣海灸十壯　天樞灸五壯

熱泄　症因暑濕熱直逼太腸。清濁不及分散。已暴注下迫而出矣。泄瀉黃糜。氣穢。肛門灼熱。口渴煩熱。小溲短赤。脉數。苔黃。

治療　太白針二分　太谿針三分　曲池針五分　足三里針六分　陰陵針五分　曲澤針四分。以上均留捻三分鐘。

白痢　內藏虛寒。復進生冷。寒溼鬱滯大腸。氣機不宣。欲行不暢。而成痢矣腹疼下痢。青白粘膩。舌淡苔白。脉沉或細。

治療　合谷灸五壯　關元灸十壯　脾兪灸十壯　天樞灸五壯

赤白痢　症因暑熱加溼。醞釀腸中。腸壁腐敗。膿血雜下。腹疼裏急。腥穢不堪。日下數十行。痛苦萬狀。脉滑數。舌苔黃或紅。

治療　小腸兪針三分　中膂兪針三分　足三里針六分　合谷針四分　外關針四分　以上均留捻三分鐘。腹哀針四分留捻二分鐘。

噤口痢　症因暑溼熱瘀滯混雜。蘊阻中宮。脾之清氣不升。胃則出其化力使然。胸悶嘔逆。痢下不止。心煩發熱。飲食不下。脈弦數

治療　先照治赤白痢條針之。再灸神闕五壯。天樞灸十壯。關元灸十壯。關元灸十壯。小腸俞灸三壯。

助治　川連五分　乾姜五錢　枳實一錢　菖蒲一錢　佩蘭葉一錢　煎服

第十三節　咳嗽喘痰飲

風寒咳嗽　肺生皮毛。風寒之邪。由外襲入。肺氣先傷。清肅失司。氣逆乃咳。形寒頭痛。鼻流清涕。咳嗽吐痰。或喘或脇痛。脉悸滑。

治療　列缺針二分　天突針四分　風府針三分　合谷針四分，肺俞針三分　再灸五壯　以上均留捻三分鐘。

虛勞咳嗽　症因寒熱伏於肺中。未能清澈外達。以致肺燥金枯。而勞嗽成矣證象形瘦肉消。乾咳無痰。顴赤盜汗。氣促神疲。脈細弦數。

治療　大椎陶道俱針三分灸三壯。肺俞膏肓鬼眼各針入三四分。留捻二分鐘。關元灸五壯。足三里針五分灸三壯

溼痰　症因脾陽衰憊。溼停不化。蘊蒸成痰。證現腹體沉重。腹脹脘悶。溼痰流注。關節

咳嗽　痠疼。痰多易略

治療　脾俞灸十壯　肺俞灸十壯　亶中灸五壯　中脘灸爲五壯

熱哮　症因痰熱內鬱。留於肺絡。氣爲痰阻。呼吸有聲。身熱喘咳不得臥。聲如曳鋸兩脈滑數

治療　天突針五分　亶中針二分　合谷針四分　列缺針二分　太衝針二分手足三里各針五分　豐隆針四分　以上均留捻三分鐘

虛喘　症因腎元虧損。丹田之氣不能攝納。氣浮於上。而作氣喘。吸不歸根。若斷若續。動則更甚心悸怔忡兩脉虛

治療　關元灸十壯　腎俞灸十壯　足三里灸十壯

實喘　吸受外邪。壅塞肺竅。氣道爲之阻塞。升降因是失常呼吸喘迫。胸高氣粗。不能臥。兩脉滑實。

治療　魚際針三分　陽谿針三分　解谿針三分　崑崙針三分　合谷針五分　足三里針五分　期門針四分　乳根針三分　以上均留捻三分鐘。

第十四節 吐衄

病因吐血分肺血與胃血。方書胃臟血腑血者是。都由升感風熱。鬱於肺而抑咳傷肺。或胃熱盛而逼血妄行。或跌撲損傷。有所墜墮。肺胃之絡損使然。或怒則氣上。絡乃激損。要皆不出肺胃之血。每謂肝心脾皆能吐出者。非也。

肺血血夾痰中而咳出。胃血吐出嘔出。盈盆盈碗。不夾痰中。面色光白。脉多虛芤。

咳血　百勞針三分灸五壯　肺俞針三分灸五壯　中脘針五分列缺針二分　足三里灸五壯　風門灸五壯　肝兪針三分灸五壯

吐血　魚際針三分　尺澤針五分　支溝針四分　隱白針一分　太谿針三分　肺兪針三分　脾俞針三分　肝俞針三分　以上均留捻三分鐘　肺脾肝俞各灸十壯

鼻衄　合谷針五分　禾髎針二分　大椎瘂門各灸三五壯

目衄　睛明針二分　上星針二分　太陽針五分　厲兌刺出血

耳衄　竅陰足刺出血。　俠谿針二分　翳風針三分　均留捻二分鐘。

牙衄　合谷針五分　內庭針三分　手三里針三分　照海針二分

第十五節　噎膈

寒膈　症因中宮陽氣勢微。寒氣凝聚。脾氣不能升。胃氣不能降。而寒膈成矣。脘腹脹滿。嘔吐清水。四肢厥冷。食不得入。面色恍白。兩脉遲細

治療　足三里針五分　中脘針五分　膻中　膈俞　公孫　血海

以上各穴均灸三五壯

熱膈　胃津枯耗。食道液燥。胃火上衝。而食不得下。證現胃脘熱甚。口苦舌燥。煩渴．不安。面赤脈數。食入則吐。

療　內庭針二分　陽輔針三分　然谷針三分　陽谿針三分　太白針二分　大陵針三分

膈俞針三分　以上均留捻三分鐘

氣膈　噫氣頻頻。中脘滿痛。痛引背脊。胸悶氣逆。食不得下。

治療　中脘針五分　膻中針二分　氣海針三分　列缺針二分　內關針三分　胃俞針三

三焦俞針三分　以上均捻留灸酌用。

第十六節 水臟

水臟 症因脾胃之陽不振。脾不運輸。腎不分利。水鬱於內。化而爲毒。溢於皮膚。散於胸腹。而腫脹如牛矣。証現每於四肢頭面腫起。漸延胸腹。皮膚黃而有光。按之窅而緩起。脈浮心悸氣促。

治療 三陽交針入一寸 陰腹針一寸 絕骨針八分 水分灸十壯 陰交灸數壯 照海灸五壯 人中針入二分用粗針泄水

氣臌 症因七情鬱結而不暢。氣道壅膈而不運。升降失常。留滯中焦。腹部爲之䐜脹。其象腹大皮色不變。按之窅而即起。喘促煩悶。脈弦。

治療 亶中 氣海 脾俞 胃俞 各灸數十壯

實脹 寒溫生冷。脾陽不振。濕濁阻滯。因而䐜脹。腹脹堅硬。行動呆滯。呼吸短促。脈沉滑細。

治療 依照氣臌諸火治療。再多灸膈俞。尤妙。

虛脹 飲食起居。不善攝養。或病後飲食不愼。中氣受戕。因而脹滿腹大。大便溏薄。小便清白。脈細唇白。

治療　關元　不脘　中脘　神闕　脾俞　胃俞　大腸俞　各灸三五壯

助治　常服枳朮丸佳。

第十七節　癥瘕

血癥　癥者乃血瘀痰食。藉經絡運行之迂滯而凝結成之。血瘀多結於少腹、食則多結於脘間、痰則多結於脇下。証現面黃肌瘦。飲食減少。神疲體倦。胸脘腹間有塊硬痛。脉濇

治療　少腹有塊。關元灸十壯　間使灸十壯　太冲灸三壯　太谿灸五壯　三陰交針三分灸五壯　膈俞灸十壯

脇下兩旁有塊　神闕　下脘　上脘　脾俞　章門　胃俞　期門　行間　崑崙　太谿等穴各灸三五十壯不等

血瘕　肝脾之氣失和。肝氣橫逆。脾失運輸。水飲痰液凝聚成瘕。隨氣之順逆運滯。而時形時散。發時或脹或痛。腹中有塊攻衝。游移無定、脉沉細、舌苔白。

治療　氣海灸十數壯或百壯　肝俞　脾俞各灸十數壯

第十八節　五積

心積　心積名曰伏梁。心經氣血不舒凝。聚使然也。證現臍上有塊。形如屋樑。由臍至心下。伏而不動。心煩心痛。困苦異常。脉沉弦。

治療　上脘針五分灸十壯　大陵針三分　足三里針五分　心俞灸三壯

肝積　肝積名曰肥氣。肝經氣逆。與瘀血積合而成。在左脇下有積塊如複杯。寒熱似瘧。或咳嗆脇下脹滿。

治療　章門灸數十壯　中脘針數十壯　肝俞針三壯　行間針二分。灸二壯

脾積　脾積名曰痞氣。由於脾胃衰弱。寒邪痰飲。積聚不化。脘中脹痛。如覆大盤。面黃肌瘦。脈沉細

治療　痞根穴灸數十壯　多灸左邊。　脾俞灸十數壯。中脘灸十數壯內庭　足三里　隱白　商丘　行間　各灸五七壯

肺積　肺積名曰息賁。由於肺氣不利。痰濁不化。結聚而成。微寒微熱。咳嗆氣促。右脇

下覆大如杯。胸痛引背。脉細弦

治療　巨闕針五分　期門針三分　各灸十壯　經渠灸三壯　肺俞灸五壯

腎積　腎積名曰奔豚。由腎氣虛。寒邪結聚。或以房勞不節。復感寒涼。形如豚。時上時下。痛引滿腹。肢寒心悸。甚則痛攻心下。

治療　中極灸二十壯　章門灸十壯　湧泉　三陰交各灸五壯

第十九節　三消症

上消　內經云。心移熱於肺。傳爲膈消。膈消即上消。乃心肺之蘊熱也。症現心胸煩熱。大渴引飲。小便清長。脉細數

治療　人中針二分　承漿針二分　神門針三分　然谷針三分　內關針三分　三焦俞針三分

中消　經云邪在脾胃。陽氣有餘。陰氣不足。病乃陽明陰虛大旺也。多食善飢。小便多而味甜兩關滑數

治療　中脘針五分　三焦俞針三分　胃兪針三分　太淵針二分　列缺針二分　以上均留捻

二分鐘

下消　下消名腎消。爲肝腎陰虛。虛則火旺而津液爲之消爍也。其症煩謁引食。小便多而渾濁。腿膝枳細。面色黧黑。脉細

治療　海谷針三分　肺俞針三分　中膂俞灸三壯

第二十節　黃疸

陽黃　症因脾胃濕熱鬱蒸。熱勝於濕。發爲陽黃。一身盡黃。色如橘黃。煩渴頭汗。消穀善積。大便白。小溲赤。脉滑數。

治療　中脘針一寸　足三里針八分　公孫針三分　委中針五分膽俞針三分　腕骨針二分

陰黃　寒濕在裏。蘊於脾胃。寒勝於濕。越於皮膚。則爲陰黃。身目皆黃。黃色晦黯。有如烟薰。四肢瘦重渴不欲飲。脉濡細

治療　脾俞灸十壯　心俞灸三壯　氣海灸十五壯　合谷灸三壯　中脘針一寸

酒疸　症因飢時飲酒。或醉後當風而臥。入水浸浴。酒濕之熱爲風水所遏。不得宣發。蒸鬱爲黃。心下懊憹而熱。不能食。時欲吐脛腫溺黃。小便不利。脈弦實。治療依照

治陽黃條治之。

第二十一節　癃閉

小便。多屬於濕熱鬱阻膀胱。或敗精瘀血。阻塞溺道。莖中疼痛。溲得不出。小腹裏急。脘腹痞滿。胸悶氣短。脈滑細

治療　氣海針五分　關元針五分　陰谷陰陵各針四分　曲泉針三分中極針五分再灸三壯

大便閉　症因食積與邪熱阻滯腸中。或血虛液枯。失其傳送之源。大便閉結。腹脹或痛。煩燥不安。脈滑

治療　承山針五分　照海針三分　支溝針三分　太谿針三分　章門灸五壯　大腸俞灸五壯

大便血　經云陰絡傷。則血內溢。血內溢則便血。此症大都由血中蘊熱。飲食不節。而損傷血絡所致。其症先便後血爲遠血。先血後便爲近血。面色黃淡，肢倦神疲。詠虛尪

治療　承山針五分　復溜針四分　太冲太白各針三分　大腸俞灸五壯長强灸十壯　膈俞灸十壯

助治　遠血黃土湯　近血臟連丸

小便血　尿血因血室有熱。血得熱而妄行。或肝脾兩虛。血室之血失於統攝。以致小便溲血。肺虛無力。

治　療　大陵針三分　關元針五分灸五壯　照海湧。各針三分灸五壯

第二十二節　痔漏

痔　漏　久居溼熱之地。好食辛熱炙膾之品陰虛火旺。大便乾燥。肛門有肉球突出。有如雞冠。或如鼠奶。種種形狀。痛癢難忍。鮮血淋瀝甚至不能坐立

治　療　承山針五分　崑崙針三分　脊中針三分　飛揚針四分　太冲針三分　復溜針四分　俠谿鍼二分　長强針四分　命門灸十壯　氣海針四分

第二十三節　牙齒

齒腫痛　齒爲骨之餘而屬腎。其部位和隸於陽明。齒痛之因。除齒蛀虫痛外多半爲陽明之熱。與風寒襲擊所致。牙齦紅腫疼痛。舌黃者陽明之熱也。痛而不腫不渴。舌無苔者。陰虛陽亢也。惡風寒而牙痛者風熱也。齒有蛀孔者虫痛也。

治　療　合谷針四分　頰車針三分　內庭針三分　太谿灸三壯

上牙床痛　太谷灸三分　太淵針二分　人中針二分　以上均留捻二分鐘。

下牙床痛　合谷針四分　列缺針二分　承漿針三分　頰車針五分　均留捻二分鐘

第二十四節　舌　咽

心開竅於舌。心火盛。則舌強舌腫舌卷之症作焉。

舌強　瘂門針三分　少商針出血　中沖刺出血　魚際針三分

舌腫　金津玉液各刺出血　廉泉針三分　舌灸傍各刺出血

舌卷　液門針四分　二間針二分　以上均留捻二分鐘

咽喉之病。前人分爲七十二症。縱其要。不外虛實二種。虛者係虛火上炎、實者都由痰火及風熱抑遏而已。症現咽喉紅腫刺痛。或單雙乳蛾生於蒂丁之旁。形如乳頭。紅腫疼痛。如發生猝暴者爲實火。緩慢者爲虛火。實者之初起形寒發熱。虛者無形寒發熱。頭痛見象。

咽腫　中渚針三分　太谿針三分　少商刺出血　液門針四分

喉痛　風府針三分　液門針三分　魚際針三分　少商刺出血

單乳娥　金津玉液各刺出血　少商針一分或出血
雙乳娥　少商針一分　合谷針五分　廉泉針三分。　以上均留捻二分鐘

第二十五節　手足腰腿

手足肘膝痿。痲疼痛。不能屈伸。行勤等。都由風寒襲入經絡。或血液乾枯。四肢。或跌僕損傷。挫閃所致。

手痿痛　曲池針五分　合谷針五分　肩髃針四分再灸三壯
背痲　少海針三分　手三里針四分　天井外關支溝上廉腕骨各灸三五壯
臂腫痛　液門針四分　中渚針三分　陽谷針三分
肘攣痛　太淵針三分　曲池針四分　尺澤針四分
手戰搖　曲澤針四分灸三壯　少海針三分
五指痛　外關針入五分留捻三分鐘。
腰痛　環跳針一寸二分　行間針三分　委中針一寸　崑崙針四分　腎俞針四分
腿疼　足三里針八分　絕骨針三分　陰陽陵各針八分　三陰交針四分　環跳針一寸二分

後谿針四分

足[illegible]痛 足三里針一寸 陽陵針八分 肩井針四分 太谿崑崙各針三分

脚氣腫 足三里灸五七壯 三陰交灸五壯 絕骨針三分灸三壯

脚心痛 崑崙針三分灸三壯 湧泉灸五壯

足寒攣 腎俞灸五七壯 陽陵針五分灸三壯 陽輔針三分灸五壯。絕骨針三分灸三壯

足不能步 絕骨針三分 條口針四分 足三里針八分 太冲針二分 中封針三分 陽輔針三分 三陰交針三分 曲泉針三分

腿冷如冰 陰市針三分。留捻一分鐘。再灸五七壯。 承山針三分。灸五七壯。 金門針二分。 邱墟針三分。

第二十六節 胸腹脇

胸脇為肝胆經之所部。腹為太陰經所部。肝胆二經之氣不條達。則胸脇痛脹隨之而起矣。

胸滿 中府針三分 內關針四分 建里針六分 意舍針三分

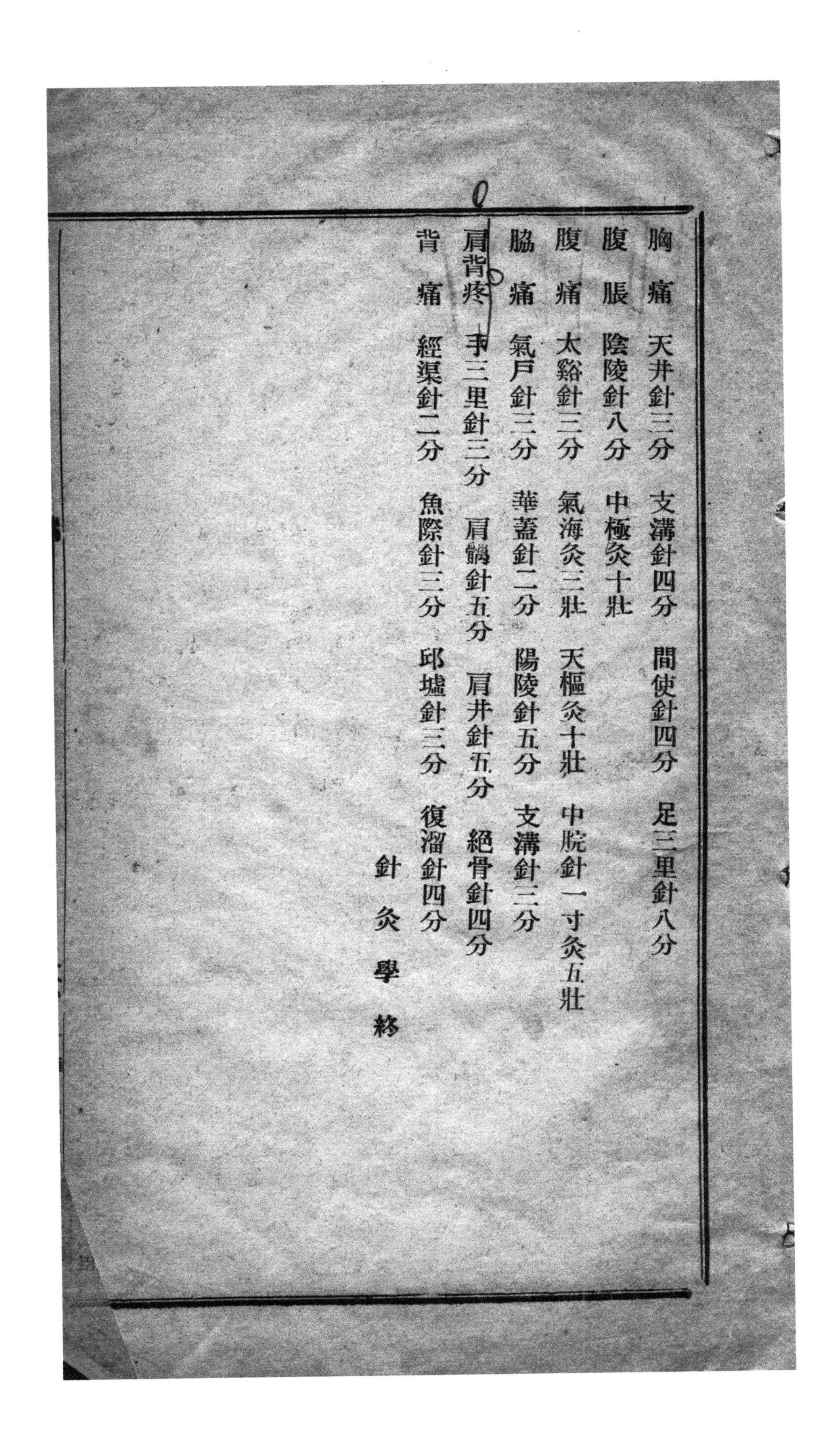

胸痛　天井針三分　支溝針四分　間使針四分　足三里針八分

腹脹　陰陵針八分　中極灸十壯

腹痛　太谿針三分　氣海灸三壯　天樞灸十壯　中脘針一寸灸五壯

脇痛　氣戶針三分　華蓋針二分　陽陵針五分　支溝針三分

肩背疼　手三里針三分　肩髃針五分　肩井針五分　絕骨針四分

背痛　經渠針二分　魚際針三分　邱墟針三分　復溜針四分

針灸學終

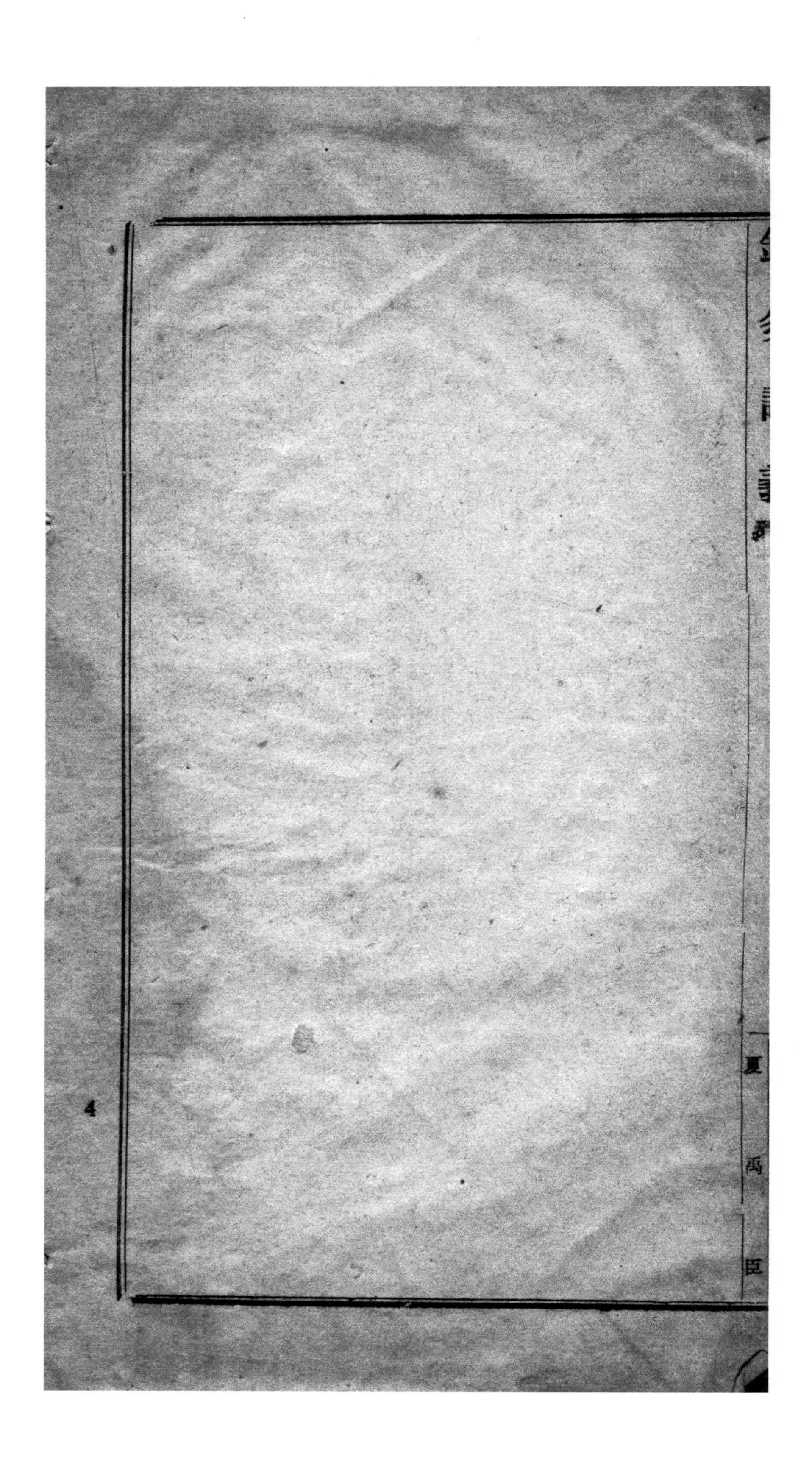

夏禹臣

针灸讲义

提　要

一、作者小传

作者不详。

二、版本说明

该书为民国时期的铅印本。现有两套：一套缺页，下册未见封底；一套为全套。惜书中未对该书的作者及版本情况进行详细的记载。

从内容上看，该书与“广西派针法”罗哲初讲授、张治平重编、胡耀贞编纂的《针灸菁华》有部分内容相近。该书是从安徽书友处购得，一套两册（缺2页），后于湖北书友处访得全书。考罗哲初民国时期讲学地点，该书或为罗哲初在安徽办学时所编纂之讲义。

三、内容与特色

该书分为上、下卷，以课时形式呈现，共129课时，上卷63课时，下卷66课时，并附图24幅。全书内容详细，贴合实际，引经据典，先从中医基础理论讲起，逐步讲述到针灸的治疗应用，即便从未学过医的人得此书也能渐得中医针灸心得。上卷以中医理论为指导，详细阐述了脉法的意义、操作，正常脉象与异常脉象，认为“两手尺中即神门脉也”，同时配以特定穴歌诀，文理丰富，医理明晰，便于记忆。下卷图文并茂，描述了脏腑形态及经络始终、走行，详细解说了脏腑的位置、重量、体积、长度等，内容贴近现代人体解剖学，并且强调了五脏各有所藏，藏精气而不泻，六腑传化物而不藏，实而不满。该书在讲述十二正经与奇经八脉时，分别以经络脏腑为主，并附有经穴歌、经络循行歌、经络循行经文、经文集注，以方便记忆。

现将该书特色介绍如下。

（一）重视中医理论，从基础讲起

该书第一课时是人体浅解，讲解人体由什么组成、各脏腑在何位置，接着从五脏开始，介绍中医之五行、脏腑之属五色等，然后介绍十二经脉，又细化到每条经脉的走行、经脉与经脉之间的关系等。该书对脉象亦极其重视，将脉象与病机结合，由浅入深进行讲解，贴合临床实际。

（二）继承千古，广泛应用针灸治症

该书用一定篇幅讲述失传已久的制针之法、煮针法、太乙针药方等，并重新编写了《十三鬼穴歌》，讲述刺王公布衣说、刺常人黑白肥瘦说等针灸体质学说。作者将针灸之法贯穿于各种重大疾病的治疗中，详细介绍了霍乱、瘟疫、中风等10余种疾病的分型、临床症状、治法及禁忌，简述伤寒六经传变之理、可选用的针灸之法，使后学对伤寒学说的理解与认识更加深刻。该书实为针灸教学良心之作。

針灸講義
卷上

第一課　人體淺解

人體內部有五臟六腑。與心外包絡。以分六陰六陽。配合十二經。再加背部之督脈。腹部任脈。週身共十四經。十四經中。共三百六十穴。三百六十五骨節。四萬八千毛孔。臟腑之地位。則肺心、胃、居中間。肝、胆、大腸、居左。脾與小腸、居右。膀胱在下。肺六葉。肝七葉。胆在肝之短葉間。腎與命門。居背部之腰間。即督脈之十四椎命門。在腎之下。而胃之下口。即小腸上口。小腸下口。即大腸上口。大腸下接直腸。爲肛門穀道也。

五臟

爲心、肝、脾、肺、腎、皆屬陰。

六腑

爲小腸、胆、胃、大腸、膀胱、三焦、皆屬陽。

五行之相生

金生水、水生木、木生火、火生土、土生金。

五行之相尅

金尅木、木尅土、土尅水、水尅火、火尅金。

臟腑之屬五行

肺、大腸、屬金。脾、胃、屬土。心、小腸、屬火。腎、膀胱、屬水。包絡、三焦、屬火。肝、胆、屬木。

臟腑之屬五色

肺、大腸、爲白色。脾、胃、爲黃色。心、小腸、爲赤色。腎、膀胱、爲黑色。胞絡、三焦、爲赤色。肝、胆、爲青色。

臟腑之屬五味

肺、大腸、屬辛。脾、胃、屬甜。心、小腸、屬苦。腎、膀胱、屬鹹。胞絡三焦屬苦。肝胆屬酸。

十二經絡之配合六陰六陽

手太陰肺。手陽明大腸。足陽明胃。足太陰脾。

手少陰心。手太陽小腸。足太陽膀胱。足少陰腎。

手厥陰胞絡。手少陽三焦。足少陽胆。足厥陰肝。

第二課　十二經絡之相表裏

肺與大腸。脾與胃。心與小腸。腎與膀胱。胞絡與三焦。肝與胆。

須辨表裏表爲陽裏爲陰六淫之邪襲於經絡未入胃皆屬表七情之氣在內爲飲食五味之傷不能通泄皆屬裏

臟腑之官

內經云。心者君主之官。神明出焉。肺者相傳之官。治節出焉。肝者將軍之官。謀慮出焉。胆者中正之官。决斷出焉。膻中者（即心包絡）臣使之官。喜樂出焉。脾胃者。倉廩之官。五味出焉。大腸者傳道之官。變化出焉。小腸者。受盛之官。化物出焉。腎者作强之官　伎巧出焉。三焦者决瀆之官。水道出焉。膀胱者。州都之官。津液藏焉。氣化則能出矣。此十二官不得相失也。

按此十二官。譬如爲官者。各有職責。若失其職守。則行政不良。若臟腑失其職司常態。則爲病矣。

手足三陰三陽之循行

凡人兩手足。各有三陰脈。三陽脈。以合爲十二經也。手之三陰。從臟走至手。手之三陽。從手走至頭。足之三陽。從頭下走至足。足之三陰。從足上走入腹。絡脈傳注。周流不息。故經脈者。行血氣。通陰陽。以榮於身者也。其始從中焦注手太陰。陽明。手陽明。注足陽明太陰。足太陰。注手少陰太陽。手太陽注足太陽少陰。足少陰。注手厥陰少陽。手少陽。注足少陽厥陰。足厥陰復還注手太陰。其氣常以平旦爲紀。以漏水下百刻。晝夜流行。與天同度。終而復始也。

脈之意義

審病察脈。以决生死。非指下了然。安所憑藉乎。故醫者。當知脉爲何物。若以爲氣。而氣爲衞。衞行脉外。則非氣矣。若以爲血。而血爲營。營行脉中。亦非血矣。若以爲經隧。而經隧寔繁。又非經隧。然則脉果何物。深待切寔研究。因考諸古之脈字從血。謂氣血流行。各有分脉。而循經絡也。今之脉字。從肉從永。謂胃主肌肉。氣血資生。其永其天年也。夫人之生存惟精氣神而已。精氣卽血氣。而神則難見也。人非神無以主宰。血氣太和。流行三焦。灌漑百骸。故脉非他卽神也。神超乎氣血之先。爲氣血之根蒂。神依於氣。氣依於血。血資於穀。穀本於胃。所以論脉。有胃氣則生。無胃氣則死。胃爲中央之土。土爲生化之源。是以五臟、六腑、皆受其生化之氣。故金李東垣先生云。脉貴有神。有神則氣血。盛强活發躍動。於指下也。

第三課　脉之辨別

診脉斷症。以明其陰陽表裏。寒熱虛實。其辨別之法。以浮。沉。遲。數。滑。濇。虛。實。長。短。洪。微。細。濡。弱。緊。緩。弦。動。促。結。代。革。牢。散。芤。伏。疾。二十八字盡之。

脉之寸關尺

寸關尺之定名。係根據取穴法。從手太陰肺經之魚際穴。至經渠穴。爲一寸。故名曰寸。從尺澤穴。至寸後之盈尺處。爲尺。故名曰尺。寸尺之間。有高骨。高骨乃寸尺交界之際。故名曰關。寸爲上部。關爲中部。尺爲下部。左寸候心。與小腸相表裏之脉。左關候肝。與胆相表裏之脉。左尺候腎。與膀胱相表裏之脉。右寸候肺。與大腸相表裏之脉。右關候脾。與胃相表裏之脉。右尺候命門。與三焦相表裏之脉。

脉之息度

凡人之脉。循行十二經。環奇經八脉。據內經合長一十六丈二尺。人一呼脉行三寸。一吸脉亦行三寸。呼吸定息。合行六寸。人之一日一夜。凡一萬三千五百息。脉行五十度週於身。合行八百一十丈。榮衛行陽二十五度。行陰亦二十五度也。

奇經八脉名

任脉。督脉。衝脉。帶脉。陰蹻脉。陽蹻脉。陰維脉。陽維。

老少脉異

老弱之人。脉宜緩弱。若過旺者。病也。少壯之人。脉宜充實。若過弱者病也。然又有說焉。老人脉旺。而非躁者。(躁音照急躁也)此天稟之厚引年也。名曰壽脉。若脉躁疾。有表無裏。則爲脉陽。脉現於陽。則眞陰已絕。其死近矣。壯者脉細而和緩。三部同等。此天禀之清靜逸士也。名曰陰脉。陰脉之人。心靈伎巧。而體多弱也。若細小勁直。前後不等。可以決死期矣。

第四課 診脉之輕重審察

初持脉時。指下如三菽之重。候與皮毛相得者。肺部也。如六菽之重。候與血脉相得者。心部也。如九菽之重。候與肌肉相得者。脾部也。如十二菽之重。候與筋平者。肝部也。按之至骨。舉指來急者。腎部也。由是推之。不獨以左右六部分候臟腑。即指下輕重之間。便可測何經受病矣。學者不察於此。而專分六部。則脉中之微妙。豈在是可盡其蘊也。

陰陽辨別

內經云。言人之陰陽。則外爲陽。內爲陰。言人身之陰陽。則背爲陽。腹爲陰。言人身臟腑中之陰陽。則藏爲陰。腑爲陽。肝、心、脾、肺、腎、五臟。屬陰。胆、胃、大小腸、三焦、膀胱、六腑、屬陽。此亦言陰陽表裏也。

古人名

扁鵲曰。呼、出心與肺。吸、入腎與肝。呼吸之間。脾受穀氣也。其脉在中浮者。陽也。沉者陰也。心肺俱浮。何之別之。然浮而大散者。心、浮而短濇者。肺也。腎肝俱沉。何以別之。然牢而長者肝也。舉之濡。按指未實者。腎也。脾主中州。故其脉在中部也。

反關脉

脉不行於寸口。由列缺絡。入臂後手陽明大腸經也。以其不正行於關上。故曰反關。必反其手而診之。乃可見也。左手得之主貴。右手得之主富。左右俱反。富而且貴。男女皆然。

怪脉

雀啄　連三五至而歇。歇而再至。如雀啄食脾。絕也。

屋漏　良久一至。屋漏滴水之狀。胃絕也。

彈石　從骨間劈劈而至。如指彈石腎絕也。

解索　散亂如解繩索。精血竭。絕也。

鰕遊　沉時忽一浮。如蝦遊。然靜中一動。神魂。絕也。

魚翔　沉時忽一浮。譬魚翔之似有似無命絕也。

釜沸　如釜中火。火燃而沸。有出無入。陰陽氣絕也。

第五課　七診

七診者。言診病時。獨現七種形象。脉失常態則為病也。即獨小者病。獨大者病。獨疾者病。獨遲者病。獨熱者病。獨寒者病。獨陷者病也。形肉已脫。九候雖調猶死。七診雖見。九候皆順。從四時之令。合五臟之常者不死。

望色

內經云。望而知之者。望見其五色。以知其病肝青象木。肺白象金。心赤腎黑。脾土色黃。一旦有病。則色必變。現於面矣。然肺主氣。氣虛則色白。腎屬水。水涸則面黎。青爲怒色傷肝。赤爲心火炎上。痿黃者。內傷脾胃。紫濁者。外感風邪。憔悴野黑。必鬱悒而神傷。消瘦淡黃。乃久病之憊。山根明亮。須知久病之將愈。環口黎黑。休醫已絕之腎。蓋有諸內必形於外。見其表以知其裏。

小兒脉法

小兒五歲以下。未可診寸門尺。惟看男左。女右之虎口關紋。食指第一節。寅位、爲風關。脉初易治。二節卯位。爲氣關。脉見爲病深。第三節。辰位、爲命關。脉見爲命危。

紫脉爲熱。紅脉爲寒。青脉驚風。白脉疳疾。黃脉隱隱爲常候也。黑脉者多危。脉紋入掌爲內禽。紋彎裏爲風寒。紋彎外爲食積也。

小兒五歲以上。以一指取寸關尺三部。六至爲和平。七八至爲熱。四五至爲寒。半歲以下。於額前眉端髮際之間。以名、中、食、三指候之。兒頭在左。舉右手。在右舉左手。以食指在上。如三指俱熱。外感於風。鼻塞咳嗽。三指俱冷。外感於寒。內傷飲食。發熱吐瀉。食、中、二指熱。主上熱下冷。名、中、二指熱、主火。驚食指獨熱主食滯。

初步認証

第六課 病機序

血氣

氣血中和百病不生。一有怫鬱。諸病生焉。心肝肺有熱。而咽喉腫疼。大腸有熱。而唇吻生瘡。風濕伏於陽經。而腫疾始作。熱毒停於臟腑。而瘡疽乃生。腎經虛損。要膝不仁。脾氣不運。四肢無力。寒傷脾而自疼。熱傷胃而自腫。左脇痛肝經氣逆。右脇痛脾部血虛。風邪入肺咳嗽鼻涕。熱邪停肝。目赤心熱。咳嗽有血。因肺熱咳嗽有痰。因肺寒五臟不和。而九竅不通。六腑不和。而停結為癰。嘔吐是脾胃之虛損。氣噎是營衛之不順。白痢乃脾胃受寒。赤痢是大腸受熱。經候不正。原是任衝之虛。飲食無味。定知脾胃之弱。脾土不足。而水火不化。血海崩敗。而經血不止。小腸下血。腎弱遺精。盜汗無時。陰氣虛損。小腸熱而小便赤滯。大腸寒。而大便黑青。陽虛生寒。陰虛生熱。三陽受風。而口眼歪斜。六腑熱停。而身體腫疼。頭面腫。謂之風。身體腫。謂之水寒。邪客於營衛。時寒時熱。風濕流於下焦。或痛或癢。衛處受寒。則頭暈而目眩。營處受熱。則胃熱而肌寒。陰痿不興。定腎虛。口腫生瘡。必心熱。胃熱口臭。肺熱腫喉。心熱口黑。脾熱舌乾。肝虛不睡。胆冷無眠。膀胱停熱。小便非赤即黃。腎臟受寒。大便非赤即痢。鼻流清涕。肺經受寒。口燥舌乾。胆家之熱。脾胃受濕。則筋軟延解。皮膚受風。則形體不仁。風濕停於肺胃。目眩耳聾。風濕停於肝胆。目毒發黃。六腑有滯。則三焦不和。五臟閉塞。則九竅不通。疝氣腎虛。膀胱多感風濕。痰火喘急。肺胃定傷寒邪。遺尿失禁。膀胱虛寒。心煩口燥。腎竭精枯。心腹疼痛。而陰陽不順。手足寒痲而營衛欠勻。飽逆、屬虛火上升。腫脹由土敗水流。四肢。受風。則肢節疼痛。脾胃虛弱。則嘔吐酸漿。手足麻木。氣血濕痰。頭目眩花。肝經虛損。氣虛熱閉。而小便不通。氣實熱結。而大便窒塞。濕熱鬱脾。而發疸。陰虛火動。而遺精。淋閉皆因虛熱。鬱氣濁遺。俱是敗血濕痰。腸風臟毒。行房醉飽所致。癥瘕痞塊食積。瘀血。而來淫慾不節。而內傷虛損勞役過度。而陰火上升。五痔多因熱飽所生。腸癖定是食多下流。飲食不節。脾胃傷損。生冷過多。嘈雜作酸。元氣不足。而苦夏心中有熱。而傷暑脫肛。血虛內傷。熱氣顛狂。熱極中伏熱病。外感風寒內停食積而作腹痛。上感寒邪。下注水濕。而成脚氣。時時暈眩。虛火有痰。徧身作腫。風、寒、暑、濕、火。五者相生。脾胃蟲積。風、冷、濕、熱、食、五者。而作噎膈。乃三陽既結。是神氣中病焉。腫脹內濕熱內停。因脾氣不運也。病原不同。治各有異。胎前養血。安胎。忌用辛熱。產後大補。氣血、禁用寒凉。飲食適中。而無過傷。起居有時。而無他病。久視傷血久臥傷氣。久坐傷肉。久立傷骨。久行傷筋。風、寒、暑、濕、之謹避坐、臥、行、立、之有常。又何疾病之有哉。

脉理論

診脉於初下指於皮毛之間。肺之分。陽中之陽也。再按至血處。心之分。陽中之陰也。三按至肌肉。脾與胃之分。四按至筋肝之分。陰中之陽也。五按至骨腎之分。陰中之陰也。脉有六淫之傷。燥淫。濕淫。寒淫。風淫熱淫。火淫。診脉按金木水火土五行者。如肝屬木。木屬春。脉以軟滑而長爲是。心屬火。火屬夏。脉以後洪而大爲是。肺屬金。金屬秋。脉以清肅而浮。爲是。腎屬水。水屬冬。脉以沉細而實爲是。脾屬土。土屬中央。脉以四季和緩。爲是。不然。則有六淫之傷而病矣。

第八課 浮脉屬陽

浮脉輕清在上之象。舉之有餘按之不足。如手指循鷄背上毛。如水漂木。

體狀歌　浮脉惟從肉上行。如循榆莢似毛輕。三秋得令知無恙。久病逢之却可驚。

相類歌　浮如木在水中浮。浮大空中乃是芤。拍拍而浮似洪脉。來時雖盛去悠悠。

浮脉爲陽其病在表。寸浮傷風頭疼鼻塞。左關浮者風在中焦。右關浮者風痰在膈。尺部得之下焦風熱。小便不利大便秘濇。無力表虛。有力表實。浮緊風寒。浮遲中風。浮數風熱。浮緩風濕。浮芤失血。浮短氣。浮洪虛熱。浮虛傷暑。浮濇傷血。浮濡氣敗。浮散勞極。

主病歌　浮脉爲陽表病居。遲風數熱緊寒拘。浮而有力多風熱。浮而無力是血虛。

寸浮頭痛眩生風。或有風痰聚在胸。關上土衰兼木旺。尺中溲便不流通。

第九課　沉脈屬陰

沉脈重濁在下之象。重手按至筋骨乃得。如綿裹砂內剛外柔。如石投水。必極其底。

體狀歌　水行潤下脈來沉。筋骨之間軟滑勻。女子寸兮男子尺。四時如此號爲平。

相類歌　沉於筋骨自調勻。伏則推筋着骨尋。沉細如綿眞弱脈。弦長實大是牢形。

沉脈爲陰。其病在裏。寸沉短氣。胸痛引脇。或爲痰飲。或水與血。關主中寒。因而痛結。或爲滿悶。吞酸。筋急。尺主背痛。亦主腰膝。陰下濕癢。淋濁泄。痢。無力裏虛。有力裏實。沉遲痼冷。沉數內熱。沉滑痰飲。沉濇血結。沉弱虛衰。沉牢堅積。沉緊冷痛。沉緩寒濕。

沉潛水蓄。陰經病數。熱遲寒。滑有痰。無力而沉虛與氣。沉而有力積並寒。寸沉痰鬱。水停胸。關上中寒痛不通。尺部溺遺兼泄痢。腎虛腰及下元病。

第十課　遲脈屬陰

在臟主陰

遲脈象爲不及。往來遲慢一息之至。

體狀歌　遲來一息至惟三。陽不勝陰氣血寒。但把浮沉。分表實。消陰須益火之原。

相類歌　脉來三至號爲遲。小駃於遲作緩持。遲細而難是知濇。浮而遲大以虛推。

三至爲遲有力爲緩。無力爲濇。有止爲結。遲甚爲敗。危遲浮大軟爲虛。

遲爲陰盛陽衰。緩爲衛盛營弱。

遲脉主臟。其病爲寒。寸遲上寒心痛停凝。關遲中寒。痛結攣筋。尺遲火衰溲便不禁。或病腰足。疝痛牽陰。

分別造化之機，應以月爲標準，如月中日干，月德合三字言，是日即爲造得辛爲化，此乃定數，正五九在辛，二六十在己，三七十一在丁，四八十二在乙，太日五行會合

有力積冷。無力虛寒。浮遲表冷。沉遲內寒。遲濇血少。遲緩濕寒。遲滑脹滿。遲微難安。

遲司臟病。或多痰。沉涸癥瘕仔細看。有力而遲爲冷痛。遲而無力定虛寒寸遲必是上焦寒。關主中寒痛不堪。尺是腎虛腰脚重。溲便不禁疝牽丸。

第十一課　數脉屬陽

數脉象爲太過。一息六至往來越度。爲陰不勝陽。

體狀歌　數脉息間常六至。陰微陽盛必狂煩。浮沉表裏分虛實。惟有兒童作吉看。

相類歌　數比平人多一至。緊來如數似彈繩。數而時止。名爲促。數見關中動脉形。

數脉主腑。其病爲熱。寸數喘嗽。口瘡肺癰。關數胃熱。邪火上攻。尺數相火。遺濁淋癃。

有力實火。無力虛火。浮數表熱。沉數內熱。陽數君火。陰數相火。右數火亢。左數附戕。

數而强急爲緊。流利爲滑。有止爲促。數甚爲急、數見關中爲動。

數脉爲陽熱可知。只將君相火來醫。實宜凉瀉。虛溫補。肺病秋深却畏之

寸數咽喉口舌瘡。吐紅咳嗽肺生痰。當關胃火及肝火。尺屬滋陰降火看。

第十二課　滑陽中陰

滑脉數而流利。

滑脉走如珠。往來極流利。氣虛多生痰。女得反爲瑞。

體狀歌、滑脉替替。往來流利。盤珠之形。荷露之義。

滑脉爲陽多主痰。液、寸滑咳嗽胸滿吐逆。關滑爲熱壅氣傷食。尺滑病淋。或爲痢積。男子溺血。婦人經鬱。浮滑風痰。沉滑痰食。滑數痰火。滑短氣塞。滑而浮大。尿則陰痛。滑而浮散。中風癱瘓。滑而中和。娠孕可

作結意也

決。

滑脉如珠。替替然往來流利。却還前。莫將滑數爲同類。數脉爲看至數間

滑脉爲陽。元氣衰。痰生百病。食生災。上爲吐逆。下蓄血。女脉調時定有胎。

寸滑膈痰生嘔吐。呑酸舌強或咳嗽。當關宿食肝脾弱。濁痢癲淋看尺部。

第十三課　濇脉屬陰

濇脉往來難。參差應指端。只緣精血少。時熱或純寒。

體狀歌　細遲短濇往來難。散止依稀應指間。如雨沾沙容易散。病蠶食葉慢而艱。

相類歌　參伍不調。名曰濇。鈍刀刮竹短而難。微似秒芒微而甚。浮沉不別有無間。

濇爲血少亦主精傷。寸濇心痛。或爲怔忡。關濇陰虛。因而中熱。右關土

懼愛也

虛。左關脹脇。尺濇遺淋。血痢可決。孕爲胎病。無孕血竭。

濇而堅大爲有實熱。濇而虛軟虛火炎灼。

濇緣血少。或傷精。反胃亡陽汗雨淋。寒濕入營爲血痺。女人非胎卽無經

寸濇心虛痛對胸。胃虛脇脹察關中。尺爲精血俱傷候。腸結溲淋或下紅。

第十四課　虛脉屬陰 浮而軟大

虛脉大而鬆。遲柔力少充。多因傷暑毒。亦或血虛空。

虛合四形。浮、大、遲、軟、及乎尋按幾不可見。

虛主血虛。又主傷暑。左寸心虧。驚悸怔忡。右寸肺虧。自汗氣怯。左關肝傷。血不營筋。右關脾寒。食不消化。左尺水衰。腰膝痿痺。右尺火炎。寒症蜂起。

虛脉浮大而遲。按之無力。芤脉浮大。按之中空。芤爲脫血。虛爲血虛。浮散二脉見虛。脉氣來虛。微而不及。病在內。久病脉虛者死。

失時也

體狀歌　舉之遲大按之鬆。脈狀無涯類谷空。莫把芤虛爲一例。芤來浮大似慈葱。

相類歌　脈虛身熱爲傷暑。自汗怔忡驚悸多。發熱陰虛宜早治。養營益氣莫蹉跎。

血不榮心寸口虛。關中腹脹食難舒。骨蒸痿痺傷精血。却在神門兩部居。

第十五課　實脈屬陽

實脈大而圓。依稀隱帶弦。三焦內熱鬱。夜靜語尤顛。

實脈有力。長大而堅。應指愊愊。三候皆然。

血實脈實。火熱壅結。左寸心勞。舌强氣涌。右寸肺病。嘔逆咽痛。左關見實。肝火脇痛。右關見實。中滿氣痛。左尺見實。便閉腹痛。右尺見實。相火亢逆。實而且緊。寒積稽留。實而且滑。痰凝爲祟。

浮沉皆得大而長。應指無虛愊愊强。熱蘊三焦成壯火。通腸發汗始安康。

實脉浮沉有力強。緊如彈索轉無常。須知牢脉帮筋骨。實大微弦更代長。

實脉爲陽火鬱成。發狂譫語吐頻頻。或爲陽毒或傷食。大便不通或氣疼。

寸實應知面熱風。咽痛舌強氣塡胸。當關脾熱中宮滿。尺實腰腸痛不通。

第十五課　長脉屬陽

長脉（跳動）怕繩牽。柔和乃十全。迢迢過本位。氣理病將痊。

長脉超超。首尾俱端。直上直下。如循長竿。

長主有餘氣逆火盛。左寸見君火爲病。右寸見長。滿逆爲定。左關見長。木實之殃。右關見長。土鬱脹悶。左尺見長。奔豚冲競。右尺見長。相火專令。過於本位。脉名長。弦，則非然。但滿張。弦脉與長。爭較短。良工尺度自能量。長脉超超。大小勻。反常爲病。似牽繩。若非陽毒癲癇病。即是陽明熱勢深。

短脉屬陰

短脉部無餘。猶疑。動宛如酒傷神。欲散、食宿氣難舒。

短脉濇小。首尾俱俯。中間突起。不能滿部。

短主不及爲氣虛症。短居左寸心神不定。短見右寸、肺虛頭痛。短在左關。肝氣有傷。短在右關。膈間爲殃。左尺見短。小腹必痛。右尺見短。眞火不隆。兩頭縮縮名爲短。濇短遲遲細且難。短濇而浮秋見喜。三春爲賊有邪干。

短脉惟於尺寸尋。短而滑數酒傷神。浮爲血澀、沉爲痞。寸主頭痛尺腹疼。

第十七課　洪脉屬陽（浮而盛大）

洪脉脹兼嘔。（主氣）陰虛火上浮。應時惟夏月。（主柔和而不急以應滿指爲之冲滿）來盛去悠悠。（來去行動不同之爲衰）

洪脉極大。狀如洪水。來盛去衰。滔滔滿指。

洪爲盛大。氣壅火亢。（主氣壅爲火太高）左寸洪大。心煩舌破。右寸洪大。胸滿氣逆。左關（忽然不測先主）見洪。肝木太過。右關見洪。脾土脹熱。左尺洪大。水枯便難。右尺洪大皆屬火爲陰虛陽盛脉見洪

短重之火內燒太重

龍火燔灼。

脉來洪盛去還衰。滿指滔滔應夏時。三焦皆有熱 若見春秋冬月令。升陽散火莫狐疑。

脉洪陽盛血應虛。相火炎炎熱病居。脹滿胃翻須早治。陰虛洩痢可愁如。

寸洪心火上焦炎。肺脉洪時金不堪。肝火胃虛關內察。腎虛陰火尺中看。

洪主陽盛陰虛下痢。失血久嗽忌之。

對於咳嗽亦要分別有聲爲之咳無聲爲之嗽咳有痰嗽無痰

第十八課　微脉屬陰

微脉有如無。難容一呼吸。陽微將欲絕。如此之脉最險應急 峻補莫躊躇。

微脉極細。而又極軟。似有若無。欲絕非絕。

微脉模糊。主亦 氣血大衰。槁乾編 左寸驚怯。主爲主畏 右寸氣促。主短爲之促 左關寒攣。通與四肢之曲不能直 右關胃冷。其寒 左尺得微。髓絕精枯。右尺得微。陽衰命絕。

微脉輕微瞥瞥然。暫見 按之欲絕。有如無。微爲陽弱。細陰弱。細比於微略似粗。氣血微兮。脉亦微。惡寒發熱汗淋漓。男爲勞極。諸虛候。女作崩中

此爲一種科學

帶下醫。寸微氣粗。或心驚。關脉微時脹滿形。尺部見之。精血弱。惡寒消瘦。痛吟呻。

第十九課　緊脉屬陽

緊脉彈人手（如同彈丸彈手）。形如轉索然（如繩）。熱爲寒所束。溫散法居先。（測）

緊與散對。鬆緊聚散。物理之常（側脉變化爲之亦爲研究實在對待天地間爲之物理有物有則突一種法）。散即鬆之極者也。緊即聚之極者也。

緊如轉索。散如飛花。緊散相反。形容如生。

緊脉有力。左右彈人。絞如轉索。如切緊繩。

緊主寒邪。亦主諸痛。左寸逢緊。心滿急痛。右寸逢緊。傷寒咳嗽。左關人迎（皆在關前於寸脉近處）。浮緊傷寒。右關氣口。沉緊傷食。左尺見之。臍下極痛。右尺見之。奔豚疝氣。

浮緊傷寒。沉緊傷食（緊脉主於胃症故有多痛）。急而緊者。是爲遁尸（爲心亂陰寒邪氣主使人昏迷言語顛倒邪氣傷神）。數而緊者。當主鬼祟。

舉如轉索切如繩。脉象因之得緊名。總是邪寒來作寇。內爲腹痛外身疼。

緊爲諸痛。主於寒。喘嗽風癇。吐冷痰。浮緊表寒。須發越。緊沉溫散。自然安。（浮緊宜散沉緊宜溫）

寸緊人迎氣口分。當關心腹痛沉沉。尺中有緊爲陰冷。定是奔豚與疝痛。

第二十課　緩脉屬陰

緩脉去來。稍駛於遲。一息四至。如絲在經（直如經格如緯）不卷其軸。（緩懸）應指和緩。（從容和緩）往來甚勻。如初春楊柳舞風之象。（吹動）如微風輕颭柳稍。

緩脉四至來往和勻。微風輕颭初春楊柳。

緩爲胃氣不主於病。取其兼見方可斷症。（如見別象脉字可）浮緩風傷。沉緩寒濕。緩大風虛。緩細濕痺。（寒而痛）緩澀脾薄。（主提弱氣）緩弱氣虛。右寸浮緩。風邪所居。左寸濇緩。（腎）少陰血虛。左關浮緩。肝氣內鼓。右關沉緩。土弱濕浸。（聚之意）左尺緩濇。精宮不及。右尺緩細。眞陽衰極。（和緩如帶代行動）

緩脉阿阿四至通。（輕風脈象卽本形）柳稍裊裊颭輕風。欲從脉裏求神氣。只在從容和緩中。

緩脈營衰。衛有餘。或風或濕或脾虛。上爲項強。下痿痹。此通而言之 分別浮沉大小雙風行不進以風行症區。寸緩風邪項背拘。關爲風眩胃家虛。神門濡弱或風秘。須是蹣跚足力迂。

第二十一課 芤脈陽中陰

芤字訓爲釋空訓慈葱。中央總是空。醫家持擬脈。此血脫滿江紅。主於血症芤與革對。同一中。空而麁實。兩分焉。虛而空者爲芤。實而空者爲革。悟透實與虛。可通芤與革。

乃草名。絕類慈葱。浮沉俱有。中候獨空。芤脈中空。故主失血。左寸呈空。此經主血少心主喪血。右寸呈芤。爲現爲露相搏陰傷。力太過芤入左關。肝血不藏。芤入右關。脾血不攝。左尺如芤。便紅爲咎。右尺如芤。火炎精漏。

中空旁實乃爲芤。浮大而遲。虛脈呼。芤更帶弦。名曰革。血亡芤革血虛虛

少腹當有形主三陰有寒成疝疝有七種寒水筋血氣狐頹癀分八種風寒暑熱濕食瘴邪

陽弦爲浮陰弦爲沉在弦脉多主肝症肝寒氣不舒故作痛

寸芤積血在於胸。關內逢芤。腸裏癰。尺部見之。多下血。赤痢紅淋漏崩中。

第二十二課　弦脉陽中陰

弦脉似長弓。肝經並胆宮。疝、癩、癥、瘕、瘧。（主陰器有病）像與傷寒同。

弦脉端直以長。如張弓弦。按之不移。綽綽（有餘）如按琴瑟弦。

弦如琴絃。輕虛而滑。端直以長。指下挺然。（查其弦直是寬是否有曲形）

弦爲肝風主痛。主瘧、主痰、主飲。弦在左寸心中必痛。（主濁主氣不清又主嗽又主寒）弦在右寸。胸及頭痛。左關弦見。痰瘧癥瘕。右關弦見。胃寒膈痛。左尺逢 。飲在下焦右足逢弦、足攣疝痛。浮 支飲。沉弦懸飲。弦數多熱。弦遲多寒。弦大主虛。弦細拘急。陽弦頭痛。陰弦腹痛。單弦飲癖。（消化不良痰遂成疾成癖）雙弦寒痼。（主久病受寒太深）

弦脉迢迢端直長。肝經木旺土應傷。（制木萬物生於土如脾氣舒可病不生）怒氣滿胸常欲叫。翳蒙瞳子淚淋浪。（白膜肺黃脾赤心青肝）

弦應東方肝胆經。飲痰寒熱瘧纏身。浮沉遲數須分別。大小單雙看重輕。

寸弦痛頭膈多痰。寒熱癥瘕察在關。關右胃寒心腹痛。尺中陰疝脚拘攣。

第二十三課　革脉屬陰

此脉主於肝膽有泄無補

革脉浮而弦。芤如按鼓皮。

革脉惟旁實。形同按鼓皮。勞傷神恍惚。夢破五更遺。

按革脉主亡精。芤脉主亡血。脉經言、均爲失血之候。

革大弦急。浮取卽得。按之乃空。渾（作濡意）如鼓革。

革主表寒。亦屬中虛。左寸之革。心血虛痛。右寸之革金衰氣壅。左關遇革。疝瘕爲祟（主於上項病重）。右關遇革。土虛爲疼。左尺診革。精空可必。右尺診革殞命爲憂。女人得革。半產漏下。

革脉形如按鼓皮。芤弦相合脉寒虛。女人半產並崩漏。男子榮虛或夢遺。

第二十四課　牢脉陰中陽

牢脉似沉似伏。實大而長微弦。醫理無窮脉學難曉會家人一旦豁然全濶禪悟

由沉而得其象沉伏伏按之不動而不移牢固然大抵裏實表虛胸中氣促如失血人死

將前人所傳之脉依䉾齋茹蘆演成詩句

水名出在涿郡濡脉浮而遲軟所其如水之柔軟而無力之意其象虛軟者無力應手細爲之軟

牢脉實而堅。常居沉伏邊。疝㿗猶可治。失血命難延。按牢長屬肝。疝㿗肝病脉實失血。脉宜沉細。若脉見浮大牢者。死候也。牢主堅積病在乎內。左寸之牢。伏梁爲病。（腸胃氣不消積成。因傷飲食氣不宣通癖飲食不節傷脾胃）右寸之牢。息賁可定。（肺氣積脇下喘上賁）左關見牢。肝家血積。右關見牢。陰寒痞癖。左尺牢形。奔豚爲患。右尺牢形。疝瘕痛甚。

弦長實太脉堅牢。牢位常居沉伏間。革脉芤脉從浮起。革虛牢實要詳看。寒則牢堅裏有餘。腹心寒痛木乘脾。疝㿗癥瘕何愁也。失血陰虛却忌之。

第二十五課　濡脉陰中陽

濡脉極軟而浮。如綿在水中。輕手乃得。按之無有。濡脉按須輕。萍浮水面生。（如池中浮萍在水漂）平人多損壽。莫作病人評。按濡主血虛之病。又主傷濕。（即失其運化）平人不宜見此脉。濡主陰虛。髓絕精傷。左寸見濡。健忘驚悸。（即善忘有觸心動如驚悸心動不安如怔忡相似）右寸見濡。腠虛自汗。左關

弱者遲而無力其象極軟又沉細按之欲絕

逢之。脾虛濕浸。左尺得濡。精血枯損。右尺得濡。火敗命乘。如皮內肉外之三焦通之眞表虛自汗盜汗也

濡形浮細。按須輕。水面浮綿。力不禁。病後產中。速療治 猶有藥。可以 平人若見。

是無根。

濡爲亡血陰虛病。髓海丹田暗已虧。汗雨夜來蒸入骨。脾濕失其運用生化主四肢無力再四肢腫由濕成毒則爲荒病 血山崩倒濕浸脾。痾者有同生之象

寸濡陽微自汗多。關中其乃氣虛何。尺傷精血虛寒甚。溫補眞陰可起痾。

第二十六課　弱脉屬陰

弱脉極軟而沉。按之乃得。舉手無有。

弱脉宜分滑濇。脉弱而滑。是有胃氣。清秀人多有此脉。弱而濇是有病脉

弱脉按來柔。柔沉不見浮。形枯精日減。急治可全瘳。新癒也

弱爲陽陷。骨陽受害入陰 眞氣衰弱。左寸心虛。驚悸健忘。右寸肺虛。自汗短氣。左關

木枯。必苦攣急。右關土寒。五谷氣 水穀之痾。病 左尺弱見。如秋水無力如涸 涸流可徵。微虛也仍是腎經 右尺弱見

。陽陷可驗。命門爲陽受害實到陰

弱脉陰虛陽氣衰。惡寒發熱骨筋萎。多驚多汗精神減。益氣調榮急早醫。寸弱陽虛病可知。關中胃弱與脾衰。欲求陽陷陰虛病。須抱神門兩部推。（此神門卽是兩尺爲腎先天之根本天一生水爲內腎之眞陽正氣萬物賴一水生）

第二十七課　散脉屬陰

散脉有表無裏。無拘束。無定形。至數不齊。或來多。去少。或去少來多。渙散不收。中候漸空。

散脉最難醫。本離少所依。（無統紀至數不齊）往往至無定。一片楊花飛。（散漫之象）散爲本傷。見則危殆。左寸見散。怔忡不寐。右寸見散。自汗淋漓。左關見散。當有溢飲。（主暴渴多飲水）右關見散。脹滿蠱疾。（卽鬱病不欲飲食）左尺見散。北方水竭。（傑盡也）右尺見散。（又主）（又脈病）陽消命絕。

散脉無拘散漫然。濡來浮細水中綿。浮而遲大爲虛脉。芤脉中空有兩邊。

左寸怔忡。右寸汗。溢飲左關。應軟散。（氣不收）右關軟散。胻腫肘。（虛腫）（足陽明胃）散居兩尺魂應斷。

散爲氣血根本脫離之脉散脉死脉也

有表無裏

數脉獨見極危

第二十八課　細脉屬陰

細脉細小而長。有細眞而軟。若絲綿之應指。

細脉一絲索。餘音不絕然。眞陰將失守。加數斷難痊。

細與微對。微爲陽弱欲絕。細乃陰虛之極。二脉實醫家。剖别（分别開又作夂析原委）陰陽關鍵。最宜分曉。

細主氣衰諸虛勞（言而過力）損。細居左寸。怔忡不寐。細居右寸（虛勞之辭，心不安，多畏懼）。嘔吐氣怯（怯爲氣弱）。細入左關。肝氣枯竭。細入右關胃虛脹滿。細在左尺。洩痢遺精。細居右尺下元虛憊（疲極主敗主之倦懈）。

細脉縈縈（旋繞之貌）氣血衰。諸虛勞損七情乖（戾也異也七情七情者喜怒哀樂恐懼悲）。若非濕氣浸腰腎。即是傷精汗洩來。

寸細應知吐嘔頻（急也一字二字不停即無停時）。入關腹脹胃虛形。尺逢即是丹田冷。洩痢遺精號脫陰。

春夏少年俱不利。秋冬老弱却相宜。（非有微濡各脉可宜獨細仍作虛陰看）

細脈沉而小微軟，其象細如絲，見此脈多元氣不足

第二十九課　伏脉屬陰

伏脉行筋下。其象沉極。而幾於無。按之須透筋著骨。始現於此脉。非大寒即大熱。一爲傷寒。二爲夾陰此二症也。

伏脉症宜分。傷寒釀汗深。（氣主深非大汗不可爲含蓄）浮沉俱不得。着骨始能尋。

傷寒症。一手伏。曰單伏。兩手伏。曰雙伏。乃火邪內鬱。不得發越。（如熱不出爲陽似陰）陽極似陰。（越扎不上也）故脉伏。必大汗而解。（非汗不能消解）又有夾陰傷寒。先有伏寒在內。外復感寒。陰盛陽衰。四肢厥逆。六脉沉伏。治以大回陽之法。脉乃出以上二症極宜分。（桂枝，麻黃，乾姜，肉桂，以關陽發汗如鍼應大椎半補半泄厲兌半補半泄合谷補　復溜泄此大汗可出灸臍中關元氣海大樞）

伏爲隱伏更下於沉。推筋着骨始得其形。

伏脉爲陰受病入深。伏居左寸。血鬱之症。伏居右寸。氣鬱之疴。左關值伏。肝血在腹。右關值伏。寒凝水穀。左尺伏見。疝瘕可驗。右尺伏藏。少火消亡。（當事其脉遇見作値）

伏爲霍亂吐頻頻。（急吐也不停時）腹痛多緣宿食停。（困也）蓄飲老痰成積聚。散寒溫裏莫因循。

食鬱胸中雙寸伏。欲吐不吐常兀兀。（飲食氣不得息內氣停不動）當關腹痛沉沉困。（窘迫及勞皆爲困）尺腹痛疝還破腹。

第三十課　動脉屬陽

元則害承迺制者寒極則生熱熱極則生寒木極而金火極而水土極而木金極而火水極而土

動脉陰陽搏。（爲搦）專司痛與驚。當關一豆轉。尺寸不分明。

動與代對。動則獨盛爲陽。代則中止爲陰。動代變遷。陰陽迭見。

動無頭尾。其動如豆。（查其隱思又短也又堅）厥厥動搖。必兼滑數。

動脉主痛亦主於驚。左寸得動驚悸可斷。右寸得動自汗無疑。左關若動驚及拘攣。右關若動、心脾痛疼。左尺見動、亡精爲病。右尺見動、龍火迅（各處火上升）奮。（而無陰氣爲之龍火）

動脉搖搖數在關。（主七星）無頭無尾豆形圓。其原本是陰陽搏。虛者搖兮勝者安。（查其意斷否勝所安）

動脉專司痛與驚。汗因陽動熱因風。或爲泄痢拘攣病。男子亡精女子崩。

第三十一課　促脉屬陽

促脉形同數。（束也）須從一止看。（有無停滯）陰衰陽獨甚。洩熱只宜寒。

促爲急促數時一止。如趨而蹶。（捷步僵）進則必死。

促因火亢。亦由物停。左寸見促。心火炎炎。右寸見促。（如雉聲）肺鳴咯咯。促見

七情所鬱浮結為寒邪沉結為積

醫病參考其病必須先記脈脈有字可定吉凶學者先明陰陽天地之理人身造化之機脈証要明治有要訣

左關。血滯為殃。

促居右關。脾宮食滯。左尺逢促。遺滑堪憂。右尺逢促。灼熱為定。

促脈數而時一止。此為陽極欲亡陰。三焦鬱火炎炎盛、進必無生退可生。

促脈惟將火病醫。其因有五細推之。時時喘咳皆痰積。或發狂班與毒疽。

促結之因。皆有氣血痰飲食。一有留滯。脈必見止。

第三十二課　結脈屬陰

結脈遲中止。陽微一片寒。諸般陰積症。溫補或平安。

結與促對。遲而一止為結。數而一止為促。遲為寒結。則寒之極矣。數為熱促。則熱之至矣。

結為凝結。緩時一止。徐行而怠。（主漫）頗得其旨。（主意思）

結屬陰寒。亦因凝聚。（有固體象可聚為）左寸心寒。痛疼可決。右寸肺虛。（主內腎氣散行）氣寒凝結。左關結見。疝瘕必現。右關結形。痰滯食停。左尺見結。痿躄之病。右尺見結陰寒爲定。

結脉緩而時一止。獨陰偏甚欲亡陽。浮爲氣滯沉爲積。汗下分明在主張。

結脉皆因氣血凝。老痰結滯苦沉吟。（語也 迷言迷語）內生積聚外生疽。瘤瘕爲殃病屬陰。

第三十三課　代脉屬陰

代脉動中停。遲遲止復還。平人多不利。惟有養胎間。

結促脉。止無常數。（本無就是無定数）或二動一止。或三五動一止。即來代脉之止有常數。必依數而止還。若無病肌瘦。脉代者危。有病而氣不能續者。代爲病脉。（主）傷寒心悸之症。亦有代脉。不爲危脉。（即是不爲危主婦人有姙如見代其胎）姙娠脉代者。其胎百日。代之生死（惡）不可不辨。代主臟衰危急之候。脾土敗壞吐痢爲咎。（仍候其氣）中寒不食。腹痛難救。兩動一止三四日死。四動一止。六七日死。次第推求不食經旨。（等於日月食，虧損灸法 見 主 絕斷 侵害 作意）

數而時止名爲促。緩止須將結脉呼。止而能回方爲代。結生代死自殊途。

代脉原因臟氣虛。腹痛下痢下元虧。或爲吐瀉中宮滿。女子懷胎三月兮。

病者得之猶可治。平人得之壽相隨。五十不止身無奈。數內有止定皆知。四十一止一臟絕。四年之後多亡命。三十一止即三年。二十一止二年應。十動一止一年殂。（言人之命已盡）更觀氣色與形症。二動一止三四月。三四動止應六七。五六一止七八朝。次第推之自無失。

第三十四課　疾脉屬陽

體象歌　疾爲急疾。數之至極（所）。七至八至。脉流薄疾。（乘中仍作急看亂流不分爲之薄無統係）

主病歌　疾爲陽極。陰氣欲竭。脉號離經。虛魂將絕。漸進漸疾。（陽於處）旦夕殞滅。左寸居疾。弗戢自焚。（臟之難避）右寸居疾。金被火乘。左關疾也。肝陰已絕。右關疾也。脾陰消竭。左尺疾兮。涸轍難濡。（乾難見濕水離魚出不生太陽之熱）右尺疾兮。赫曦過極。

按六至以上。脉有兩稱。或名曰疾。或名曰極。總是急速之形。數之甚者也。是惟傷寒熱極。方見此脉。非他疾所恒有也。若勞瘵虛憊之人。（肺結核爲勞亦作癆）亦或見之。則陰髓下竭。陽光上亢。如同有日無月。可與之決短期矣。陰陽易

一片難濕的乾土。而又遇這過暑的太陽。叫他稿草些草木，何怪其不易生也。

原來如此

病者脉常七八至。號爲離經是已登鬼錄者也。至夫孕婦將產。亦得離經之脉。此又非以七八至得名。如昨浮今沉。昨大今小。昨遲今數。昨滑今濇。但離於平素。今常之脉。即名爲離經矣。大都一息四至。則一晝一夜。約一萬三千五百息。統計當五十週於身。而脉行八百一十丈。此人身經脉流行之常度也。若一呼四至則一日一夜。週於身者當一百營。而脉遂行一千六百丈矣。必至喘促聲嘶。僅呼息於胸中四寸之間。而不能達於根蒂。眞陰極於下。孤陽亢於上。而氣之短已極矣。夫人之生死由於氣。氣之聚散由於血。凡殘喘之尚延者。只憑此一綫之氣未絕耳。一息八至之候。則氣已欲絕。而猶冀以草木生之。何怪乎不相及也。

第三十五課　定至數

持脉之初。先看至數。欲知至數。先平已之呼吸。以己之呼吸。定人之呼吸。未嘗不同。蓋人之五臟。不可見。所可見者。脉而已。呼出於心肺。

心一至肺一至。吸入於肝腎。肝一至腎一至。一呼一吸脉來四至。名一息。脾脉不見者。以土旺四季也。是爲平脉。惟是邪擾於中。斯脉不得其正耳。亦有平人、脉來五至。而無病者。

奇經八脉總説

凡人一身有經脉。絡脉。直行曰經。旁支曰絡。經凡十二手之三陰三陽。足之三陰三陽是也。絡凡十五。乃十二經各有一別。絡而脾經又有一大絡。並任督二絡爲十五也。共二十七氣。相隨上下如泉之流。如日月之行不（不必分別當然）得休息。故陰脉營於五臟。陽脉營於六腑。陰陽相貫如環無端。莫知其紀。終而復始。其流溢之氣入於奇經。轉相灌溉。內蘊臟腑。外行腠理。奇經凡八脉。不拘制於十二正經。無表裏配合。故謂之奇。蓋正經猶夫溝渠。奇經猶夫湖澤。正經之脉。隆盛則溢於奇經。故古人比之天雨降下。溝渠溢滿。雱霈妄行。流於湖澤。此發靈素、未發之秘旨也。

衝陽太谿太衝脉說

衝陽者胃脉也。（一曰趺陽，在足跗大指間五寸骨間，動脉是也，）凡病勢危篤。當診衝陽。以驗其胃氣之有無。蓋土爲萬物之母。資生之本也。故經曰。衝陽絕死不治。（但鍼此穴謹慎出血扎死）太谿者腎脉也。（在足內踝後跟骨上陷中動脉是也，）凡病勢危篤。診太谿以驗其腎氣之有無。蓋水爲天一之元。資始之本也。故經曰。太谿絕死不治。太衝者肝脉也。（在足大指本節後一寸，）經曰。診病人太衝脉。有無可以決死生。（難經曰上部有脉，下部無脉，其人當吐不吐者死。）

神門脉說

兩手尺中卽神門脉也。王叔和云。神門訣斷在兩關後。人無二脉病死不救。詳者論其腎之虛實。俱於尺中神門以後驗之。蓋水爲天一之元。萬物賴以資始者也。故神門脉絕。先天之根本既絕。決無回生之日也。而脉訣謂爲心脉者誤矣。彼因心經而有穴名。神門正在掌後兌骨之端。故錯誤耳。殊不知心在上焦。豈有候於尺中之理乎。

第三十六課　脉貴有神

東垣曰有病之脉。當求其神。如六數七極熱也。脉中有病即有神矣。爲泄其熱。三遲二敗寒也。脉中有力即有神矣。爲去其寒。若數極遲敗。脉中不復有力。爲無神矣。而遽（一速）泄之去之神將（反回）有依耶。故經曰。脉者氣血之先。氣血之先者。人之神也。

九候解

寸關尺爲三部。一部各有浮中沉三候。輕手得之曰舉（爲三菽）。候浮脉也。重手取之曰按（九菽）。候沉脉也。不輕不重委曲求之曰尋（六菽）。候中脉也。三而三之爲九也浮以候表頭面皮毛。外感之病也。沉以候裏。臟腑骨髓內傷之病也。中以候中。中者無過不及。非表非裏。至數從容。無（主）病可議。古帝王傳心之（授給之法）要。所爲一中括天地之道（包羅萬象）。而立斯人（不偏 按天時爲之和）身心性命之宗也者此也。古人以之爲心傳（不妄意）。吾人亦以之徵心得。蓋中與和通。謂其和緩。而不隣於躁也。中與治小兒皆是揣摩，雖見症不同，不外乎瘡瘍之症。十六上下分。

庸近。（庸必有其事適也）謂其平庸而不涉於偏也。其見諸脈、胃氣居中。則生機之應也。

小兒面色五部察病歌

欲知小兒百病。先從面色詳觀。五部應手五臟。誠中形外昭然。額心、頦腎。鼻脾位。右腮屬肺。左屬肝。青肝赤心。黃脾色。白為肺色。黑腎顏。青主驚風。赤火熱。黃傷脾食。白虛寒。黑色主痛多惡候。明顯（澤）濁晦（昏睡）輕重參。部色相生却為順。部色相尅則為逆。天庭青暗驚風至。紅主內熱。黑難痊。太陽驚青入耳惡。印堂青色驚泄纏。風青驚紫則吐逆。兩眉青吉紅熱煩。鼻赤脾熱黑則死。唇赤脾熱白脾寒。左腮赤色肝經熱。右腮發赤肺熱痰。承漿驚青黃嘔吐。黑主抽搐、（謂抽筋痛）病纏綿。此大要也。

萬物之生。負陰而抱陽。陰陽調和。謂之無病。亦有生來脈旺。謂之純陽。名曰壽脈。見弱為陰。與壽有關。如平人見弱主陰。亦主富貴命。三部歸與三指下。合人心一旦豁然。全憑留心醫學研究。探取病情。無不應驗

第三十七課　井滎俞原經合六十六穴歌

少商魚際與太淵。經渠尺澤肺相連。手太陰肺。
商陽二三間合谷。陽谿曲池大腸牽。手陽明大腸。
厲兌內庭陷谷胃。衝陽解谿三里隨。足陽明胃。
隱白大都太白脾。商邱陰陵泉要知。足太陰脾。
少冲少府屬於心。神門靈道少海尋。手少陰心。
少澤前谷後谿腕。陽谷小海小腸經。手太陽小腸。
至陰通谷束京骨。崑崙委中膀胱知。足太陽膀胱。
湧泉然谷與太谿。復溜陰谷腎所宜。足少陰腎。
中冲勞宮心包絡。大陵間使傳曲澤。手厥陰胞絡。
關冲液門中渚焦。陽池支溝天井索。手少陽三焦。
竅陰俠谿臨泣膽。坵墟陽輔陽陵泉。足少陽胆。

大敦行間太冲看。中封曲泉屬於肝。足厥陰肝。

井榮俞原經合圖

	(肺)金	(脾)土	(心)火	(腎)水	(包絡)火	(肝)木
(　)木						
(井)木	少商	隱白	少衝	湧泉	中衝	大敦
(榮)火	魚際	大都	少府	然谷	勞宮	行間
(俞)木	太淵	太白	神門	太谿	大陵	太冲
(經)金	經渠	商邱	靈道	復溜	間使	中封
(合)土	尺澤	陰陵泉	少海	陰谷	曲澤	曲泉

	(大腸)金	(胃)土	(小腸)火	(膀胱)水	(三焦)火	(膽)木
(井)金	商陽	厲克	少澤	至陰	關冲	竅陰
(榮)水	二間	內庭	前谷	通谷	液門	俠谿
(兪)木	三間	陷谷	後谿	束骨	中者	臨泣

(原)	合谷	冲陽	腕骨	京骨	陽池	坵墟
(經)火	陽谿	解谿	陽谷	崑崙	支溝	陽輔
(合)土	曲池	三里	小海	委中	天井	陽陵泉

十二經十五絡加任督爲之二十七也六十六穴配合十二經之五行

井滎兪原經合解

所出爲井（主經脉二十七氣爲文經氣）象水之泉。所溜爲滎（爲之急）（爲經之正氣由經過經之通行）象水之波。所注爲兪。（輸送之意）象水之窬。所過爲原（合者會也有交有接爲各經相應處也）。象水之止。所行爲經。象水之流。所入爲合象水之歸。皆取水義也。陰經無原以俞代之。故有甲出。邱墟乙太冲之例。井之所治。不以五臟六腑。皆主心下滿。滎之所治。不以五臟六腑。皆主身熱。俞之所治。不以五臟六腑。皆主體重節痛。經之所治。不以五臟六腑。皆主喘嗽寒熱。合之所治。不以五臟六腑。皆主氣逆而泄。

六十六穴主治全歌

少　商　手太陰井木肺

甲乙丙辛丁壬庚戊癸推

小便澀短為數欠

喉閉心煩汗不乾。指疼掌熱手拘攣。中風不語兼邪鬼。刺到少商病即安。

魚際　手太陰榮火肺

魚際牙疼灸自安。左疼灸右右同然。傷寒無汗能兼治。瘧疾方興陣陣寒。

太淵　手太陰俞土肺

太淵主刺牙中病。腕肘奄奄或疼痛。咳嗽風痰能立止。頭痛偏正效如神。

經渠　手太陰經金肺

經渠主刺瘧未纏。胸背拘牽脹滿堅。喉痺咳多兼數欠。心疼嘔吐亦能痊。

尺澤　手太陰合水肺

尺澤諸般病肺中。絞腸痧痛鎖喉風。傷寒熱病偏無汗。兼刺兒童急慢攻。

第三十八課

商陽　手陽明井金大腸

胸中氣滿刺商陽。汗閉耳聾疾瘧傷。更有中風痰壅塞。三衝肺井即時康。

二間　手陽明榮水大腸

二間主治喉嚨痺。頷腫肩疼更振寒。鼻衄目黃兼口齒。傷寒水結即然安。

三　間　手陽明俞木大腸

三間轉與二間同。氣熱身寒食不通。腹滿腸鳴兼洞泄。喜驚多睡病無蹤。

合　谷　手陽明原大腸

面口病來合谷攻。痺疼急筋破傷風。諸般頭痛兼水腫。難產急驚效兩通。

陽　谿　手陽明經火大腸

陽谿主治諸般熱。癮疹能瘳疥癘靈。頭痛牙疼喉又痛。驚狂眼見鬼和神。

曲　池　手陽明合土大腸

曲池主治是中風。筋急手攣痺痛攻。一切瘧瘴都治得。先寒後熱效如龍。

第三十九課 主陳症

厲　兌　足陽明井金胃

厲兌主瘳尸厥症。驚狂面腫痺喉嚨。足寒膝臏疼兼腫。隱白相偕夢魘鬆。

內　庭　足陽明榮水胃

繆灸內庭痞滿堅。但聞腹響效生焉。行經腹痛兼頭暈。婦人科中食蠱疼。

陷谷 足陽明俞木胃

陷谷能將水病平。腹痛疝氣又腸鳴。再加面目多浮腫。瘧疾身寒汗不生。

衝陽 足陽明原胃

衝陽主治眼唇喎。胕腫無如足緩何。為行動遲 醫者下鍼須謹慎。血流不止見閻王。

解谿 足陽明經火胃

解谿主治氣風傷。面上虛浮目眩慌。腹脹噫多兼喘嗽。怔忡驚悸又癲狂。

三里 足陽明合土胃

三里治風兼治濕。耳聾喘噎上牙痛。痺風水腫心膨脹。此穴功多數不清。

第四十課

隱白 足太陰井木脾

膨脹嘔吐熱心中。痛在心脾隱白攻。婦女月經常過度。邪逆 小兒客忤慢驚風。

大都 足太陰榮火脾

大都治熱治傷寒。胸滿心悗長蟲意悶又煩。嘔逆目眩腰又痛。小兒客忤亦能安。

太白 足太陰俞土脾

腹痛腸鳴太白求。膨脹泄瀉血濃流。轉筋霍亂身尤重。溺熱心煩不必憂。

商邱 足太陰經金脾

脾虚不樂戚心中。痔瘺陰疽患氣癰。狐疝商邱神效著。婦人絕子慢驚童。

陰陵泉 足太陰合水脾

陰陵泉主腹中寒。陰痛遺精氣淋纏。水脹腹堅兼喘逆。疝瘕霍亂暴飧安。

第四十一課

少衝 手少陰井木心

煩滿咽乾氣上攻。悲驚痰氣痛心胸。前陰臊臭傳良法。行間鍼還刺少衝。

少府 手少陰滎火心

少府主瞖咳瘧傷。胸痛肘急臂酸僵。婦人陰挺癢兼痛。男子遺尿偏墜富。

神門 手少陰俞土心

怔忡驚悸刺神門。中惡呆痴恍惚頻。兼治小兒風癇症。金鍼補瀉疾安寧。

靈　道　手少陰經金心

靈道心疼為主治。暴瘖瘈瘲不能聲。乾嘔悲恐兼羊癇。肘背拘攣功若神。

少　海　手少陰合水心

四肢不舉肘拘攣。頭痛腦風齒又寒。手顫心痛憂瘰癧。鍼加少海自然安。

第四十二課

少　澤　手太陽井金小腸

臂痛心煩少澤當。口乾喉痹舌還強。醫生鼻衄頭還痛。乳腫鍼時婦女康。

前　谷　手太陽滎水小腸

前谷主瘳癲癇疾。臂肩頸項痛難痿。失紅咳嗽喉嚨痹。婦女鍼之乳自多。

後　谿　手太陽俞木小腸

後谿治瘧寒還熱。鼻衄耳聾目翳遮。癲疾拘攣痂疥患。兼行督脉效尤奢。

腕　骨　手太陽原小腸

指掣驚風腕骨求。偏枯頷腫肘難收。耳鳴冷淚睛生翳。無汗熏熏熱不休。

陽谷 手太陽經火小腸

陽谷主瘈面與頭。痛加手膊不須憂。陰痿痔漏還癲癇。舌強兒童乳不求。

小海 手太陽合土小腸

齦腫風眩頸項痛。左瘡傷癇發似羊鳴。肩外後廉頷項疼。右肘端小海穴中尋。

第四十三課

至陰 足太陽井金膀胱

頭項病來尋至陰。風寒無汗又煩心。痛加胸脇無常處。小便淋瀝又失精。

通谷 足太陽滎水膀胱

善驚項痛目䀮䀮。飲食留中胃不强。通谷能平五藏亂。大杼天柱取應當。

束骨 足太陽滎水膀胱

頭痛風寒兩耳聾，腰疼項強腿難鬆。疔瘡發背癰疽毒。痔瘧癲狂束骨攻。

京骨 足太陽原膀胱

目中白瞖內眥連。發瘧喜驚食不甘。項強傴僂難俯仰。須知京骨治拘攣。

崑崙 足太陽經火膀胱

崑崙亦可治傴僂。發痼小兒瘈瘲收。能刺婦人胎不出。墜胎孕婦實堪憂。

委中 足太陽合土膀胱

腰脊沈沈刺委中。傷寒肢熱亦堪通。痺樞引痛何妨血。眉髮飄零愈大風。

第四十四課

湧泉 足少陰井木腎

湧泉專治婦人疾。疝氣奔豚血淋漓。尸厥風顛足心熱。更瘳五癇死回生。

然谷 足少陰榮火腎

然谷主瞖喉痺攻。遺精咳血疝來衝。足心火熱兼溫瘧。又治生兒臍帶風。

太谿 足少陰俞土腎

太谿主治瘳消渴。又治房勞不稱情。腰痛則虛癃閉實。婦人水蠱滿胸心。

復溜 足少陰經金腎

復溜能將血淋安。腰痛氣滯患傷寒。五行水病如神效。五色榮俞按穴參。

陰　谷　足少陰合水腎

心煩舌縱口流涎。陰谷能醫小便難。疝急引陰痿痺痛。女人漏下亦能痊。

第四十五課　中　衝　手厥陰井木心包絡

中衝主治掌中熱。心痛心煩意似麻。身熱舌强（不柔）汗不出。中風暴卒亦堪加。

勞　宮　手厥陰滎火心包絡

勞宮主治中風魔。熱病薰蒸汗奈何。二便血淋兼衄血。口瘡鵝掌屬兒科。

大　陵　手厥陰俞土心包絡

胸中有病大陵求。心痛心煩笑不休。肘臂攣疼腋又腫。口乾身熱血還嘔。

間　使　手厥陰經金心包絡

間使神鍼愈鬼魔。中風不語染沉疴。乾嘔霍亂兼心痛。婦人行經血塊多，

曲　澤　手厥陰合水心包絡

傷寒汗出不過肩。臂肘時搖風疹添。氣逆口乾尋曲澤。善驚心痛熱如烟。

第四十六課　關　衝　手少陽井金三焦

頭疼霍亂刺關衝。舌捲口乾喉痺攻。兩目不明生翳膜。痛加肘臂噎胸中。

液　門　手少陽滎水三焦

頭痛耳聾取液門。妄言驚悸痛牙齦。瘧來寒熱紅雙目。臂痛無能上下伸。

中　渚　手少陽俞木三焦

目生翳膜求中渚。五指拘攣肘臂痲。頭痛耳聾咽又腫。背癰久瘧刺無差。

陽　池　手少陽原三焦

陽池主治是中消。煩悶口乾痻（發於早晨）又潮。兼治折傷嫌（主於筋骨損處連綿之意）腕痛。手難舉物臂難搖。

支　溝　手少陽經火三焦

脇疼肋痛取支溝。心痛傷寒疥癬憂。霍亂暴瘖肢不舉。婦人産後亂心頭。

天　井　手少陽合土三焦

天井能將瘰癧鬆。耳聾喉痺癎癲風。腰髖疼痛兼頭項。短氣難言又睡濃。

第四十七課　竅陰　足少陽井金胆

舌強耳聾刺竅陰。癰疽頭痛更煩心。脇痛咳逆身難汗。夢魘睛紅又轉筋。

俠谿　足少陽榮水胆

傷寒熱病刺俠谿。頷腫口噤赤外眥。胸脇痛來無定處。汗難支滿亦堪醫。

臨泣　足少陽俞木胆

臨泣醫瘻似馬刀。兼行帶脈效昭昭。（極明總利）胻痠淫濼痛顱枕。（因濕而川　惱空難）婦女乳癰信不調。

邱墟　足少陽原胆

目生翳膜刺邱墟。腋腫腰疼帶髀樞。久瘧振寒兼卒疝。（急也爲痛極）腿胻痠痛轉筋除。

陽輔　足少陽經火胆

百節酸疼陽輔迎。筋攣腿腫馬刀瘻。溶溶如在水中坐。痿痺偏風厥逆平。

陽陵泉　手少陽合土胆

欬逆傳息氣短　脹滿不得臥

馬刀腋下生癰　赤堅而不潰

五淫溢泛也

喉下食管曰嗌
嗌不容粒下嗌
還出

筋會陽陵功效宏。半身不遂患偏風。髀樞膝骨難伸屈。面腫筋攣若嗌中。

第四十八課　大敦　足厥陰井木肝

前陰諸病大敦求。七疝五淋繆刺收。腦衄破風尸厥愈。婦人陰挺血崩瘳。

行間　足厥陰滎火肝

腰疼莖疼行間刺。蒼蒼（如青色）如死痛肝心。婦人血蠱癥瘕腫。又治兒童急慢驚。

太衝　足厥陰俞土肝

馬黃（怒色）瘟疫太衝安。少腹腰疼縮兩丸。便血淋遺兼𤸇疝（爲陰主癩）。婦人漏下效如彈。

中封　足厥陰井金肝

夢遺淋症刺中封。痿厥前陰縮腹中。少腹繞臍疼不止。加鍼三里步如風。

曲泉　足厥陰合水肝

身痛房勞刺曲泉。腹痛泄痢更拘攣。婦人瘕血如湯熱。挺出前陰癢可憐。

第四十九課　十二經納天干歌

天干方向所屬之氣

巳酉丑金　亥卯未木　申子辰水　寅午戌火

原爲諸氣之主治行三焦治病爲求其本所以原爲最要之氣

甲膽乙肝丙小腸。丁心戊胃己脾鄉。庚屬大腸辛屬肺。壬屬膀胱癸腎藏。
三焦陽府須歸丙。包絡從陰丁火旁。

十二經納地支歌

肺寅大卯胃辰宮。脾巳心午小未中。申胱酉腎心包戌。亥焦子胆丑肝通。

十二經之原歌

甲出邱墟乙太衝。丙居腕骨是原中。丁出神門原內過。戊胃冲陽氣可通。
己出太白庚合谷。辛原本出太淵同。壬歸京骨陽池穴。癸出太谿大陵中。

子午流注逐日按時定穴歌

甲日戌時胆竅陰。丙子時中前谷滎。戊寅陷谷陽明俞。返本邱墟木在寅。
庚辰經注陽谿穴。壬午膀胱委中尋。甲申時納三焦火。滎合天干取液門。
乙日酉時肝大敦。丁亥時滎少府心。乙丑太白太冲穴。辛卯經渠是肺經。
癸巳腎中陰合谷。乙未勞宮火穴滎。

丙日申時少澤當。戊戌內庭治脹康。庚子時在三間俞。本原腕骨可祛黃。
壬寅經火崑崙上。甲辰陽陵泉合長。丙午時受三焦火。中渚之中仔細詳。
丁日未時心少沖。己酉大都脾土逢。辛亥太淵神門穴。癸丑復溜腎水通。
乙卯肝經曲泉合。丁巳包絡大陵中。
戊日午時厲兌先。庚申滎穴二間遷。壬戌膀胱尋束骨。沖陽土穴必還原。
甲子胆經陽輔是。丙寅小海穴安然。戊辰氣納三焦脉。經穴支溝刺必痊。
己日巳時隱白始。辛未時中魚際取。癸酉太谿太白原。乙亥中封內踝比。
丁丑時合少海心。己卯間使包絡止。
庚日辰時商陽居。壬午膀胱通谷之。甲申臨泣爲俞木。合谷金原返本還。
丙戌小腸陽谷火。戊子時居三里宜。庚寅氣納三焦合。天井之中不用疑。
辛日卯時少商木。癸巳然谷何須忖。乙未太沖原太淵。丁酉心經靈道引。
己亥脾合陰陵泉。辛丑曲澤包絡準。

壬日寅時起至陰。甲辰胆脉俠谿榮。丙火小腸後谿俞。返求京骨本原尋。
三焦寄有陽池穴。返本還原似的親。戊申時注解谿胃。大腸庚戌曲池眞。
壬子氣納三焦寄。井穴關冲一片金。關冲屬金壬屬水。子母相生恩義深。
癸日亥時井湧泉。乙丑行閒穴必然。丁卯俞穴神門是。本尋腎水太谿原。
包絡大陵原幷過。己巳商邱內踝邃。辛未肺經合尺澤。癸酉中冲包絡連。
子午蔵時安定穴。留傳後學莫忘言。

第五十課　子午流注序

陽日遇陰時。陰日遇陽時。則前穴已閉。取其合穴鍼之。甲與己合化土。乙與庚合化金。丙與辛合化水。丁與壬合、化木。戊與癸合、化火。五門十變此之謂也。陽日六腑値日。引氣先行。陰日五臟値日。引血先行。妻閉則鍼其夫。子閉則鍼其母。夫閉則鍼其妻。母閉則鍼其子。必穴與病相宜乃可鍼也。故用則先主而後客。用時則棄主而從賓。此爲辨化之理無論如何必須應病之求救之有效此表內有出入。非經人面談。不得要領。何以故。恐其匪人得之。

子午流注開穴合穴日時表

日＼時	寅	卯	辰	巳	午	未	申	酉	戌	亥	子	丑
甲	小海	神門 太谿 大陵	支溝	商邱		尺澤		中冲	竅陰	中封	陽輔	行間
乙	陷谷 邱墟	間使	陽谿		委中		液門	大敦	陽谷	少府	前谷	少海
丙	天井	經渠		陰谷		勞宮	少澤	靈道	內庭	陰陵泉	三里	太白 太冲
丁	崑崙		陽陵泉		中渚	少冲	解谿	大都	曲池	太淵 神門	三間 腕骨	曲澤
戊		曲泉		大陵	厲兌		二間		束骨 冲陽	湧泉	關冲	復溜
己	小海	太谿	支溝	隱白		魚際		太谿 太白	竅陰	中封	陽輔	行間

庚	辛	壬	癸
陷谷	天井	至陰	
閭使	少商		曲泉
商陽		俠谿	
	然谷		大陵
通谷	太冲 太淵	後谿 陽池 京骨	厲兌
		少冲	
合谷 臨泣	少澤	解谿	二間
大敦	靈道	大都	
陽谷	內庭	曲池	束骨
少府	陰陵泉	太淵	湧泉
前谷	三里	三間	關冲
少海	太白	曲泉	復溜

五行表

天干	五行	陽／陰
甲 胆	木	
己 肝		
丙 小腸	火	
丁 心		
戊 胃	土	
己 脾		
庚 大腸	金	
辛 肺		
壬 膀胱	水	
癸 腎		

所出爲井
所次爲滎
所注爲俞
所行爲經
所入爲合

井	滎	俞	原	經	合	包絡	三焦
戌 竅陰	丙子 前谷	戊寅 陷谷	邱墟	庚辰 陽谿	壬午 委中	申	液門
酉 大敦	丁亥 少府	己丑 太白	太衝	辛卯 經渠	癸巳 陰谷	未	勞宮
申 少澤	戊戌 內庭	庚子 三間	腕骨	壬寅 崑崙	甲辰 陽陵泉	午	中渚
未 少冲	己酉 大都	辛亥 太淵	神門	癸丑 復溜	乙卯 曲泉	巳	大陵
午 厲兌	庚申 二間	壬戌 束骨	衝陽	甲子 陽輔	丙寅 小海	辰	支溝
巳 隱白	辛未 魚際	癸酉 太谿	太白	乙亥 中封	丁丑 少海	卯	間使
辰 商陽	壬午 通谷	甲申 臨泣	合谷	丙戌 陽谷	戊子 三里	寅	天井
卯 少商	癸巳 然谷	乙未 太冲	太淵	丁酉 靈道	己亥 陰陵泉	丑	曲澤
寅 至陰	甲辰 俠谿	丙午 後谿	京骨 三焦陽池	戊申 解谿	庚戌 曲池	子	關冲
亥 湧泉	乙丑 行間	丁卯 神關	太谿 包絡大陵	己巳 商邱	辛未 尺澤	酉	中冲

五五二十五氣、行出行入、運行人體之週身、合行內外、在內爲臟腑外另皮膚、筋骨其中。五色以觀面容也。

子午流注開闔說

陽日陽時陽穴。陰日陰時陰穴。方可用。陽以陰爲闔。陰以陽爲闔。闔者閉也。閉則以天時。天干與某穴。相合者鍼之。

其所以然者。陽日注腑則氣先至。而血後行。陰日注臟則血先至。而氣後行。順陰陽者。所以順氣血也。

陽日六腑值日者引氣。陰日五臟值日者引血。

或曰陽日陽時已過。陰日陰時已過。遇有急病奈何。曰、子母夫妻互用。必適其病爲貴耳。妻閉則鍼其夫。夫閉則鍼其妻。子閉鍼其母。母閉鍼其子。必穴與病相宜。乃可鍼也。

人每日一身週流。六十六穴。每時週流五穴。（除六原穴乃通經之所。）相生相合爲開。則刺之相尅者爲闔。則不刺。陽生陰死。陰生陽死。如甲木死於午。生於亥乙木死於亥。生於午。丙火生於寅。死於酉。丁火生於酉。死於寅。戊土生於寅。死於酉。己土生於酉。死於寅。庚金生於巳。死於子。辛金生於子。死於巳。壬水生於申。死於卯。癸水生於卯。死於申。凡我生。生我及相合者。乃氣血生旺之時。故可辨虛實。刺之尅我我尅及闔閉時。穴氣血正值衰絕。非氣行未至。則氣行已過。誤刺則妄引邪氣。壞亂眞氣。其害非小。

子午流注者。謂剛柔相配。陰陽相合。氣血循環時穴開閉也。何以子午言之。曰。子時一刻乃一陽之生。至午時一刻乃一陰之生。故以子午分之而得乎中也。流者往也。注者住也。天干有十。經有十二。甲胆。乙肝。丙小腸。丁心。戊胃。己脾。庚大腸。辛肺。壬膀胱。癸腎。餘兩經三焦包絡也。三焦乃陽氣之父。包絡乃陰血之母。此二經雖寄於壬癸亦分派。於十干每經之中。有井榮俞經合。以配金水木火土。是故陰井木。而陽井金。陰榮火。而陽榮水。陰俞土。而陽俞木。陰經金。而陽經火。陰合水。

而陽合土。經中有返本還原者。乃十二經出入之門也。陽經有原。遇俞穴並過之。陰經無原。以俞穴即代之。是以甲出邱墟。乙太冲之例。又按千金云。六陰經亦有原穴。乙中都。丁通里。己公孫。辛列缺。癸水泉。包絡內關。是也。故陽日氣先行。而血後隨也。陰日血先行。而氣後隨也。得時爲之開。失時爲之闔。陽干注腑。甲丙戊庚壬而重見者。氣納三焦。陰干注臟。乙丁己辛癸而重見者。血納包絡。如甲日甲戌時以開胆井。至戊寅時正當胃俞。而又幷過胆原。重見甲申時。氣納三焦。滎穴屬水。甲屬木。是以水生木。謂甲合還元化本。又如乙日乙酉時。以開肝井。至己丑時當脾之俞。幷過肝原重見乙未時。血納包絡。滎穴屬火。乙屬木。是以木生火也。餘仿此。俱以子午相生。陰陽相濟也。陽日無陰時。陰日無陽時。故甲與己合。乙與庚合。丙與辛合。丁與壬合。戊與癸合也。何謂甲與己合。曰中央戊己屬土。畏東方甲乙之木所尅。戊乃陽爲兄。己屬陰爲妹。戊兄遂將己妹。嫁於木家。與甲爲妻。庶得陰陽相合。而不相傷。所以甲與己合。餘皆然。子午之法。盡於此矣。

日上起時歌

甲己還生甲。乙庚丙作初。丙辛生戊子。丁壬庚子居。戊癸推壬子。時元定不虛。

用法按歌上。以天干、値日之字。配合本日行鍼時之。地支、字之某時。由子字起、假如「甲己還生甲」係以甲日以甲子時。起例餘類推。

夫妻子母說

係以五行中尅我者爲夫。我尅者爲妻。生我者爲母。我生者爲子。譬如金尅木。金爲夫、木爲妻。以五行之相尅類推。金生水。則金爲母。水爲子。按五行之相生類推。

子午流注補解二頁完

第五十一課　十五絡脈歌

人生脉絡一十五。我今逐一從頭舉。手太陰絡爲列缺。手少陰絡即通里。
手厥陰絡爲內關。手太陽絡支正是。手陽明絡偏歷當。手少陽絡外關位。
足太陽絡號飛揚。足陽明絡丰隆記。足少陽絡爲光明。足太陰絡公孫記。
足少陰絡名大鐘。足厥陰絡蠡溝配。陽督之絡號長強。陰任之絡爲屏翳。
脾之大絡爲大包。十五絡名君須記。

十五絡脉虛實主證歌

諸經沈伏絡帶浮。絡淺經深各不併（疑血不通）。病若初來須刺絡。管教邪氣自然除。
手太陰絡列缺居。兩手交叉十指齊。實則兌骨掌中熱。虛則數欠小便遺。
手陽明絡偏歷觀。兩手交叉中指安。實則耳聾兼齲齒。虛則脾膈齒牙寒。
足陽明絡是丰隆。去踝八寸可尋蹤（爲影跡）。實則顚狂多譫語。虛則脛枯足又鬆。
足太陰絡是公孫。然谷之前仔細尋。實則腸中時切痛。膨脹腹膨亨。

手少陰絡通里邊。陰郄穴後靈道前。實則有病爲支膈。虛則無聲不得言。
手太陽絡支正求。腕前五寸莫疑猶。實則筋池（穿错乱）兼肘廢。虛則疣疥又生肬。
足太陽絡是飛揚。去踝七寸承山傍。實則鼻窒頭背痛。虛則鼽衄不堪當。
足少陰絡名大鍾。足根之後太陽通。實則病狀爲癃閉。虛則腰中痛得兇。
手厥陰絡是內關。去腕二寸兩筋間。實則有病爲心痛。虛則心中覺悶煩。
手少陽絡是外關。去腕二寸外邊看。實則肘攣伸不可。虛則不收屈覺難。
足少陽絡是光明。去踝五寸不須論。實則兩足時虛厥。虛則痿躄不能行。
足厥陰絡是蠡溝。踝上五寸可探求。實則挺長尤覺熱。虛則睾丸癢難收。
督脉之絡是長強。尾閭骨下眼爲方。實則脊强難彎曲。虛則頭重莫能昂。
任脉之絡名屏翳。大成却指是會陰。實則腹皮痛難止。虛則搔痛不停留。
脾之大絡名大包。腋下六寸記須牢。實則一身無不痛。虛則百脉縱難熬。

十二經氣血多少歌

多氣多血經須記。大腸手經足經胃。少血多氣有六經。三焦胆腎心脾肺。
多血少氣心包絡。膀胱小腸肝所異。

十二經主客原絡治症歌（原爲氣之主治病當一本之氣無不通）

第五十二課　一肺主大腸客

太陰多氣而少血。心胸氣脹掌發熱。喘咳缺盆痛莫禁。咽腫喉乾身汗越。（有汗而散或不出爲之越）
肩內前廉兩乳疼。痰結膈中氣如缺。（大傷氣如缺）所生病者何穴求。太淵偏歷與君說。

二大腸主肺客

陽明大腸俠鼻孔。面痛齒疼腮頰腫。生疾目黃口亦乾。鼻流清涕及血湧。
喉痺肩前疼莫當。大指次指爲一統。合谷列缺取爲奇。二穴鍼之居總病。

三脾主胃客

脾經爲病舌本強。嘔吐胃翻疼腹藏。陰氣上沖噫難瘳。（痛傷悲歎之聲）（昏暈）體重脾搖心事妄。（四支擺動）（妄語不實）
瘧生振慄兼體羸。（振扎發慄也）（此兼爲弱）秘結疸黃手執杖。股膝內腫痛而厥。太白豐隆取爲上。

四胃主脾客

腹䐜心悶意悽愴。惡人惡火惡燈光。耳聞響動心中惕（主於懼）。鼻衄唇喎瘧又傷。
棄衣驟步身中熱。痰多足痛與瘡傷。氣蠱（毒物）胸腿痛難止。衝陽公孫一刺康。

悽悲也，恨也
愴失其意

五眞心主小腸客

少陰心痛幷乾嗌（咽不下粒）。渴欲飲兮爲臂厥（雖欲之言兮）。生病目黃口亦乾。脇臂痛兮掌發熱。
若人欲治勿差求。專在醫人心審察。驚悸嘔血及怔忡。神門支正何堪缺。

凡調症必知天道，四時變化，一日亦分四時，如寅申巳亥，一日經過之時，寅爲朝，爲春，人氣生，有症病必衰，巳爲夏，人氣長，病邪安，申爲秋，人氣始衰，邪氣始生，亥爲半夜，爲冬，人氣入藏，休息時間，邪氣狹行，其病不安，此爲一日之四季變化。

六小腸主眞心客

小腸之病豈爲良。頰腫肩疼兩臂旁。項頸強痛難轉側。嗌頷腫痛甚非常。
肩似拔兮臑似折（臂交肩胛牽連上臂）。生病耳聾及目黃。臑肘臂外後廉痛。腕骨通里取爲詳。

第五十三課　七腎主膀胱客

臉黑嗜臥不欲粮。目不明兮發熱狂。腰痛足痛步難履。若人捕獲難躲藏。
心胆戰兢氣不足。更兼胸結與身黃。若欲除之無更法。太谿飛揚取最良。

八膀胱主腎客

膀胱頭疼目中疼。項腰足腿痛難行。痢瘧顛狂心胆熱。背弓及乎額眉稜。注明爲之，非此不可爲之
鼻衄目黃筋骨縮。脫肛痔漏腹心膨。若要除之無別法。京骨大鍾任顯能。

九三焦主包絡客

三焦爲病耳中聾。喉痺咽乾目腫紅。耳後肘疼并出汗。脊間後心痛相從。以定當然之其。爲秘症
肩背風生專膊肘。大便堅閉及遺癃。前病治之何穴愈。陽池內關法理同。

十包絡主三焦客

包絡爲病手攣急。臂不能伸痛如屈。胸膺脇滿腋腫平。經履爲事理通研究深奧爲心中淡淡無去味意面色赤。
目黃善笑不肯休。心煩心痛掌熱極。良醫達士細推詳。大陵外關病消釋。

十一肝主胆客

五行以外分原氣流氣會為主應在原天為維地為絡維為直行絡為旁行又纏繞於身如絲網行行同纓絡合體也

氣少血多肝之經。丈夫潰散（氣敗）苦腰痛。婦人腹脹小腹腫。甚則嗌乾面脫塵。

所生病者胸滿嘔。腹中泄瀉痛無停。癃閉遺溺疝瘕疼。太光二穴即安寧。

十二胆主肝客

胆經之穴何病主。胸脇肘疼足不舉。面體不澤頭目疼。缺盆腋腫汗如雨。

頸項癭瘤堅似鐵。瘧生寒熱連骨髓。以上病症欲除之。須向邱墟蠡溝取。

第五十四課　十六郄穴總歌

井滎俞經合原絡。七般之外增郄穴。（為孔隙）一十六經經有郄。甲乙經中分明說。

手太陰郄孔最知。手陽明郄溫溜宜。足陽明郄梁丘上。足太陰郄屬地機。

手少陰郄陰郄巧。手太陽郄名養老。足太陽郄叩金門。足少陰郄水泉好。

手厥陰郄郄門重。手少陽郄尋會宗。足少陽郄外丘刺。足厥陰郄中都中。

陽蹻之郄號附陽。陰蹻郄穴交信當。陽維郄在陽交穴。陰維郄覓築賓場。

督任冲帶四奇經。却無郄穴見經文。學者欲解其中妙。還有經文郄處尋。

十六郄穴主治病症歌

一手太陰

孔最能將熱病醫。灸將三壯汗淋漓。失音欬逆頭咽腫。臂厥難伸手不提。

二手陽明

溫溜能醫口不端。腸鳴身熱患傷寒。頭痛噦逆肩難舉。顛疾狂言又吐涎。

三足陽明

梁邱主治脚腰疼。膝不能伸痺不仁。又治大驚三壯愈。婦人乳腫痛難禁。

四足太陰

地機主治泄溏溏。水腫膨亨（主大擴大）不欲糧。腰痛難伸精不足。癥瘕婦女按如湯。

五手少陰

陰郄失瘖爲主治。失紅鼻衄滿胸中。振寒（發奮作冷而氣逆）厥逆心還痛。驚恐（奇異爲之主懼又主証慮）能平霍亂通。

六手太陽

養老能醫肩臂痠。肩疼欲折臂如攀。手攣上下難伸縮。兩目䀮䀮覩物難。

第五十五課　七足太陽

金門主治爲尸厥。霍亂轉筋戰（顫亦爲）不休。暴疝（最重義）胻痠（覺軟而痛）癲癇發。小兒（此爲風）張口又搖頭（自動爲）。

八足少陰

水泉主治目䀮䀮。女子經期患改常。數月不來來悶痛。前陰挺出淋難當（此爲不止）。

九手厥陰

郄門主治嚥和嘔。衄血心疼總不休。驚恐畏人神不足。三分五壯病全瘳。

十手少陽

會中主治五般癎。肌膚（內爲體之表切、之痛外也未深人）疼來耳又聾。獨有明堂言禁刺。三分甲乙刺經同。

十一足少陽

外丘主治惡風寒。胸脹膚疼痿痺經（獸兒很爲此作猘犬痛惜也吸氣爲）。狗猘傷人嗟毒伏（惡氣藏也）。灸加三壯患如彈。

十二足厥陰

中都主治陽中癖。（食不化）㿉疝脛寒少腹疼。（主陰）婦女崩中血難止。產生惡露久淋淋。（主其最）

十三陽蹻

跗陽主治爲風痺。（谷氣多濕多）瘈瘲胻疼痛髀樞。（主狂）痿厥頭疼頭又重。（抽瘛也）四肢不舉戰斯斯。（氣作散也）

十四陰蹻

交信主醫二便難。氣淋㿉疝熱癃經。股樞內痛牽筋骨。女子經停漏血安。

十五陽維

陽交主治痹咽喉。胸滿胻疼足不收。（行）面腫厥寒寒痺患。（氣閉）驚狂三壯六分瘳。

十六陰維

築賓主治是顛狂。怒罵狂言吐沫漿。足腨內疼須五壯。小兒胎疝痛難當。

第五十六課　八會總歌

氣會亶中穴。脉來會太淵。骨從大杼會。筋會陽陵泉。血會鬲俞上。髓會絕骨懸。腑當中脘會。臓會章門全。

氣會

氣會亶中功效多。其如此穴禁鍼何。（指記也）肺癰喘嗽膿漿吐。婦女加鍼乳自多。

二 骨會

大杼主醫是項強。膝痛腰疼脊如傷。頭眩僵仆尤難立。身（全）踡筋攣體不康。（五達爲，）

三 血會

鬲俞治血骨蒸傷。胃痛喉痛不欲粮。癖積腹中頻嗜臥。刺深鬲中一年亡。

四 髓會

髓會懸鐘治中風。膝胻痠痛骨筋鬆。虛勞氣逆兼風損。胃熱能消二便通。

五 腑會

中脘能將脹滿醫。傷寒霍亂瘧來期。（按時而來爲之）賁豚氣上如梁伏。心下覆杯氣結時。（乘時而起）

六 藏會

太淵陽陵泉二穴已見六十六穴主治歌中今不重錄

章門藏會治腸鳴。支滿口乾喘息頻。心痛腰肢難轉側。身黃羸瘦苦賁豚。

人身之中眞精氣神可分上中下三部此分外分三尸其三尸者是中之靈也一居腦二居明壹三居腹胃告彭蹤倨實蟜靈樞經言三尸上名青姑中呼姑下爲血姑戱三尸不可不知

第五十七課　五臟兪穴

肺兪 三椎下各開二寸　心兪 五椎下各開二寸　肝兪 九椎下各開二寸

脾兪 十一椎下各開二寸　腎兪 十四椎下各開二寸

陰病行陽。故令兪在陽。

風寒之邪中於陽。則流於經。故病始於外寒。終歸外熱。故治風寒之邪。治其各臟之俞。

五臟俞穴主治歌

一　肺兪

肺兪主治骨蒸勞。支滿虛煩口叉焦。寒熱肺痿頭目眩。應調理營氣背僂凸起似龜腰。

二　心兪

心兪主治癇風顛。心悶心煩汗不宣。黃疸健忘頻失血。小兒數歲未開言。

三　肝兪

肝兪主治目䀮䀮。欬引胸中痛未當。脅脊相牽因反折。瞖生䀮眦又驚狂。

四　脾　俞

脾兪主治是中消。黄疸肢懸體重勞。痃癖上焦中積聚。腹痛泄痢瘧來潮。

五　腎　俞

腎兪主治腎經虛。溺血流精淋濁除。七損五勞都治得。振寒淫濼腫如猪。

第五十八課　六腑俞穴

胆兪　十椎下各開二寸　小腸兪　十八椎下各開二寸　三焦兪　十三椎下各開二寸

胃兪　十二椎下各開二寸　大腸兪　十六椎下各開二寸　膀胱兪　十九椎下各開二寸

六腑俞穴主治歌

一　胆　俞

胆兪主治脹胸膛。口苦咽乾目又黄。崔氏四花癆瘵治（主肺症為結核為病）。刺深胆中一夭亡。

二　胃　兪

胃俞主治胃中寒。腹脹腸鳴覔食粮。見，不餐爲之難支滿筋攣兼脊痛。小兒羸瘦不能堪。不言狀

三　三焦俞

三焦俞主治腹腸鳴。水穀難消瀉欲頻。目眩頭痛兼吐逆。背拘脊強不能伸。

四　大腸俞

大腸俞主治痛繞臍。多食身羸脊強持。少腹絞痛難二便。東垣云中燥相宜。

五　小腸俞

小腸俞治小便紅。赤痢糾纏便血濃。五痔能痊消渴愈。婦人帶下著神功。

六　膀胱俞

膀胱俞主治風勞。瀉痢遺尿痛脊腰。陰上生瘡胻足急。婦人瘕巨亦能消。

第五十九課　五臟募穴

中府 肺　期門 肝　京門 腎　巨闕 心　章門 脾

難經云陽病行陰故令募在陰

凡治腹之募皆爲原氣不足從陰引陽。六淫、客邪、及上熱下寒。筋骨皮肉血脉之病。錯取於胃之合及諸腹之募者必危。

五臟募穴主治歌

一 肺 募

（形容如匱爲之飛 行體而無精神者爲之尸 不使知能還[illegible]遁爲之遁 疰者熱也）

中府能將喘咳（嗽）收。飛尸遁疰患瘿痾（[illegible]大 燥也 追也）。胸腫肺急兼寒熱。風汗容浮痺苦喉（散 務無懷）。

二 心 募

巨闕能將霍亂寧。顛狂尸厥卒（急也）心痛。蚘蟲蠱毒兼狐疝。子掬母心鍼有痕（作[illegible]意）。

三 肝 募

期門主治是傷寒。胸熱賁豚喘不安。霍亂腹堅頻瀉劇。婦人血結口還乾。

四 腎 募

京門主治痛髀樞。水道難通小便徐。腰痛不能常俯仰。腸鳴洞泄可消除。

章門主治已見八會不重錄矣見五十六講

第六十課　六腑募穴此穴見三〇六〇

中脘　胃募　日月　胆募　輒筋　胆募　天樞　大腸募　關元　小腸募

石門　三焦募　陰交　三焦募　中極　膀胱募

六腑募穴主治歌

一　胆　募

日月能醫太息頻。（鼻中氣作甚急）善悲（有聲無淚）小腹熱難禁。語言不止四肢縱。五壯灸之鍼七分。

二　大腸募

天樞治吐治心煩。痛切繞臍瘧熱寒。霍亂痢攻難化食。（作症）婦人血結不加餐。

三　小腸募

關元治疝腹疼來。血結臍邊如覆杯。婦女信違兼帶下。（通石門陋）冷經惡露爲生胎。（陋，爲陰之液）

四　三　焦　募

坐臥應以直醫者針入口使溫前取五六之法合牧二三卽可人身寸寸是穴卩穴跟多在骨側陷處按多變麻爲眞反爲動脈應手其手動作合麻痺刺無

石門主治腹中堅。婦女崩中漏下添。惡露（經不正爲陰液）因胎結成塊。鍼加絕子斷香烟。

中極醫淋又失精。疝瘕水腫且賁豚。婦人鍼下能生子。月信能調惡露清。

中脘已見八會茲不重錄矣。

五　膀胱募

總計、以上井滎俞原經合。六十六穴。絡脈十五穴。郄穴十六穴。八會六穴。臟腑俞十一穴。臟腑募九穴。都一百二十三穴。學者務須熟讀而深思之。頗有補益焉。

第六十一課　行鍼八法口訣（堅須要明堅知所屬須與經能令病言卽刺以全付精神注視補泄法古有呼合不論）

揣

揣而尋之。凡取穴以手揣摸其處。在陽部筋骨之側。陷者爲眞。在陰部郄膕之間。動脈相應。其肉厚薄。或伸或屈成平或直。依法取之。按而正之。以大指爪切掐其穴於中。庶得進退。方有准也。難經曰。刺滎勿傷衞。刺衞勿傷滎。又曰、刺滎勿傷衞者。乃掐按其穴。令氣散鍼下刺之。是不傷其衛氣也。刺衛勿傷榮者。乃撮起其穴。以鍼臥而刺之。是不傷其榮血也。此乃陰陽補瀉之大法也。若以天人地三部刺之。亦無所傷也。

爪　爪而下之。此則鍼賦曰。左手重而切按。欲令氣血得以宣散。是不傷於榮衛也。右手輕而徐入。欲不痛之。因此乃下鍼之秘法也。

搓　搓而轉者。如搓綫之貌。勿轉太緊。緊則有傷於肌肉。疼不可忍。轉者左補右瀉。以大指次指相合。大向前進爲之左爲補。食指向前進爲右爲瀉。此則迎隨之法也。故經曰。迎奪右而瀉凉。隨濟左而補煖。爲左右補瀉之大法也。

彈　彈而努之。此則先彈鍼頭。待氣至却進一豆許。先淺而後深。自外推內補鍼之法也。

搖　搖而伸之。此乃先搖動鍼頭。待氣至却退一豆許。乃先深而後淺。自內引外。瀉鍼之法也。故曰鍼頭補瀉。

捫 捫而閉之。經曰、凡補必捫而出故補欲出鍼時。就捫閉其穴。不令氣出。使氣血不瀉。乃爲眞補。

循 循而通之。經曰、凡瀉鍼必以手指於穴上。四旁循之。使令氣血宣散。方可下鍼。故出鍼時不淵其穴。乃爲眞瀉。此提按補瀉之法。男女補瀉左右反用。男女左右反用之說再考。

撚 撚者。治上大指向外撚。治下大指向內撚。外撚者令氣向上。而治病。內撚者。令氣向下而治病。如出鍼內撚者。令氣行至病所。外撚者、令邪氣至鍼下而出也。此下手八法口訣也。

第六十二課 行鍼指要歌

或鍼風。先向風府百會中。或鍼水。水分俠臍上邊取。

或鍼結。鍼着大腸瀉水穴。或鍼勞。須向膏肓及百勞。

或鍼虛。氣海丹田委中奇。或鍼氣。膻中一穴分明記。
或鍼嗽。肺俞風門須用灸。或鍼痰。先鍼中脘三里間。
或鍼吐。中脘氣海膻中補。番胃吐食一般醫。鍼中有妙少人知。

長桑君天星秘訣歌

天星秘訣少人知。此法專分前後施。若是胃中停宿食。後尋三里起璇璣。
脾病血氣先合谷。後刺三陰交莫遲。如中鬼邪先間使。手臂攣痺取肩髃。
脚若轉筋並眼花。先鍼承山次內踝。脚氣痠痛肩井先。次尋三里陽陵泉。
若是小腸連臍痛。先刺陰陵後湧泉。耳鳴腰痛先五會。次鍼耳門三里內。
小腸氣痛先長强。後刺大敦不要忙。足緩難行先絕骨。次尋條口及冲陽。
牙疼頭痛兼喉痺。先刺二間後三里。胸膈痞滿先陰交。鍼到承山飲食喜。
肚痛浮腫脹膨膨。先鍼水分瀉建里。傷寒過經不出汗。期門通里先後看。
寒瘧面腫及腸鳴。先取合谷後內庭。冷風濕痺鍼何處。先取環跳次陽陵。

指痛攣急少商好。依法施之無不靈。此是桑君眞口訣。時醫莫作等閑輕。

第六十三課　馬丹陽天星十二穴治雜病歌

三里、內庭、穴。曲池、合谷、接。委中、配承山。太衝、崑崙、穴。環跳、與陽陵。通里、並列缺。合担用法担。（作通橋也）合截用法截。（斷如同）三百六十穴。不出十二訣。治病如神靈。（最有效）渾如湯潑雪。（如熱水潑雪）北斗降眞機。（落之之軸也變法也）金鎖教開徹。至人可傳授。匪人莫浪（不正流傳無主張）說。（金爲天九屬陽地如四陰五行鎖扎器也應用陽開）

（用法也行效果開解，啟通，諸穴皆以乾坤爲定氣，以通全身）

其一

三里膝眼下。三寸兩筋間。能通心腹脹。善治胃中寒。腸鳴並泄瀉。腿腫膝胻痠。傷寒羸瘦損。氣蠱及諸般。年過三旬後。（醫家三十而立可爲之有經所入）鍼灸眼便寬。取穴當審的。八分三壯安。

其二

（怒氣上行，恐其下行，喜爲緩，悲消，驚爲亂，思爲結，勞耗，寒敗，熱泄，其消爲滅化）

內庭次指外。本屬足陽明。能治四肢厥。喜靜惡聞聲。（暗藏不見）癮疹咽喉痛。數欠及牙疼。瘧疾不能食。鍼着便惺惺。（悟意）鍼三分灸三壯。

其　三

曲池拱手取。屈指骨邊求。善治肘中痛。偏風手不收。挽弓開不得。筋緩莫梳頭。（不通僅速血不休急）喉閉促欲死。發熱更無休。遍身風癬癩。鍼着即時瘳。針五分灸三壯。

其　四

合谷在虎口。兩指岐骨間。頭疼並面腫。瘧病熱還寒。齒齲鼻衄血。口禁不開言。鍼入五分深。令人即便安。灸三壯。

其　五

委中取膕裏。橫紋脉中央。腰痛不能舉。沈沈引脊梁。痠疼筋莫展。風痹復無常。膝頭難伸屈。鍼入即安康。針五分禁灸。

其　六

承山名魚腹。腨腸分肉間。善治腰疼痛。痔疾大便難。脚氣並膝腫。展轉

戰疼痠。霍亂及轉筋。穴中刺便安。針七分灸五壯

其七

太衝足大指。節後二寸中。動脉知生死。能醫驚癇風。咽喉並心脹。兩足不能行。七疝偏墜腫。眼目似雲朦。亦能療腰痛。鍼下有神功。不知爲神 針三分灸三壯

其八

崑崙足外踝。跟骨上邊尋。轉筋腰尻痛。暴喘滿中心。舉步行不得。一動卽呻吟。若欲求安樂。須於此穴鍼。鍼五分灸三壯。

其九

環跳在髀樞。側臥屈足取。折腰莫能顧。冷風並濕痺。腿胯連腨痛。轉側腫欷歔。泣 若人鍼灸後。頃刻病消除。針二寸灸五壯。

其十

陽陵居膝下。外廉一寸中。膝腫並痲木。冷痺及偏風。舉足不能起。坐臥

似衰翁。鍼入六分止。神功妙不同。灸三壯。

其十一

通里腕側後。去腕一寸中。欲言聲不出。懊（恨也）憹及怔忡（憂懼）。實則四肢重。頭顋面頰紅。虛則不能食。暴瘖面無容。毫鍼微微刺。方信有神功。針三分灸五壯

其十二

列缺腕側上。次指手交叉。善療偏頭患。遍身風痺麻。（肺內液爲之口津急）痰涎頻壅上。口禁不開牙。若能明補瀉。應手即如拏（左提右牽）。鍼三分灸七壯。

四大總穴歌

肚腹三里留。腰背委中求。頭項尋列缺。面口合谷收。

針灸講義
卷下

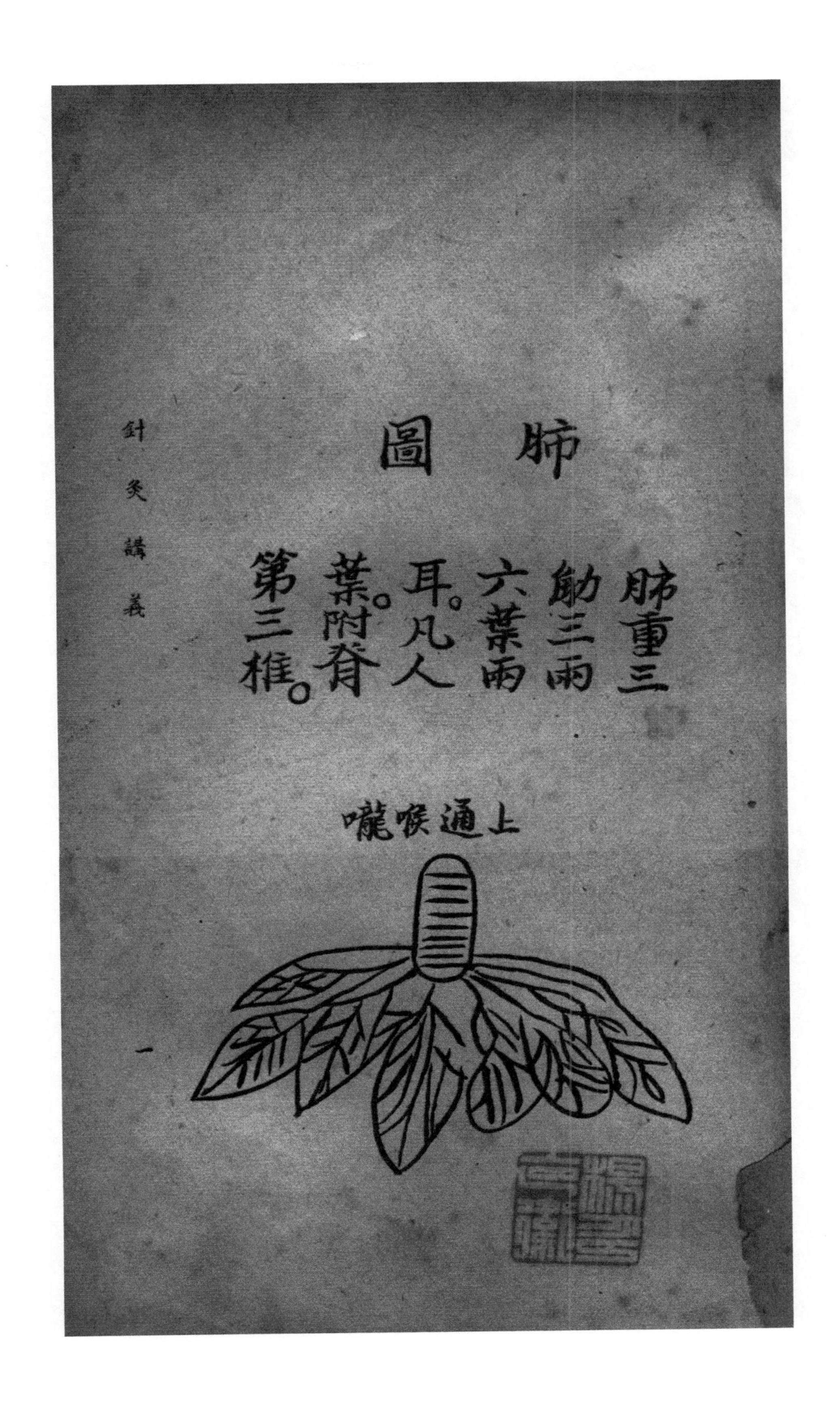

肺圖

肺重三觔三兩六葉兩耳。凡人葉。附脊第三椎。

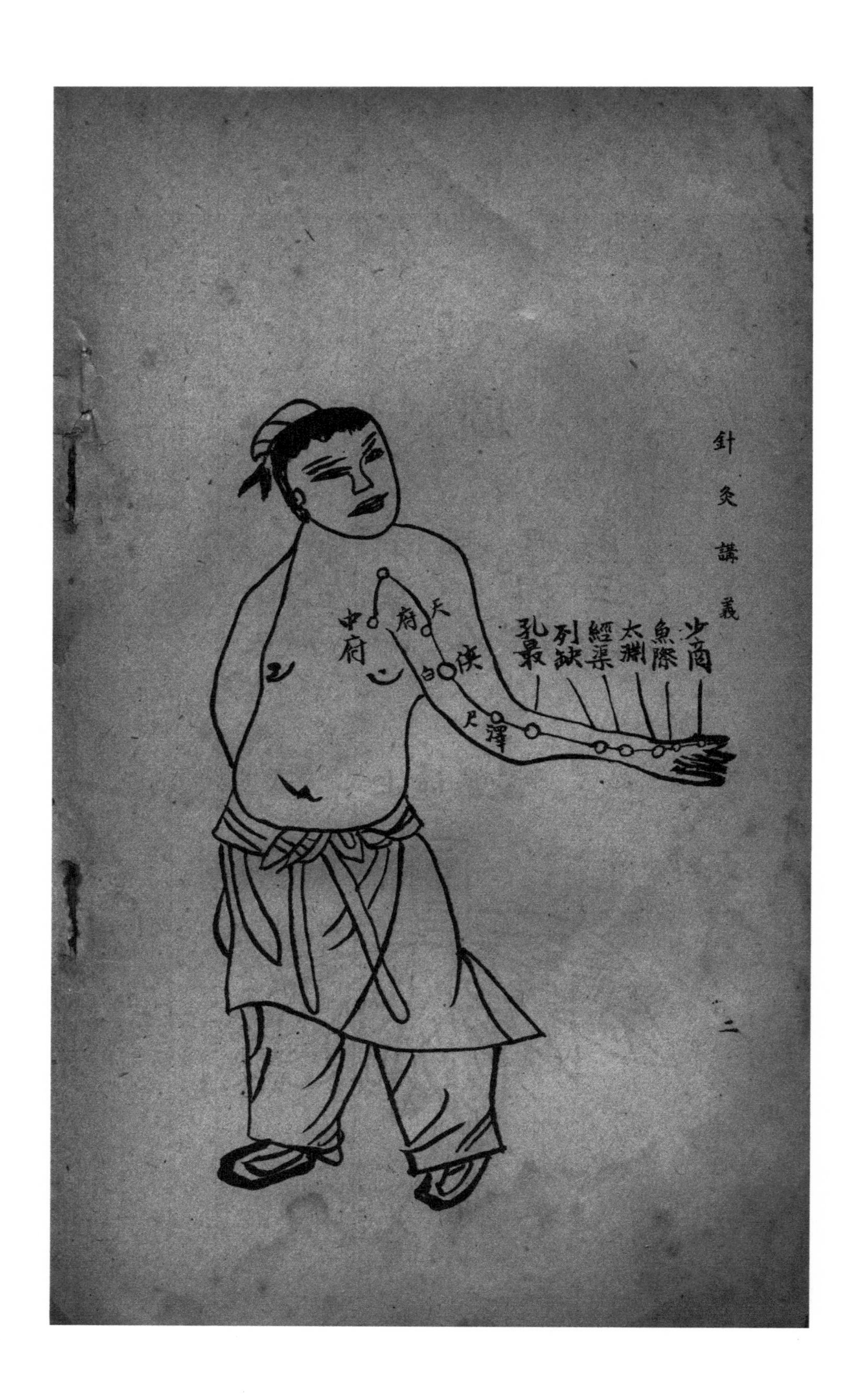
針灸講義
少商
魚際
太淵
經渠
列缺
孔最
俠白
天府
中府
尺澤
二

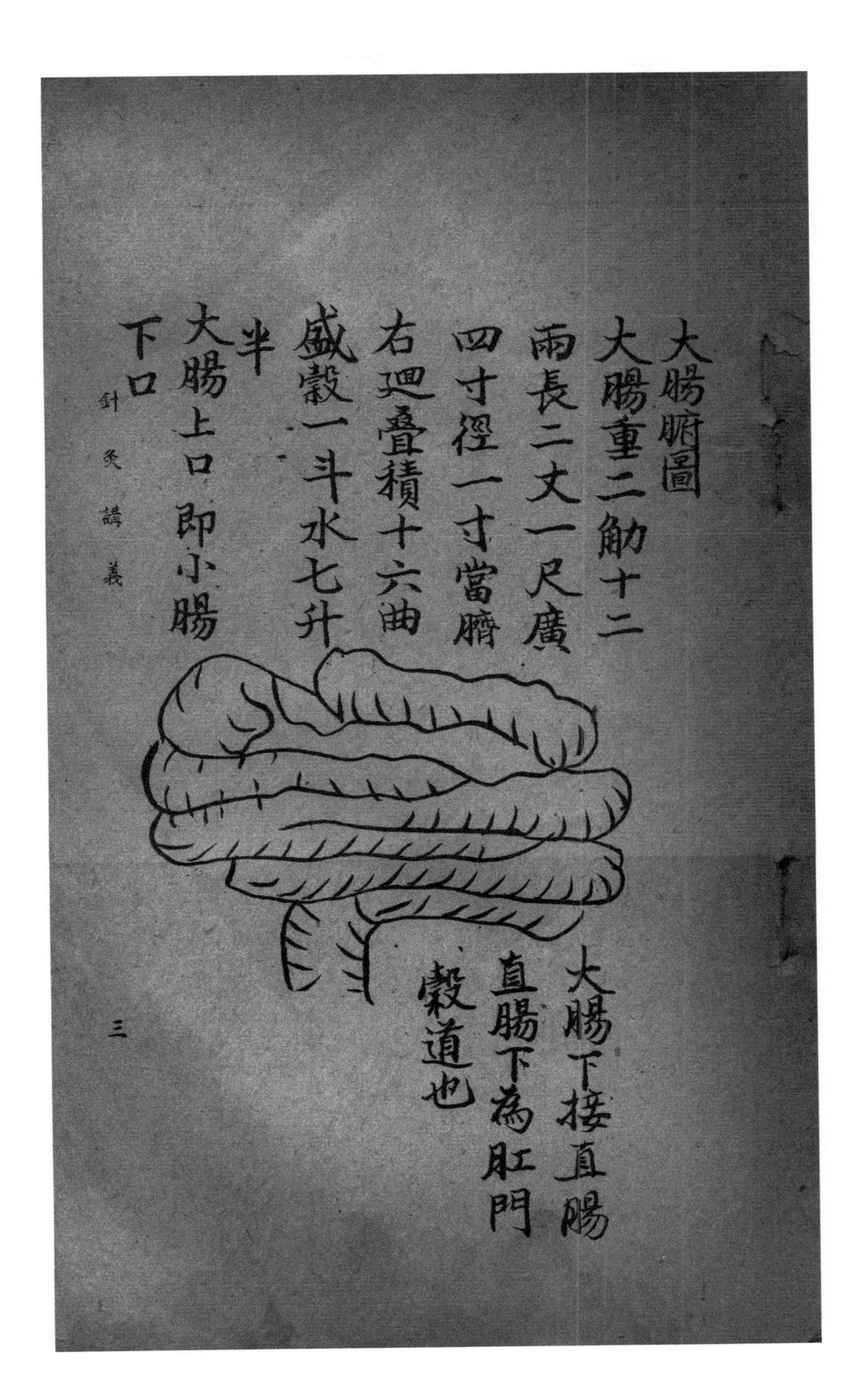

大腸腑圖

大腸重二觔十二兩長二丈一尺廣四寸徑一寸當臍右迴疊積十六曲盛穀一斗水七升半

大腸上口 即小腸下口

大腸下接直腸直腸下為肛門穀道也

針灸講義 三

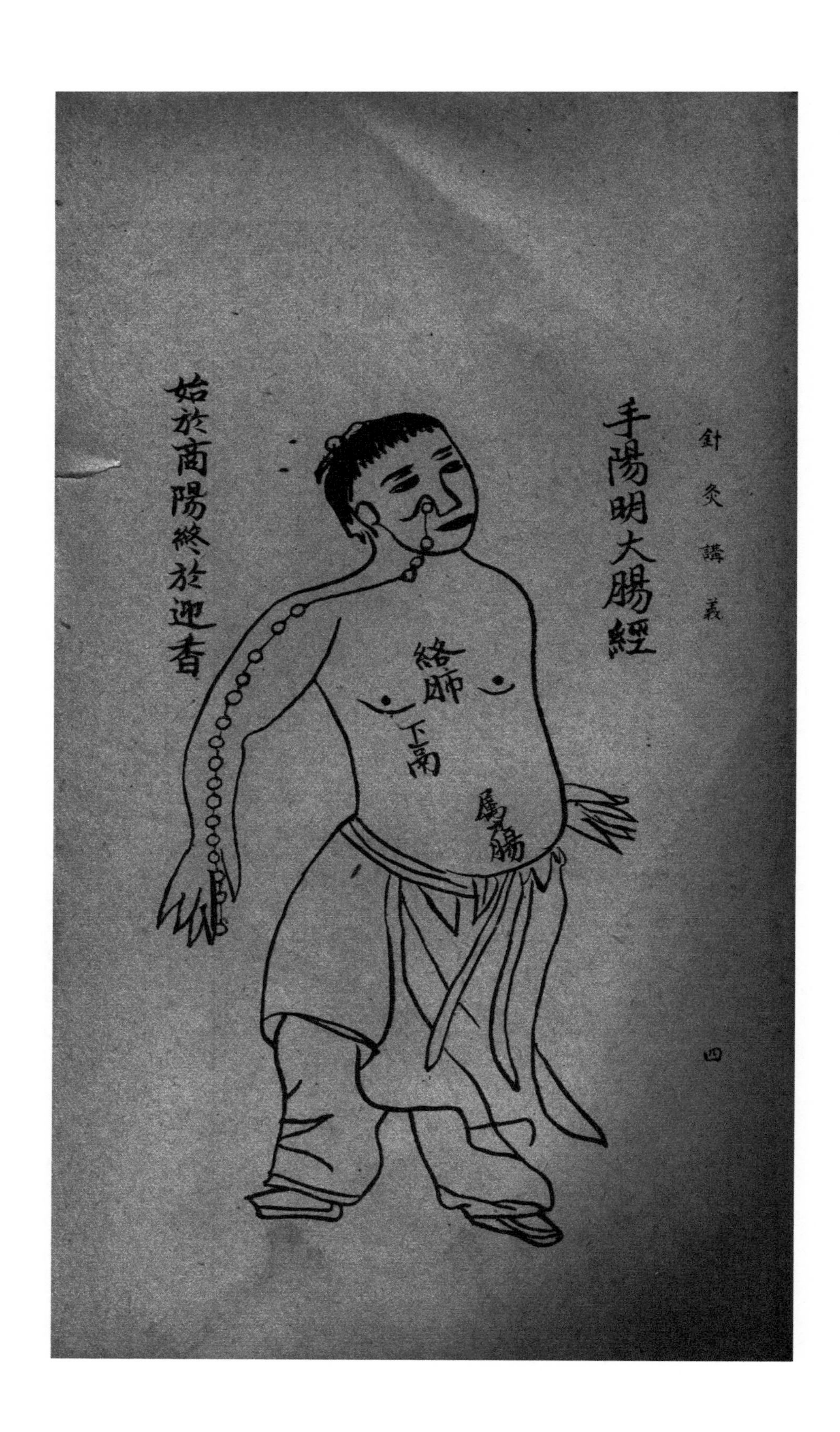
針灸講義
手陽明大腸經
始於商陽終於迎香
絡肺
下鬲
屬大腸
四

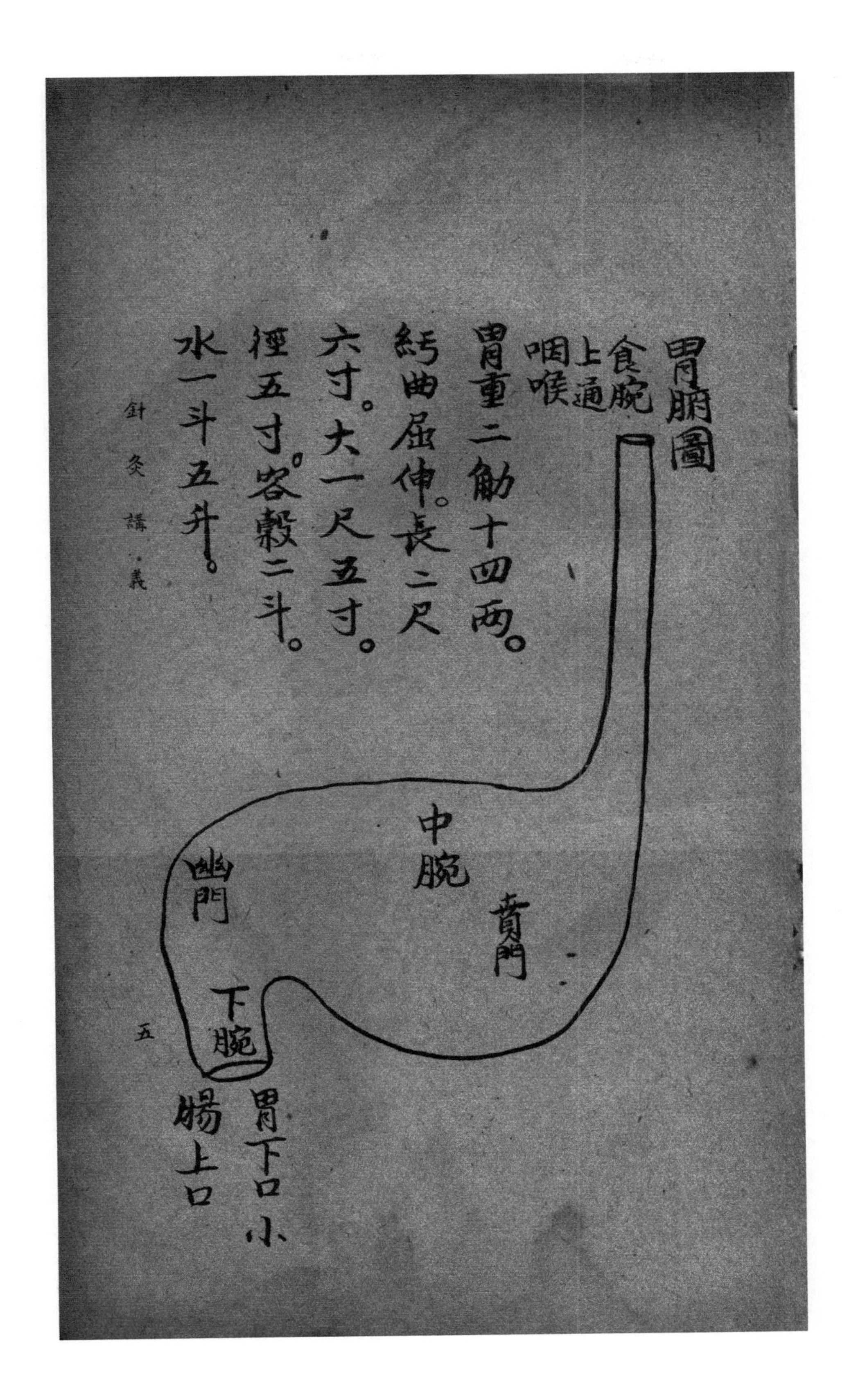
胃腑圖
食腕上通咽喉
胃重二觔十四兩。紆曲屈伸。長二尺六寸。大一尺五寸。徑五寸。容穀二斗。水一斗五升。
中脘
賁門
幽門
下脘
胃下口小腸上口
針灸講義
五

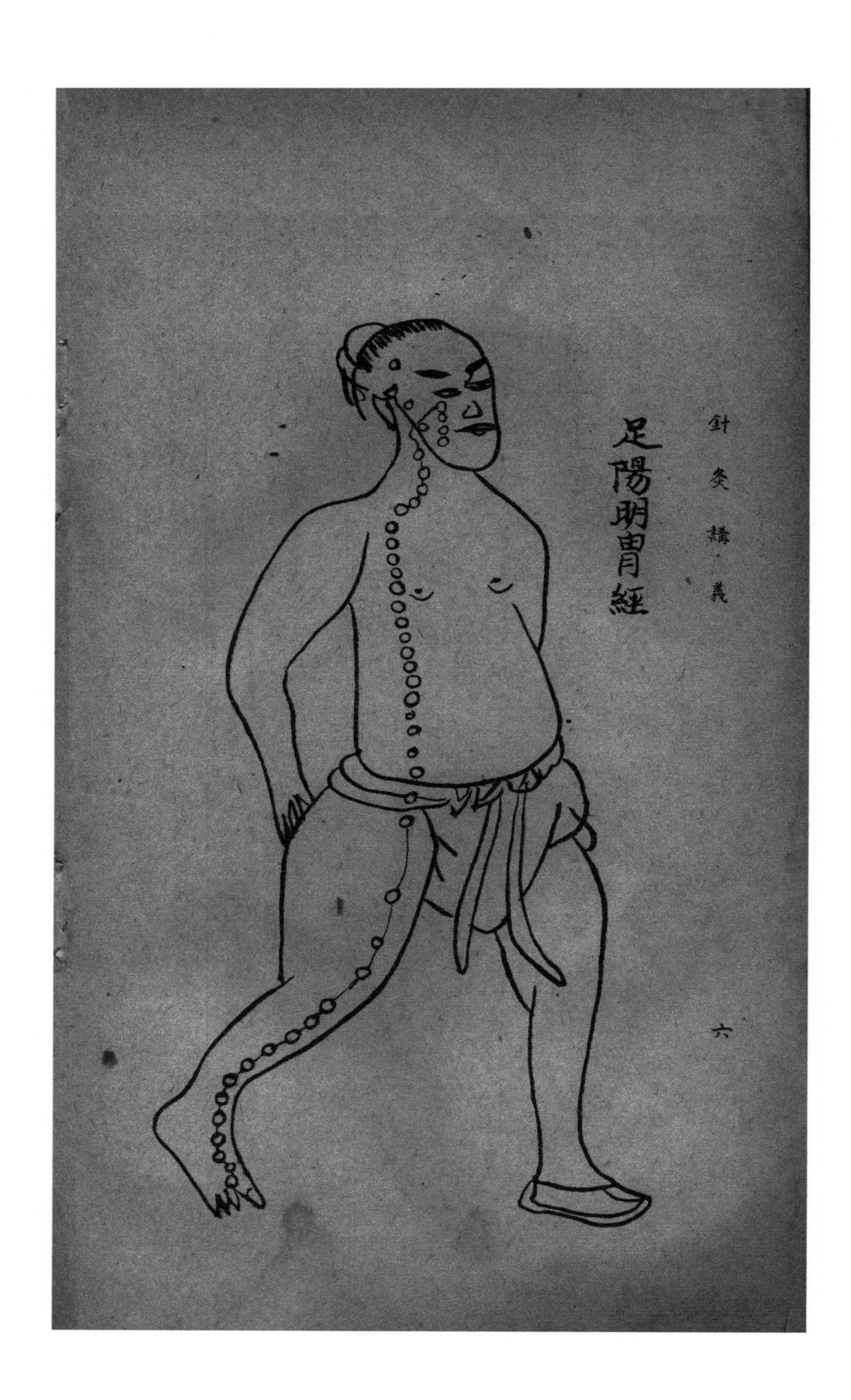
足陽明胃經
針灸講義
六

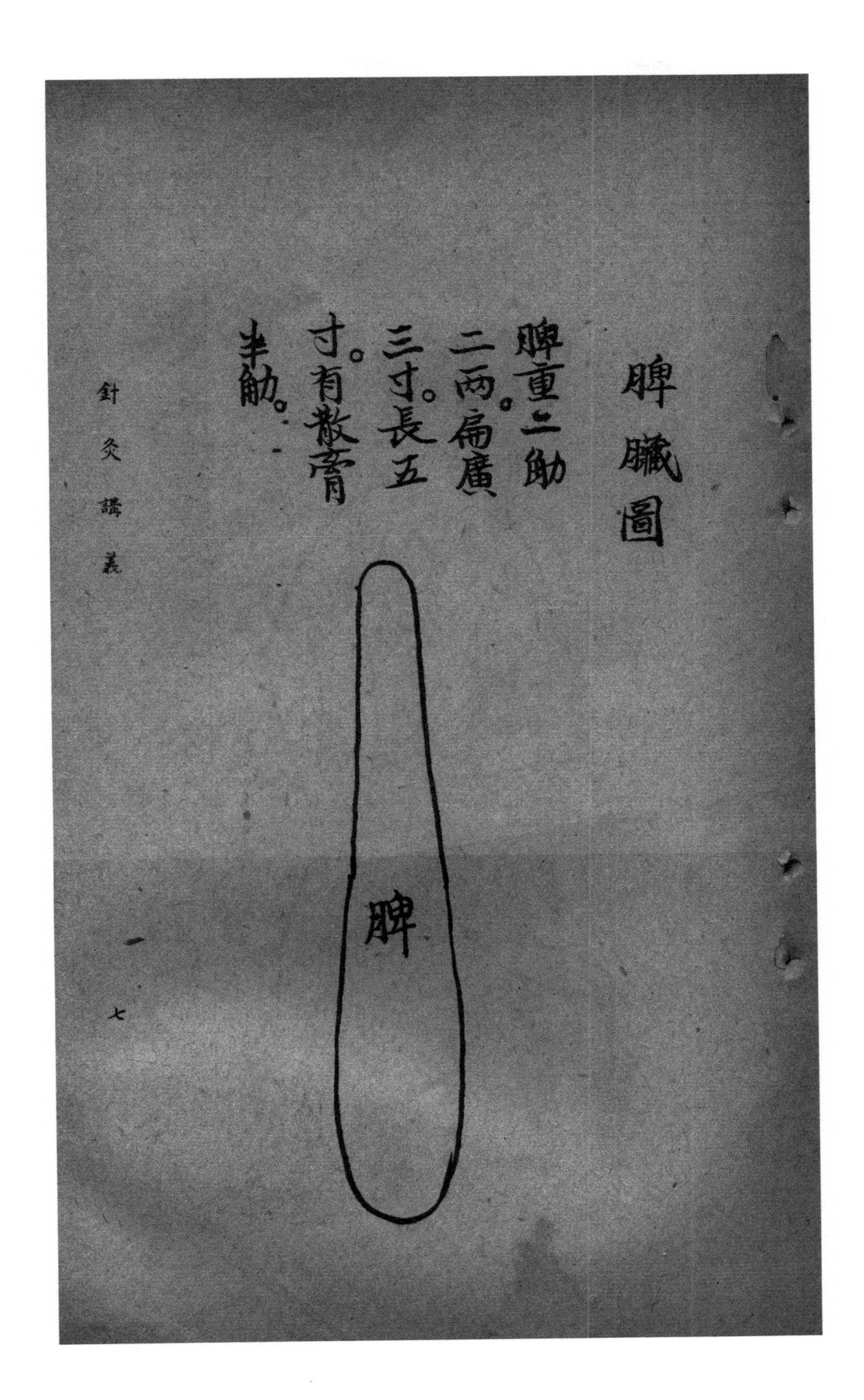
脾臟圖
脾重二觔二两。扁廣三寸。長五寸。有散膏半觔。
脾
針灸講義
七

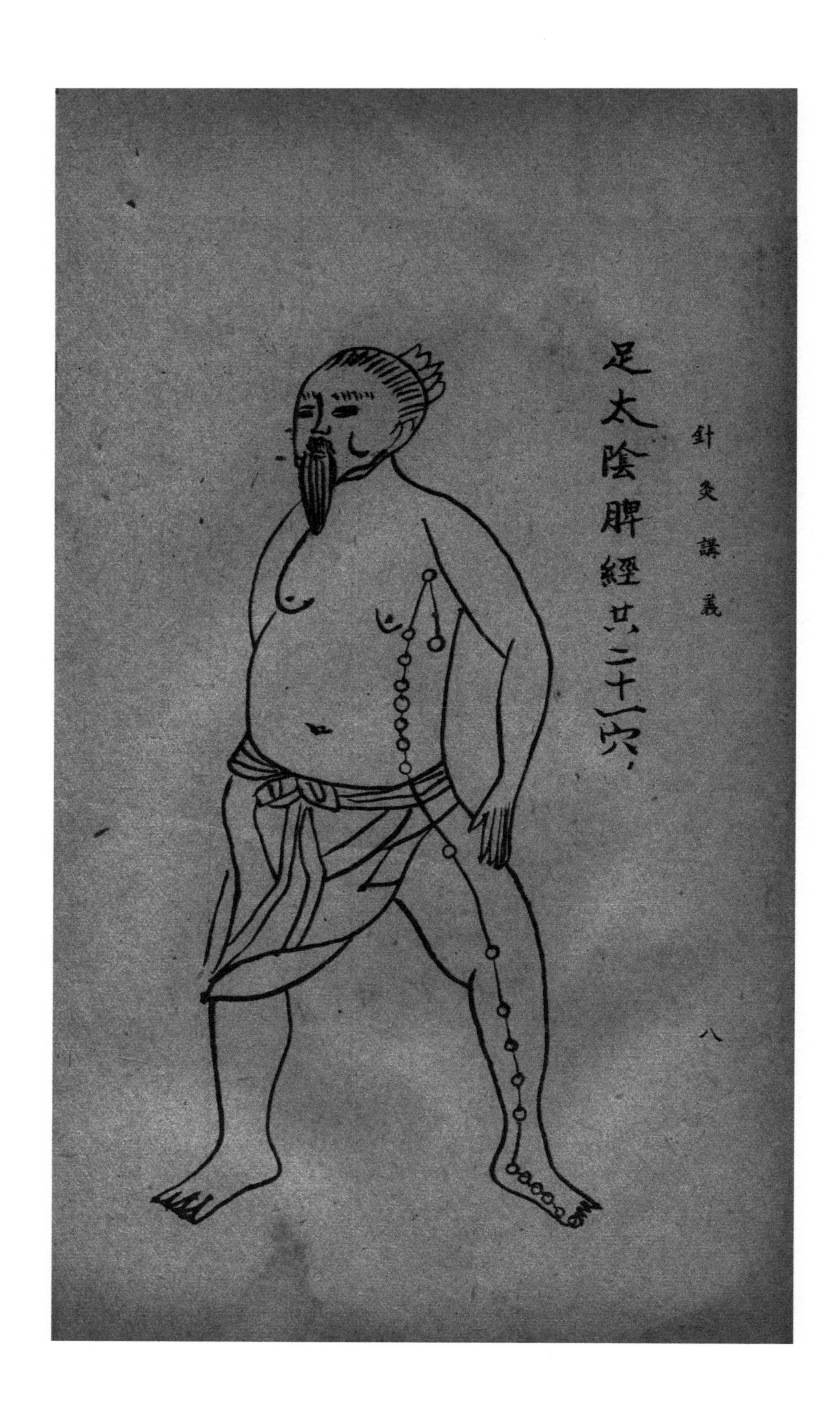
足太陰脾經共二十一穴
針灸講義
八

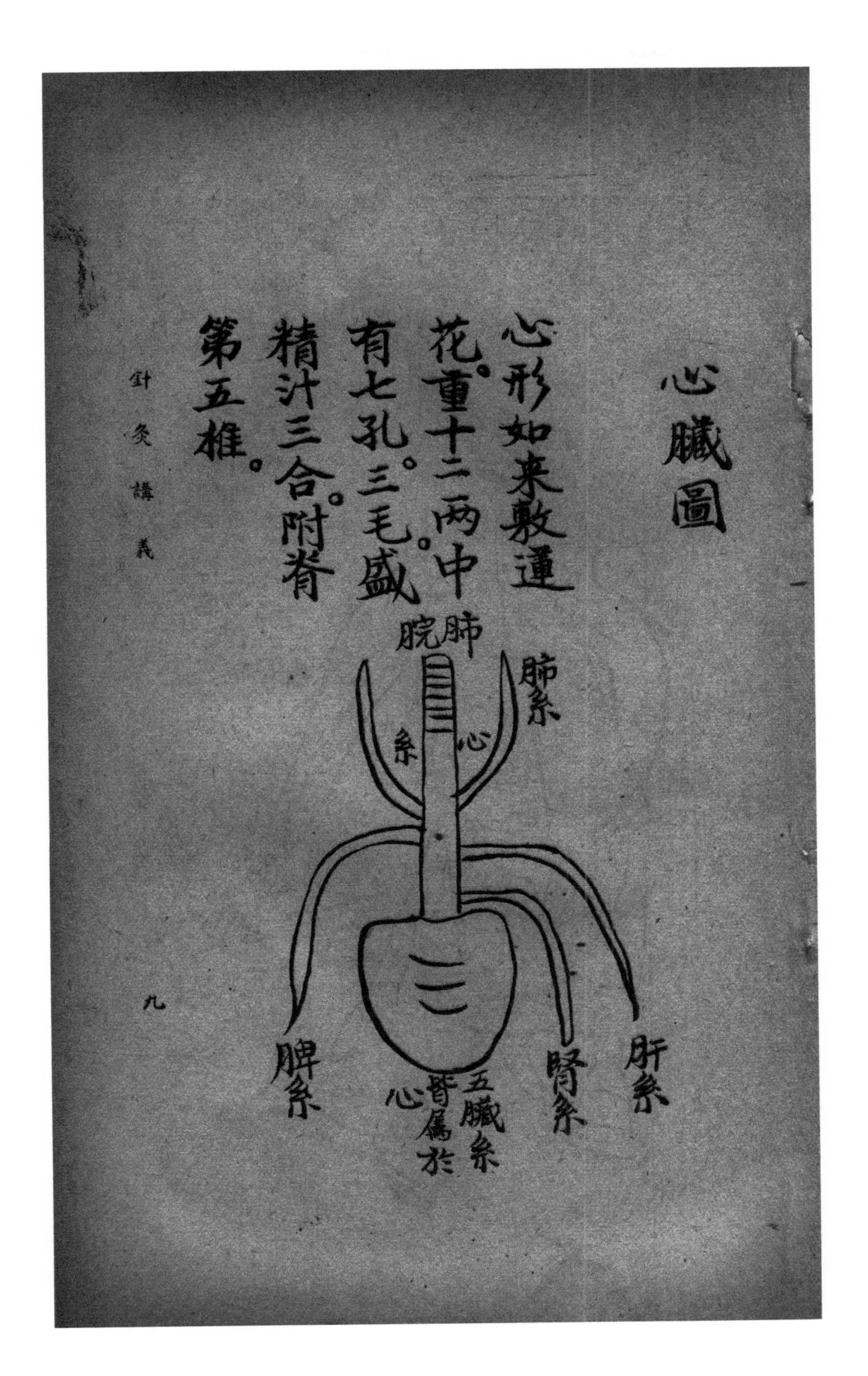

心臟圖

心形如来敷蓮花。重十二两中有七孔。三毛盛精汁三合。附脊第五椎。

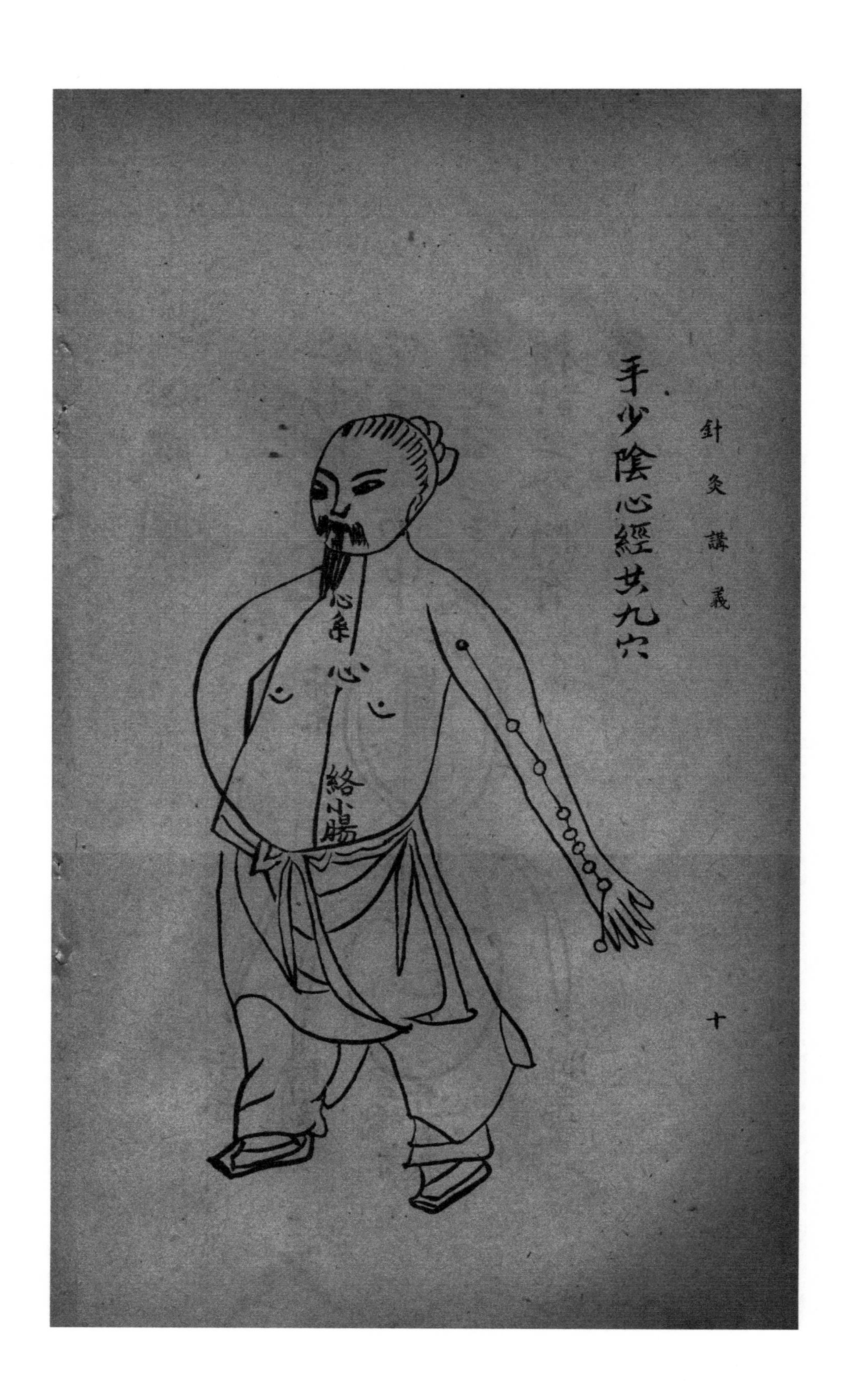
針灸講義
手少陰心經共九穴
心系
心
絡小腸
十

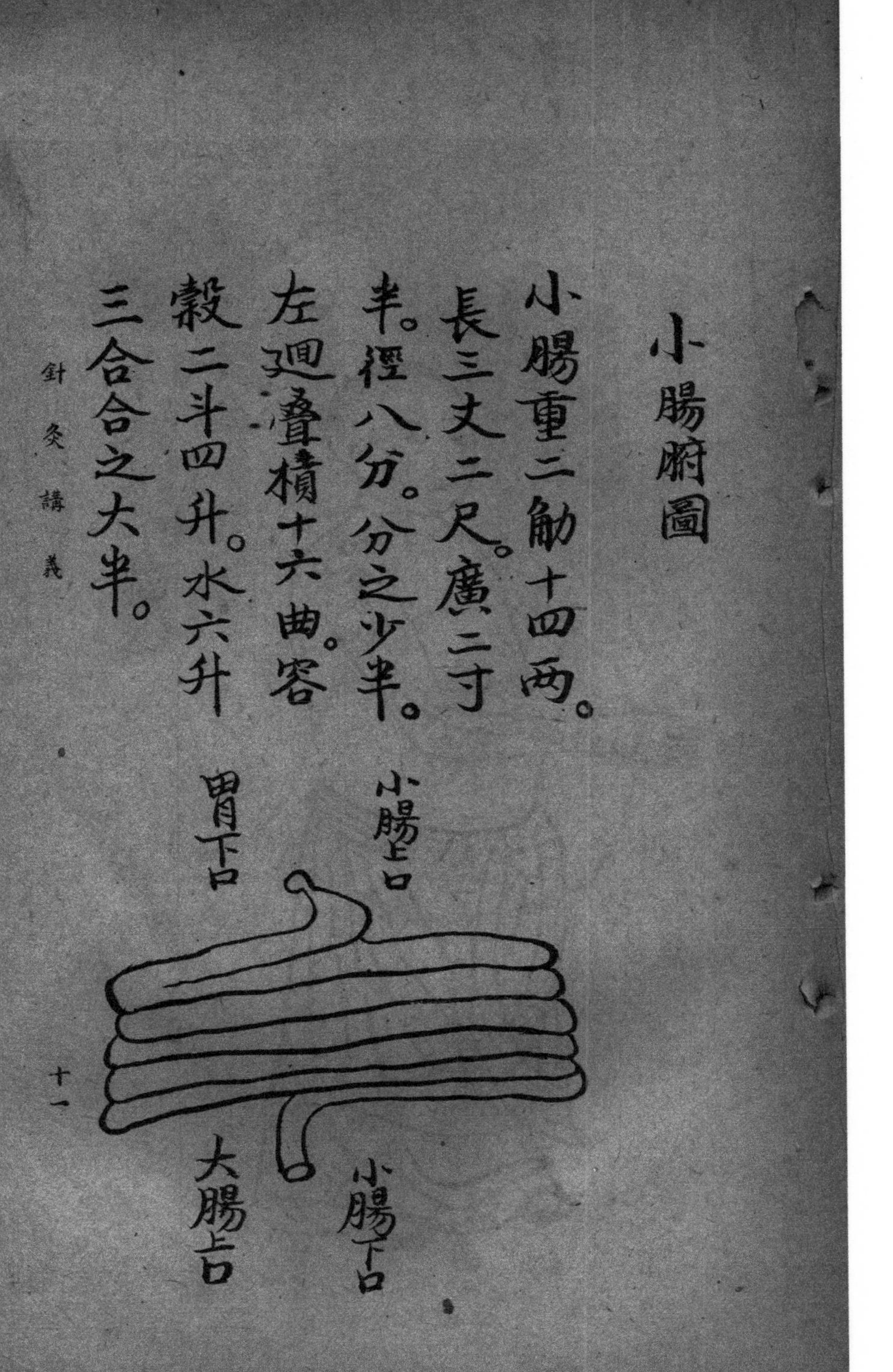

小腸腑圖

小腸重二觔十四两。長三丈二尺。廣二寸半。徑八分。分之少半。左迴疊積十六曲。容穀二斗四升。水六升三合合之大半。

針灸講義
手太陽小腸經
十二

膀胱腑圖

膀胱重九两二銖。縱廣九寸。盛溺九升九合。廣二寸半。

膀胱有下口無上口上繫小腸泮溺由小腸下焦滲入

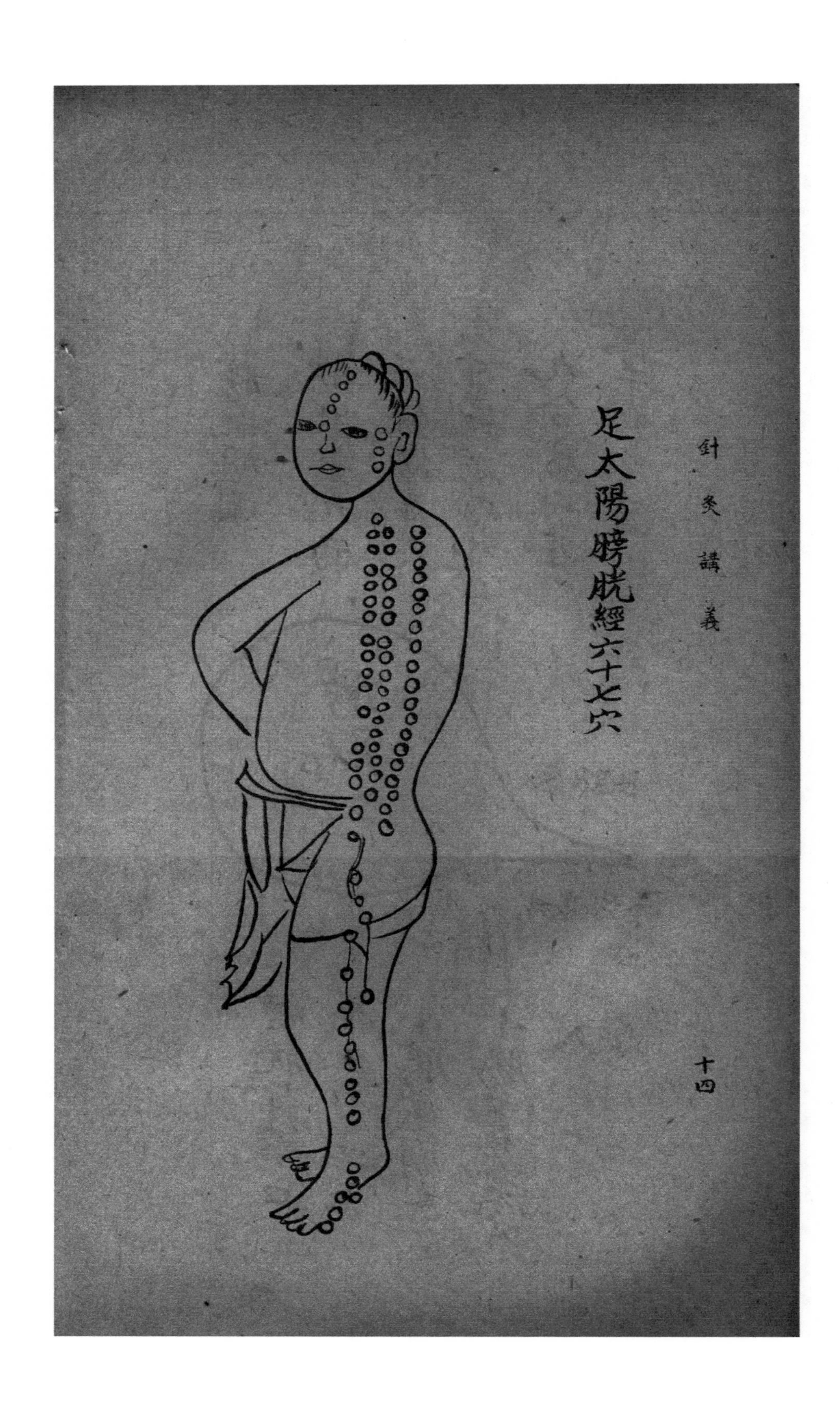
足太陽膀胱經六十七穴
針灸講義
十四

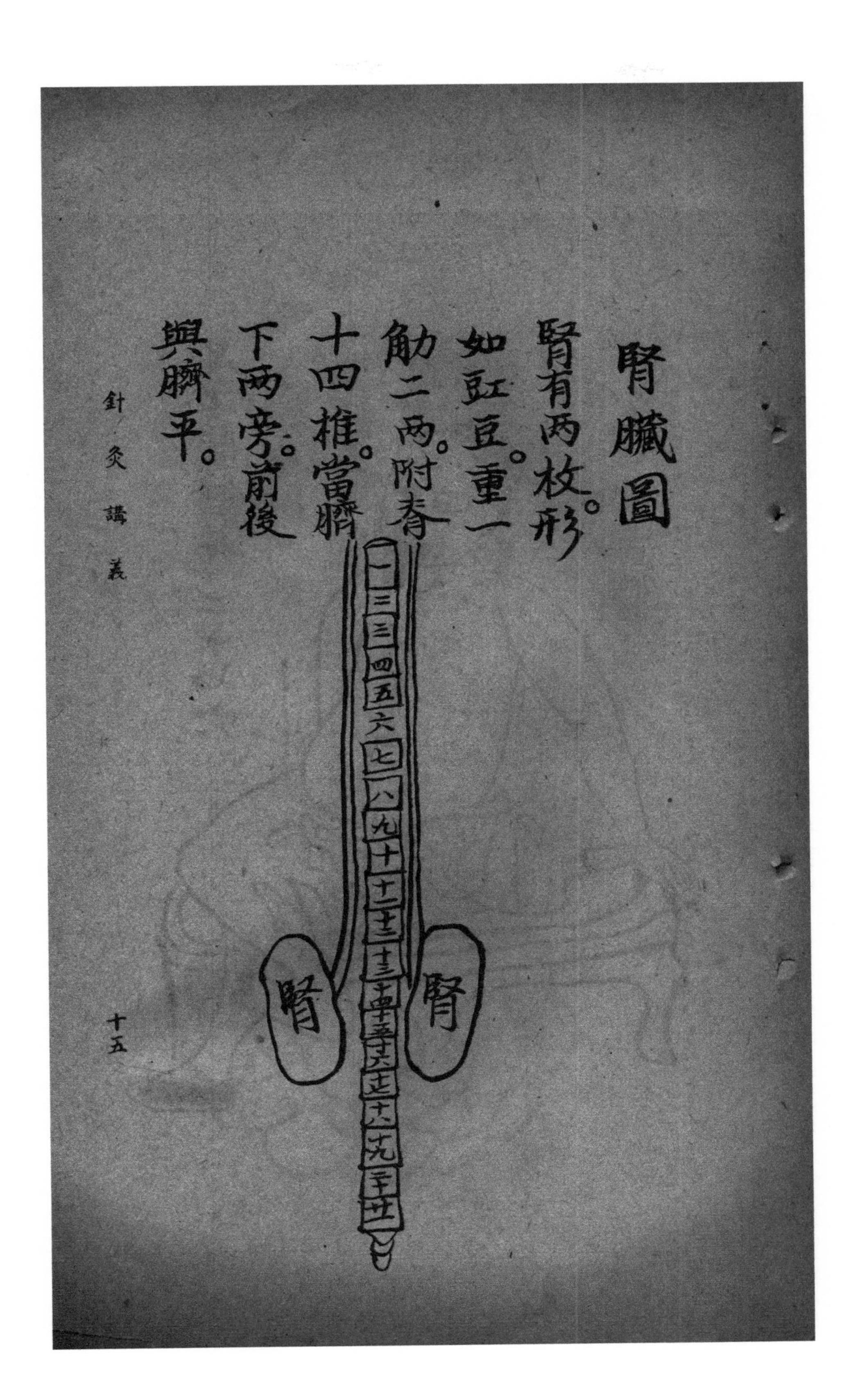

腎臟圖

腎有兩枚。形如豇豆。重一觔二兩。附脊十四椎。當臍下兩旁。前後與臍平。

針灸講義　十五

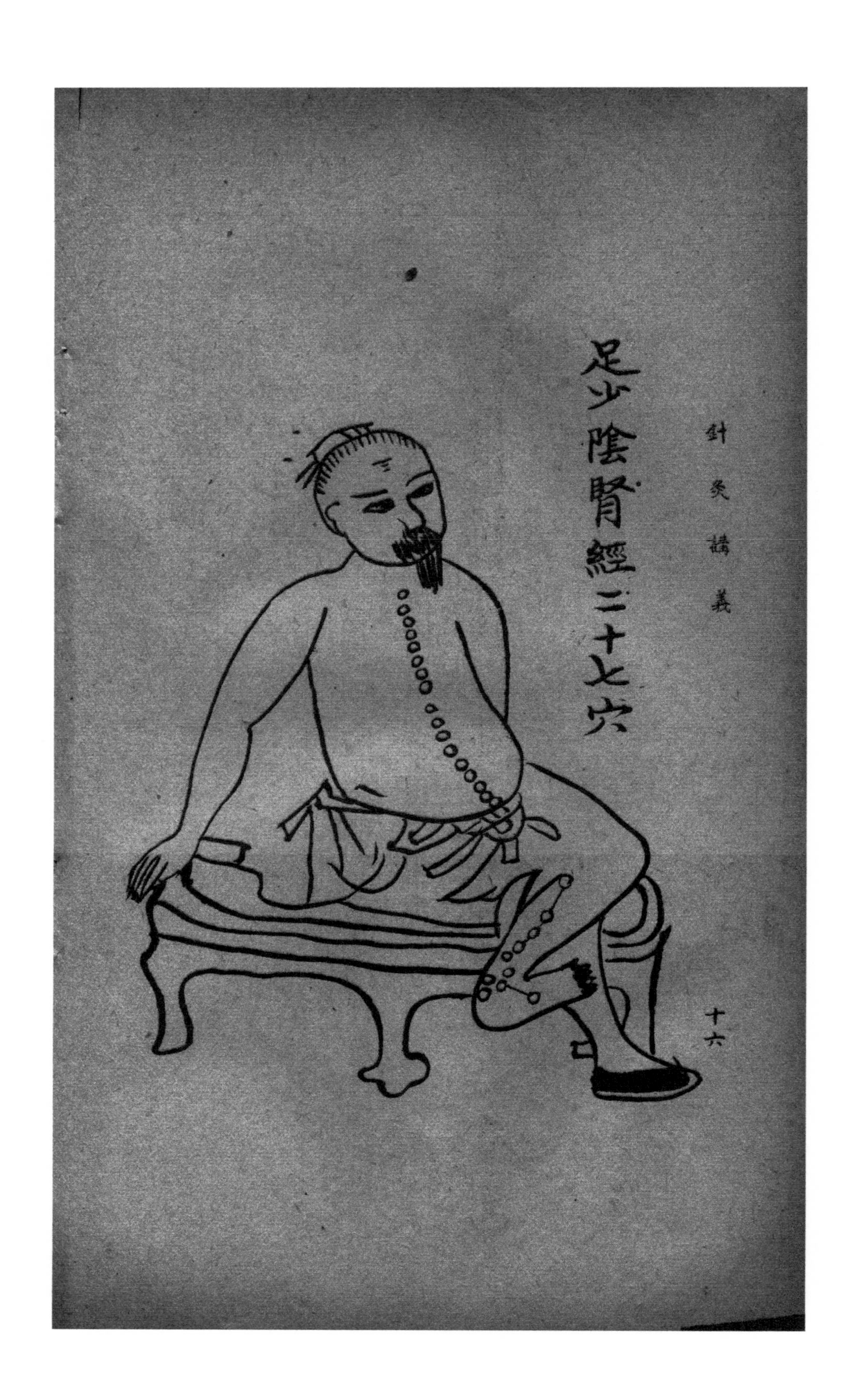
針灸講義
足少陰腎經二十七穴
十六

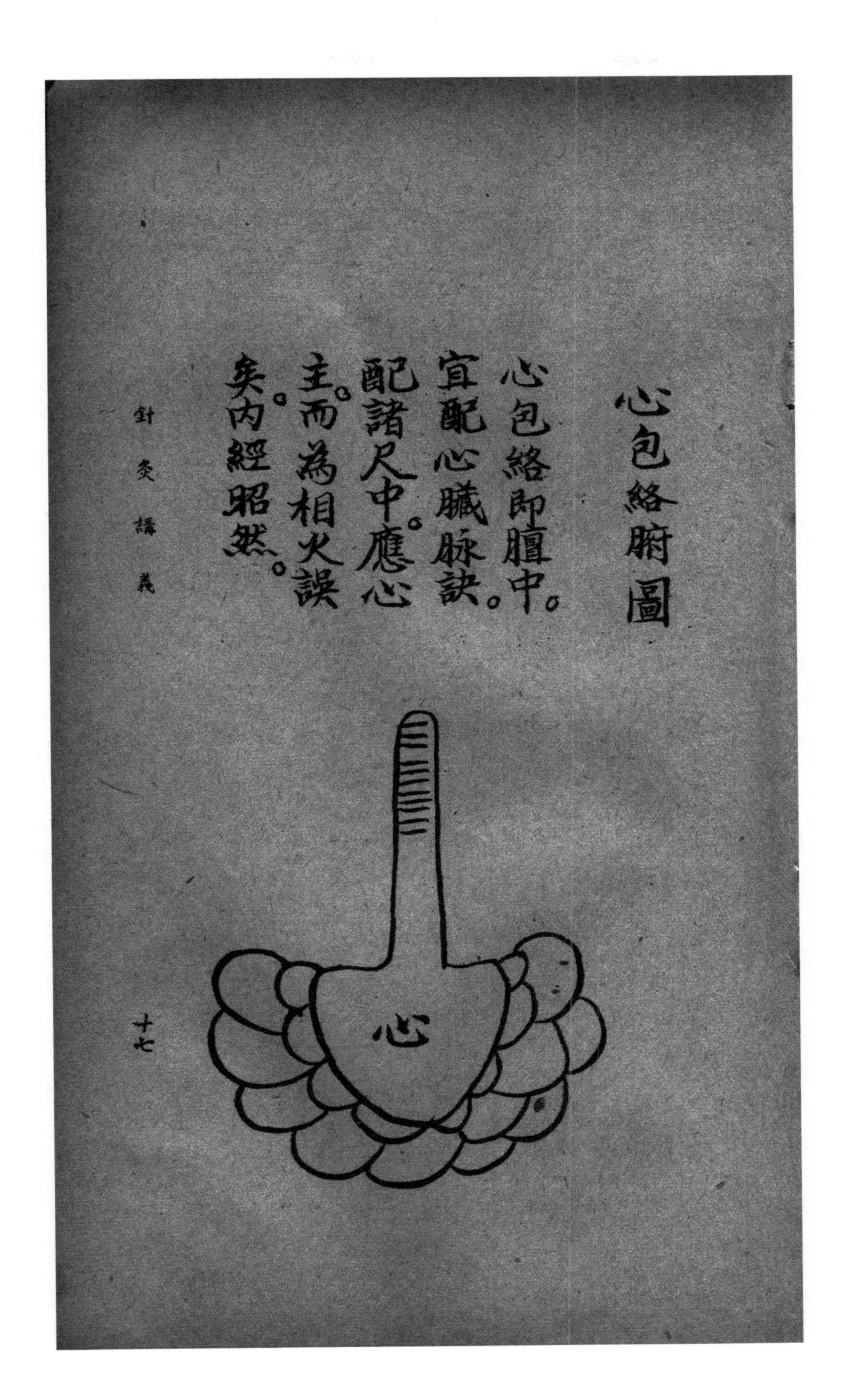

心包絡腑圖

心包絡即膻中。宜配心臓脉訣。配諸尺中。應心主。而為相火誤矣。内經昭然。

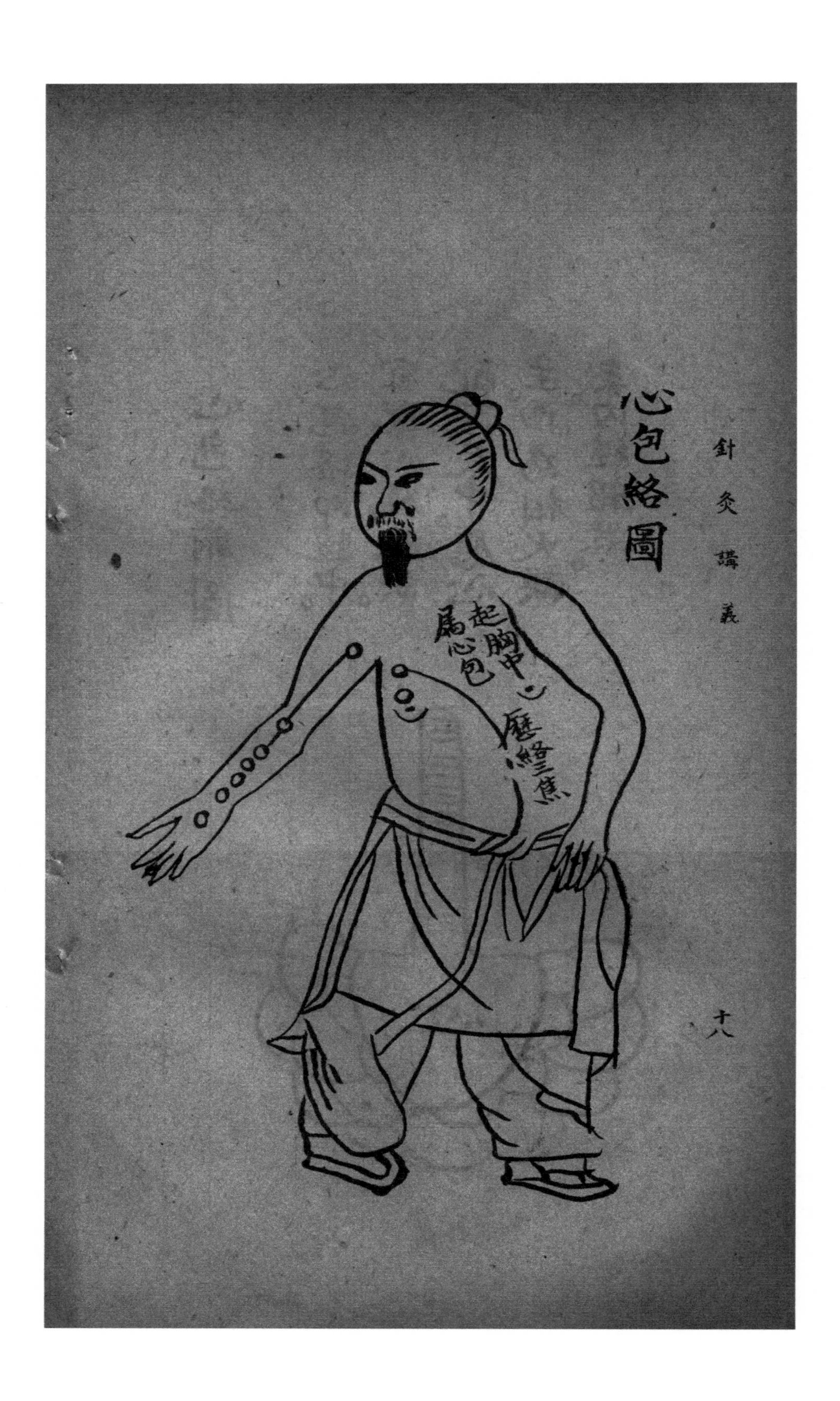
心包絡圖
針灸講義
起胸中
屬心包
歷絡三焦
十八

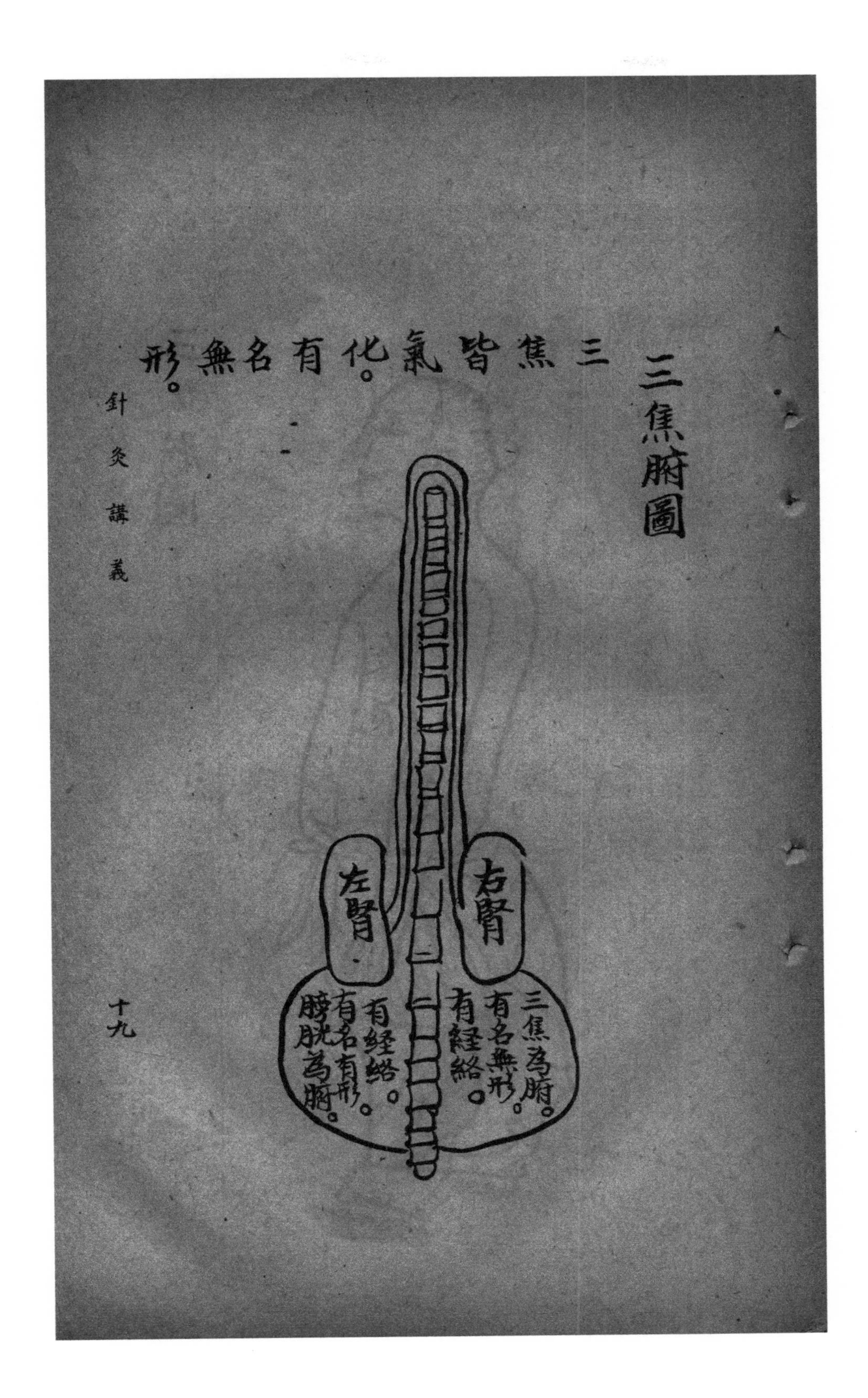
三焦腑圖
三焦皆氣化有名無形。
針灸講義
十九
左腎
右腎
三焦為腑。有名無形。有經絡。
有經絡。有名有形。膀胱為腑。

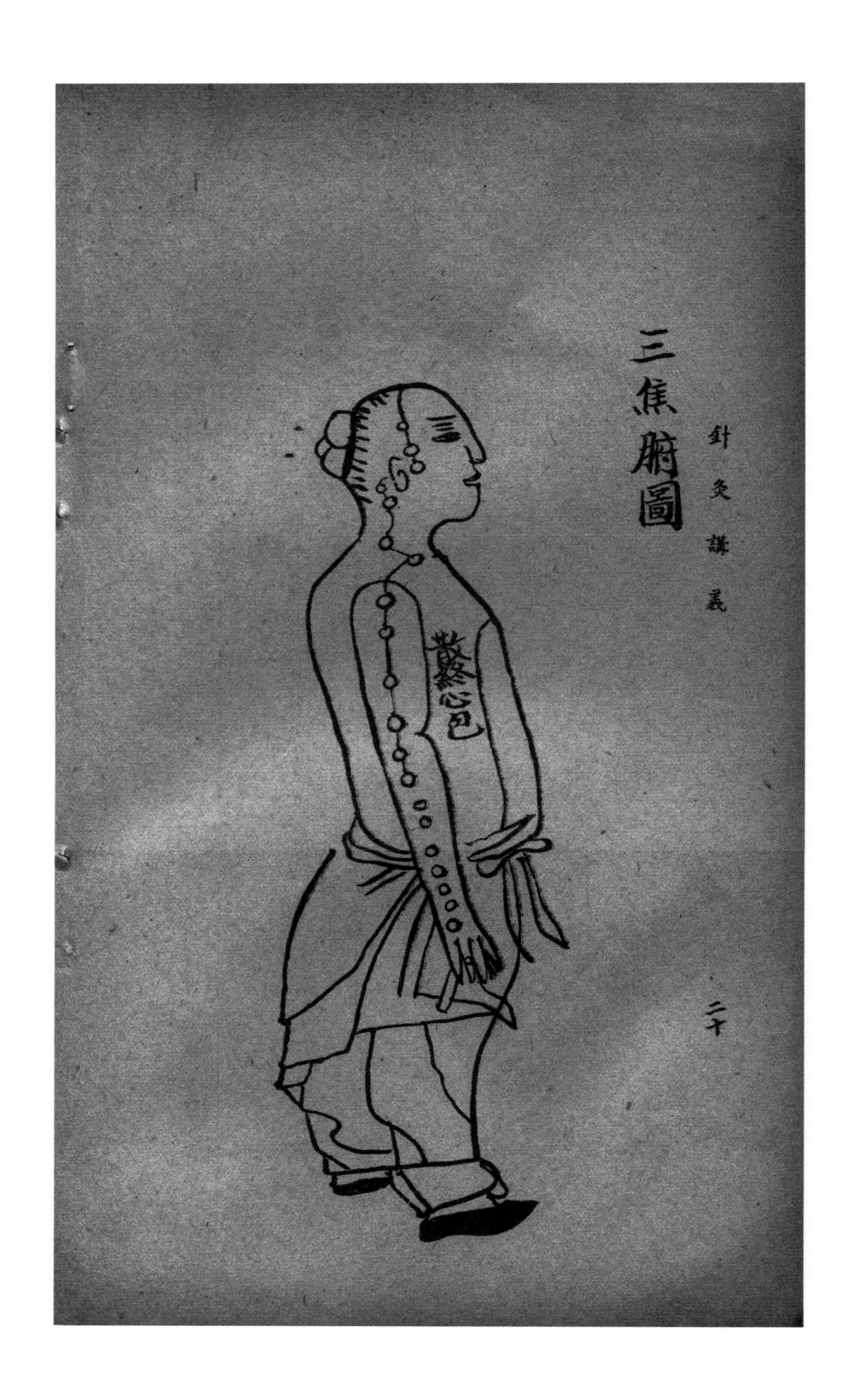
三焦腑圖
針灸講義
心包
二十

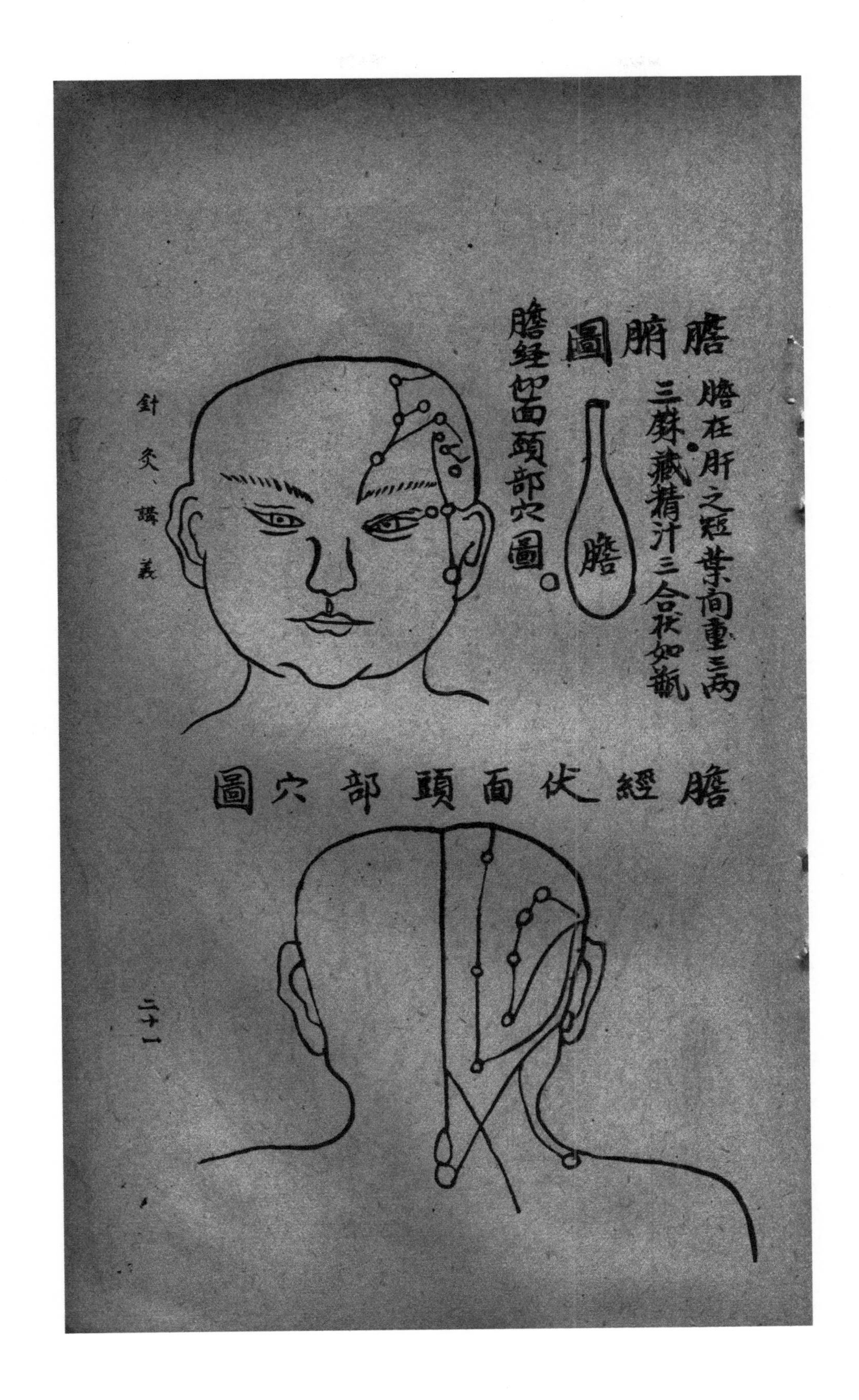
膽腑圖
膽在肝之短葉間重三兩三銖藏精汁三合狀如瓶
膽
膽經仰面頭部穴圖
膽經伏面頭部穴圖
針灸講義
二十一

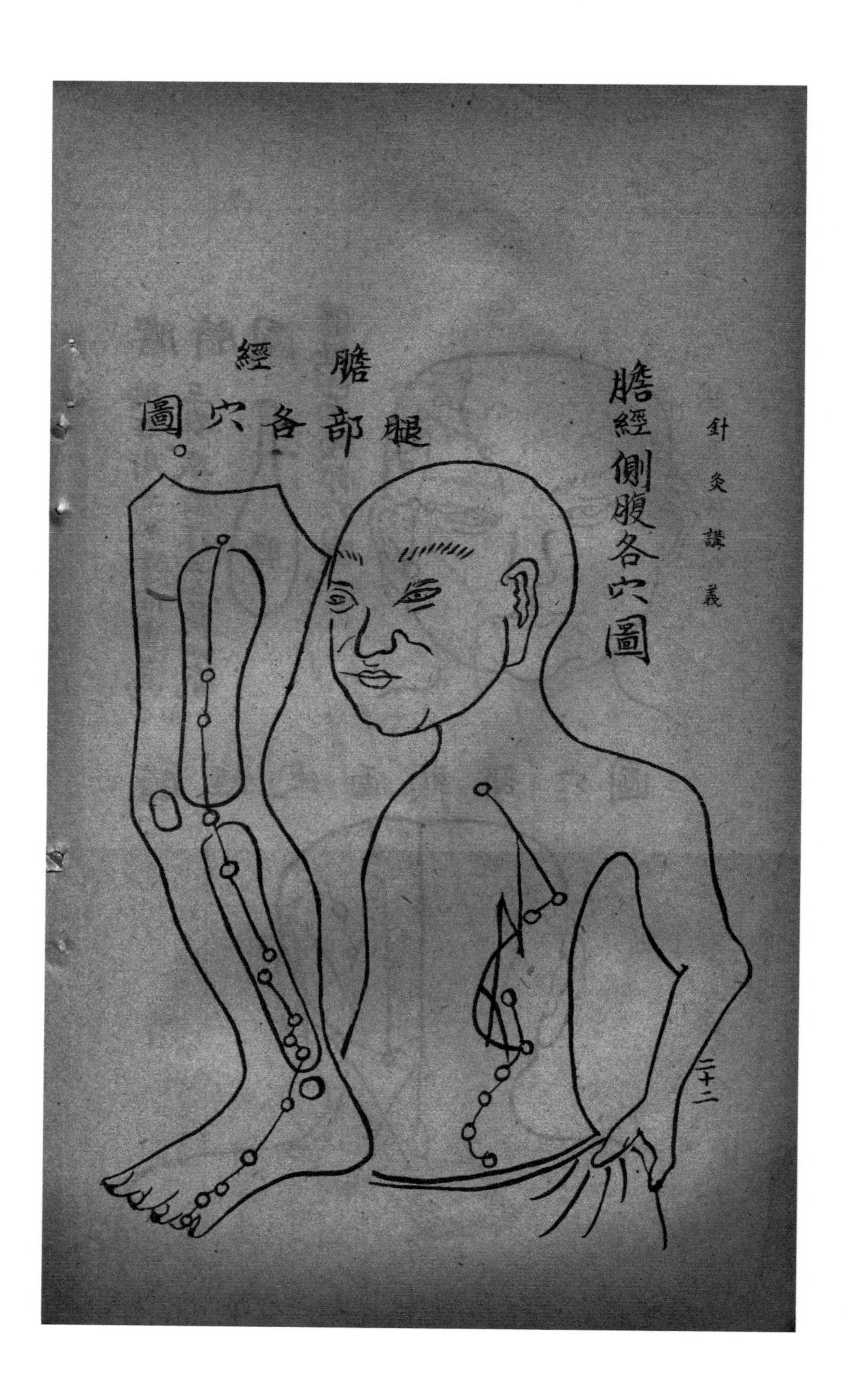
針灸講義
膽經側腹各穴圖
膽經
腿部各穴圖
二十二

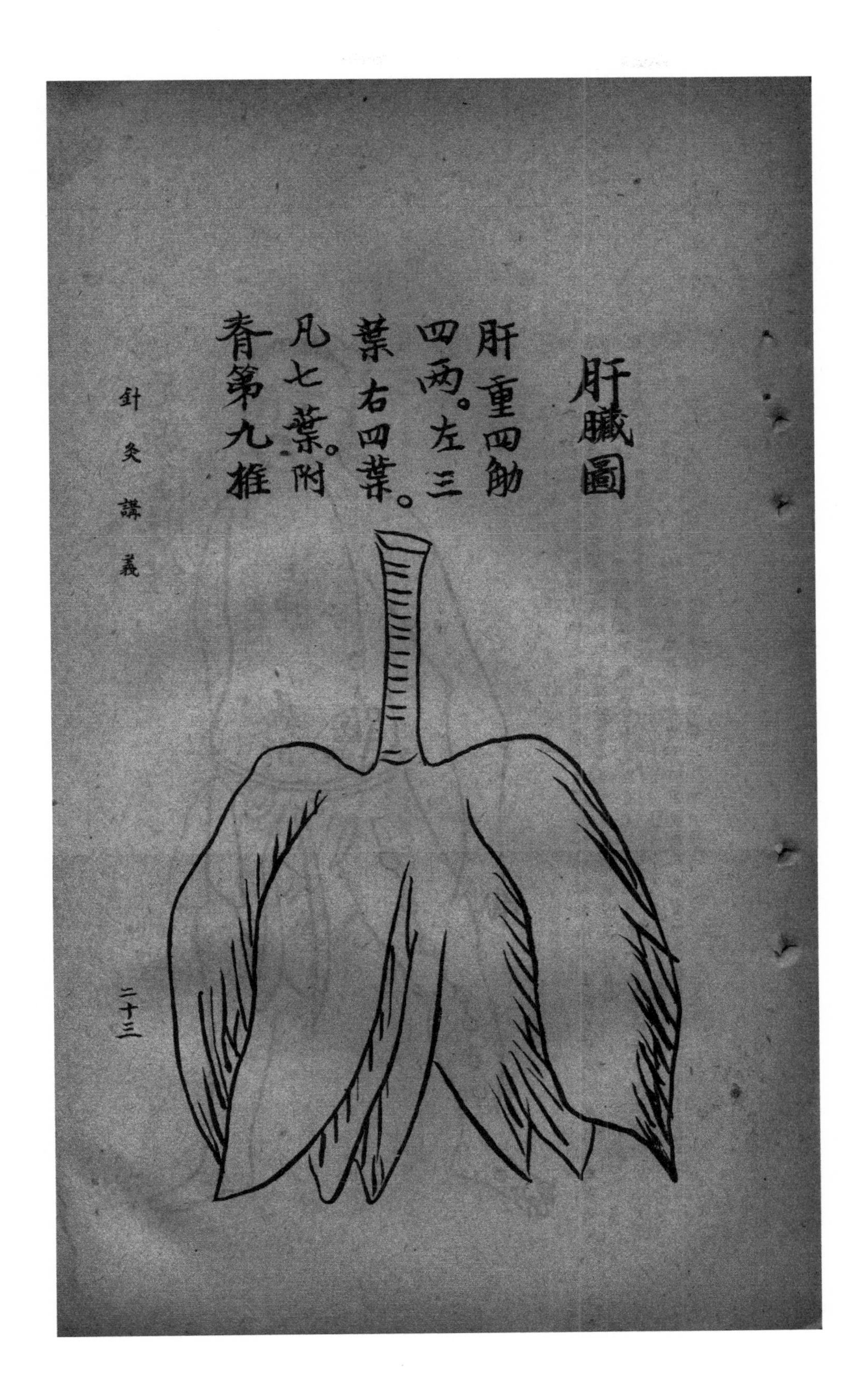
肝臟圖
肝重四觔四两。左三葉右四葉。凡七葉。附脊第九推
針灸講義
二十三

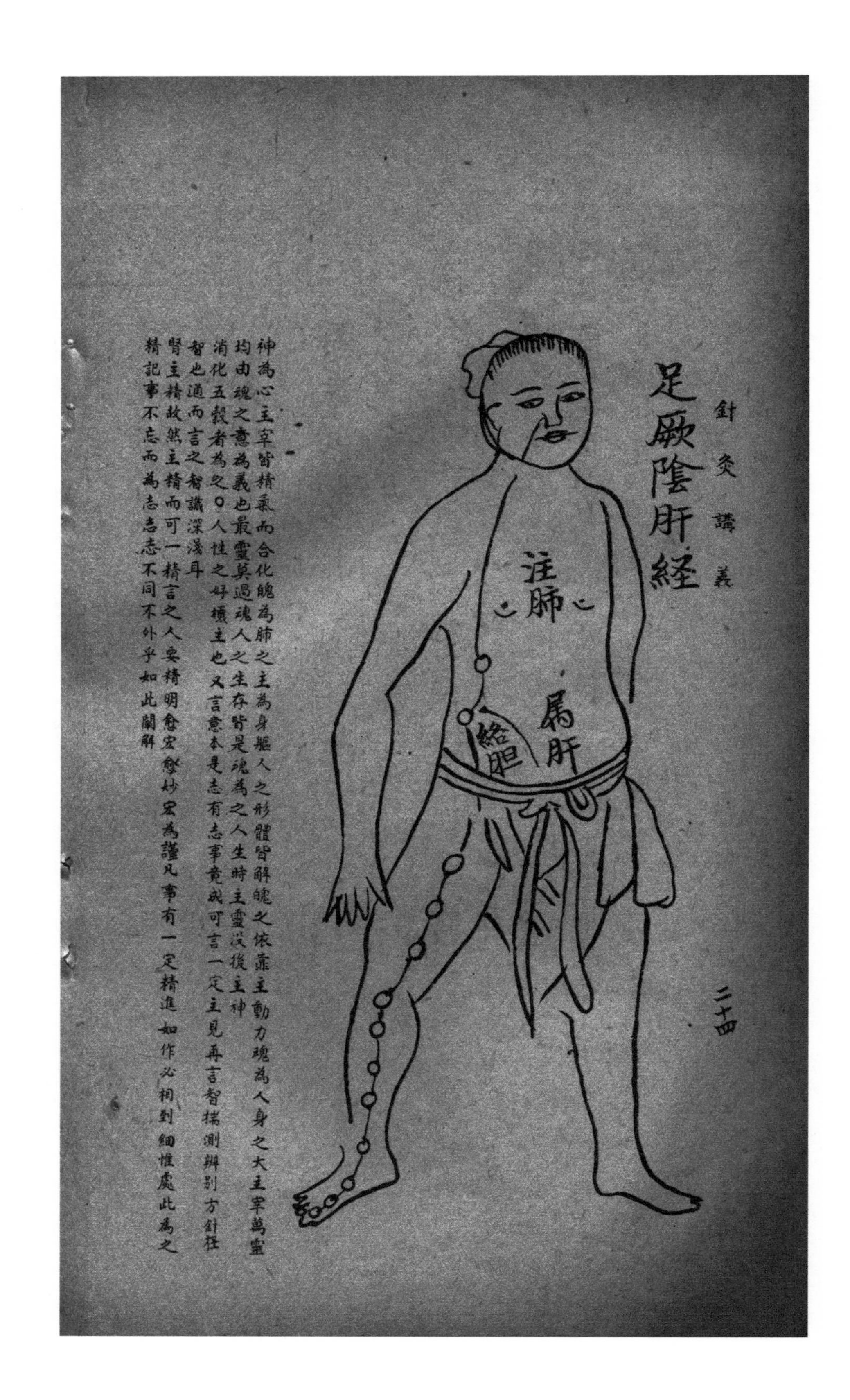

針灸講義

足厥陰肝經

神為心主宰皆精氣而合化魄為肺之主為身軀人之形體皆解魄之依靠主動力魂為人身之大主宰萬靈均由魂之意為義也最靈莫過魂人之生存皆是魂為之人生時主靈沒後主神消化五穀者為之○人性之好壞主也又言意本是志有志事竟成可言一定主見再言智揣測辨別方針往智也通而言之智識深淺耳

腎主精故然主精而可一精言之人要精明愈宏愈妙宏為謹凡事有一定精進如作必相到細惟處此為之精記事不忘而為志志志不同不外乎如此闡解

二十四

第六十四課　五　藏

爲諸氣總稱名爲六腑在內六分柚即腑之對爲之。

藏者藏也。心藏神。肺藏魄。肝藏魂。脾藏意與智。腎藏精與志。故爲五藏。

口可以聚義不散不敗皆爲口

六　腑

腑者府也。分部位爲之 胆胃。大腸。小腸。三焦。膀胱。受五臟濁氣。名傳化之府。故爲六腑。

五臟藏精而不洩。故滿而不寔。六腑輸洩而不藏。故實而不滿。如水穀入口則胃實而腸虛。食下則腸實而胃虛。故曰實而不滿。

肺重三斤三兩。六葉兩耳。四垂如蓋。附脊第三椎中有二十四孔。行列分佈諸臟清濁之氣。爲五臟華蓋云。

心重十二兩。七孔三毛。形如未敷蓮花。居肺下鬲上。附脊第五椎。

心包絡在心下橫膜之上。豎膜之下。與橫膜相粘。而黃脂慢裹者心也。外有細筋膜如絲。與心肺相連者包絡也。

三焦者。水穀之道路。氣之所終始也。上焦在心下胃上。其治在膻中。直兩乳間陷中者。中焦在胃中脘。當臍上四寸。其治在臍旁。下焦當膀胱上際。其治在臍下一寸。

肝重二斤四兩。左三葉。右四葉。其治在左。其臟在右脇右腎之前。並胃附脊第九椎。

胆在肝之短葉間。重三兩二銖。包精汁三合。

膈膜前齊鳩尾。後齊十一椎。周圍着脊以遮隔濁氣。不使上熏心肺。

脾重二斤三兩。廣三寸。長五寸。掩乎太倉。附脊十一椎。

胃重二斤一兩。大一尺五寸。徑五寸。紆曲屈伸。長二尺六寸。

小腸重二斤十四兩。長三丈二尺。左回疊積十六曲。小腸上口。即胃之下口。在臍上二寸。腹下一寸水分穴。爲小腸下口。至是而泌別清濁水液入膀胱。滓穢入大腸。
大腸重二斤十二兩。長三丈一尺。廣四寸右回疊十六曲。當臍中心大腸上口。即小腸下口也。
腎有兩枚。重一斤一兩。狀如石卵。色黃紫。當腎下兩旁。入脊膂附脊十四椎。前與臍平。
膀胱重九兩二銖。廣九寸居腎下之前。大腸之側。膀胱上際即小腸下口。水液由是滲入焉。
脊骨二十一節。取穴之法。以平肩爲大椎即百勞穴也。

臟腑十二經穴起止歌

肺經少商中府起。大腸商陽迎香止。足胃頭維厲兌間。脾部隱白大包是。
心主極泉少衝來。小腸少澤聽宫去。膀胱睛明至陰終。腎經湧泉俞府位。
心包天池中衝隨。三焦關衝耳門繼。胆家童子髎竅陰。厥肝大敦期門至。

十二經穴始終。歌學者。銘於肺腑記。不要忘爲銘。按照曲浙而學印入腦可爲記。

第六十五課　手太陰肺經

內經曰肺者相傳之官。治節出焉。

肺者氣之本。魄之處也。其華在毛其充在皮。爲陰中之太陰。通於愁氣。西方白色。入通於肺。開竅於鼻。藏精於肺。故病在背其味辛。其類金。其畜馬。其穀稻。其應四時上。爲太白星。是以知病之。在皮毛也。其數九。其音商其臭腥。其液涕。其聲哭。

一　經穴歌

手太陰肺十一穴。中府雲門天府訣。夾白尺澤孔最存。列缺經渠太淵涉。魚際少商如韮葉。左右二十二穴

經絡循行歌

手太陰肺中焦起。下絡大腸胃口行。上膈屬肺從肺系。横從腋下臑内縈。前於心與心包脈。下肘循臂骨上廉。遂入寸口上魚際。大指内側爪甲根。支絡還從腕後出。按次指交陽明經。此經多氣而少血。是動則爲喘滿欬。膨膨肺脹缺盆痛。兩手交瞀爲臂厥。肺所主病欬上氣。喘渴煩心胸滿結。臑臂之内前廉痛。爲厥或爲掌中熱。肩背痛是氣有餘。小便數欠或汗出。氣虚亦痛溺色變。少氣不足以報息。

經絡循行經文

肺手太陰之脉起於中焦。下絡大腸還循胃口。上膈屬肺。從肺係横出腋下。循臑内行少陰心。主之前。下肘中循臂内上骨下廉。入寸口上魚際。循魚際出大指之端。其支者從腕後直出次指内廉出其端。

經文集註

肺脉起於中焦之胃脘。下絡大腸。還循胃口而復上膈入肺。横出腋下之中府。雲門下循臑內。經天府、俠白。行於少陰心主之前。下肘抵尺澤。循臂骨之下廉。歷孔最、列缺、入寸口之經渠、太淵。以上魚際循魚際。出大指端之少商。其旁而支行者。從列缺、分行於腕後。循合谷上行於食指之端。以交於手陽明大腸經之商陽。

第六十六課　手太陰肺經十一穴

中府　在周榮上二寸。少外開三分。去中行六寸。鍼三分留五呼。灸三壯五壯。平任脈之華蓋在乳頭上三肋骨外開一寸動脈應手主治傷寒噎食不下喉症

雲門　在巨骨穴下四寸。微向內橫氣戶二尺璇璣旁。六寸大些。鍼三分。灸五壯。鍼太深令人逆息。（甲乙）灸五十壯。（千金）平任脈璇璣中府上向外開五分一寸六分雙脈主治傷寒咳逆喘四肢熱胸滿肩不舉胸脇通於背徹痛

天府　距腋下三寸。在臂上前廉。直對尺澤相距七寸半。鍼四分留三呼。禁灸。灸之令人氣逆。腋下三寸直尺澤七寸動脈主治中風喘不臥口鼻衄善忘雙脈

俠白　在尺澤上五寸大些。鍼四分留三呼。灸五壯。

尺澤 直天府二寸尺澤上五寸動脈主治心痛煩滿氣短 在肘中約紋上。屈肘橫紋筋骨罅中動脉應手厥陰前直寸口、鍼三分。留三呼。灸三壯五壯。甄權云。不宜灸。 在肘中心紋上

孔最 主治中風心煩身體痛口乾咳嗽心症四肢腫不舉面白亦主噫悲愁肺諸症或肘攣嘔吐頷疼腫出汗 在腕上七寸。天澤下三寸半。鍼三分留三呼。灸五壯。照此所取對 天澤下三寸腕上七寸主治肘疼伸屈痛失音灸則汗出雙脉

列缺 在腕後一寸五分行向外。鍼二分留三呼。灸三壯。愼酒麪生冷等物。照此所取對。

經渠 在腕後五分。居寸脈上。鍼三分留三呼。禁灸、灸則傷人神明。照此所取對。 主治偏風口眼喎斜手肘無力小便熱或寒慄或妄言 在寸脉紋上筋罅之側主治熱病氣上逆動脉

太淵 在腕口前橫紋上。與經渠甚近。鍼二分留二呼灸三壯。 主治乍寒乍熱煩燥狂言或噦或不眠

魚際 在太淵上一寸。少大指本節後內側。陷中本者根也。乃掌內肉中骨節。非手指外節。鍼二分留三呼灸三壯。 主治乳癰等症其他見六六穴能出汗再加二三間

少商 在大指外側。去爪甲角如韮葉。鍼一分留三呼五吸。宜用三稜鍼刺•微出血洩諸臟之熱不宜灸。甲乙經云。灸一壯、一云三壯、忌生

冷。

主治乳鵝或諸種中風口乾症見六六如見症不省人事牙關緊閉暴症藥水不下扎三稜針出血回生

第六十七課　手陽明大腸經穴歌

內經云大腸者傳道之官變化出焉又云大腸爲白腸

手陽明穴起商陽。二間三間合谷藏。陽谿偏歷溫溜長。下廉上廉手三里。曲池肘髎五里近。臂臑肩髃巨骨當。天鼎扶突禾髎接。鼻旁五分號迎香。

左右四十穴（臑音鐃　髃音容）

經絡循行歌

手陽經大腸脈。次指內側起商陽。循指上廉出合谷。兩指兩筋中間行。循臂入肘行臑外。肩髃前廉柱骨旁。會此下入缺盆內。絡肺下膈屬大腸。支從缺盆上入頸。斜貫兩頰下齒當。挾口人中交左右。上挾鼻孔盡迎春。此經血盛氣亦盛。是動齒痛頸亦腫。是主津液病所生。目黃口乾鼻衄動。喉痺痛在肩前臑。大指次指痛不用。

經絡循行經文

大腸手陽明之脉。起於大指次指之端。內側循指上廉。出合谷兩骨之間。上上入兩筋之中。循臂上廉入肘外廉。上循臑外前廉。上肩出髃骨之前廉。上出於柱骨之會上。下入缺盆。絡肺下膈。屬大腸。其支者從缺盆上頸。貫頰入下齒中。還出挾口交人中。左之右、右之左、上挾鼻孔。

經文集註

大腸手陽明之脉。受手太陰之交。起於次指商陽井穴。循二間三間之上廉。出兩骨間之合谷穴。上入兩筋間之陽谿。循臂上廉之徧歷溫溜。下廉上廉三里。入肘外廉之曲池。上行臑外之前廉。歷肘髎五里以上肩之肩髃。骨之前廉循巨骨上行。出於柱骨之會上。下入缺盆。絡肺下膈。屬於大腸。其支行者。從缺盆上頸。循天鼎扶突。上貫於頰。入下齒縫中之內。還出挾口。以交於人中。左脉往右。右脈往左。上挾鼻孔。循禾髎迎香。而終。以交於足陽明胃經也。手陽明經止於此，自山根交，承泣，而接足陽明經也。

第六十八課　手陽明大腸經　共二十穴

商陽　在手食指內側。去爪角如韮葉。鍼一分留一呼。灸三壯。
主治傷寒熱病汗不出耳鳴或聾中風口乾肩背肢痛靜脈

二間　在食指本節前。第三節後紋頭陷中。鍼三分留六呼。灸三壯。
在三節之關節陷中主治舌症不食飲水或喉或齒靜脈

三間　在食指本節後陷中。去二間一寸。鍼三分留三呼。灸二壯。
在指關骨節後是穴氣喘唇焦口焦乾嗜臥腹中症或泄痢動脈

合谷　在手大指次指岐骨間陷中。動脈應手。鍼三分留六呼。灸三壯。
在兩指骨縫盡處主治症除腿足症或孕婦不刺外其他均治百症動脈

陽谿　在手腕橫紋上側。兩筋間陷中。直合谷。鍼三分呼七呼。灸三壯。
在合谷上陷中兩筋之處即橫紋是穴主治熱症見神鬼口吐沫靜脈

偏歷　在腕後三寸。鍼三分留七呼。灸三壯。
主治多言目視䀮䀮或瘧症靜脈

溫溜　在腕後五寸。鍼三分留三呼。灸三壯。
主治喜笑口舌腫肩不舉肘腕酸痛或痲木靜脈

下廉　在腕後六寸。行微向外曲池下四寸。鍼五分留五呼。灸三壯。
主治頭風面無潤色小便血腹痛不忍或狂言動脈

上廉　在腕後七寸。曲池三寸。三里下一寸。微外些。鍼五分。灸五壯。
主治頭疼腦風咽痛或大便滯小便難手足不仁靜脈

三里　在曲池下二寸。腕後八寸。鍼三分。灸三壯。
主治肘不伸失音瘰癧體之羸瘦等症靜脈

曲池　在肘外側橫紋頭。鍼七分留七呼。灸三壯。一云百壯。
主治熱症喉不言手臂腫動脈

肘髎　在曲池上外斜一寸橫直。天井。鍼三分。灸三壯。
主治肘節或痛或酸或不舉靜脈

五里　在肘上三寸。行向裏大脈。中央禁鍼。灸三壯。一日十壯。
主治吐血肘臂難動靜脈

臂臑　臂外側肩顒下三寸。鍼三分。灸三壯。明堂禁鍼。灸七壯一日百壯。
主治臂痛無力頸項不能轉側雙脇

肩顒　在肩端高骨下。罅陷中舉臂有空。鍼六分。留六呼灸三壯。至七七壯。以瘥為度。
主治中風一切症或能仰頭雙脉

巨骨　在肩顒上大骨尖前陷中。鍼一分五分。灸三壯五壯。一日禁鍼。
主治胸中症或驚癇靜脈

天鼎　頸筋下肩井內一寸四分。鍼三分。灸三壯。
主治喉症為主穴動脈

扶突　人迎後寸半距天鼎前一寸二分。鍼四分。灸三壯。甲乙經曰鍼三分。
多唾咳嗽氣喘為主穴動脈

禾髎　直對鼻孔下俠水溝旁五分。鍼三分。灸三壯。
口不開鼻中生瘡生塞或鼻衄雙脈

迎香　鼻窪紋中。鍼三分禁灸。
主治面癢或虫行其他鼻中一切症雙脈

第六十九課　足陽明胃經

貪食之慾望爲之胃故爲倉爲給者即作廩亦可作藏也此胃狀如囊上

內經曰胃者倉廩之官。五味出焉。又曰胃爲黃腸。

接食管下接通小腸以消化食物胃也能辨其味可爲出焉爲之道焉

五味入口藏於胃。以養五臟氣。胃者水穀之海。六腑之大原也。是以五臟六腑之氣味。皆出於胃。均以此經爲主體，化，合，氣，

經穴歌

四十五穴足陽明。須維下關頰車停。承泣曰白巨髎經。地倉大迎對人迎。水突氣舍連缺盆。氣戶庫房屋翳屯。膺窗乳中延乳根。不容承滿梁門起。關門太乙滑肉門。天樞外陵大巨存。水道歸來氣衝次。髀關伏兎走陰市。梁丘犢鼻足三里。上巨虛連條口位。下巨虛跳上丰隆。解谿衝陽陷谷中。內庭厲兌經穴終。左右九十穴

經絡循行歌

足陽明胃鼻頞起。下循鼻外入上齒。環唇挾口交承漿。頤後大迎頰車裏。耳前髮際至額顱。支循喉嚨缺盆入。下膈屬胃絡脾宮。直者下乳俠臍中。

支起胃口循腹裏。下行直合氣街逢。遂由髀關下膝臏。循脛足跗中指通。

支從中指入大指。厲兌之穴經盡矣。此經多氣復多血。振寒呻欠面顏黑。（有疼處發聲爲之呻 或張口可爲欠欠以舒氣也）

病至惡見火與人。忌聞木聲心惕惕。閉戶塞牖欲獨處。甚則登高棄衣走。

（有力作聲）賁響腹脹爲骭厥。狂瘧溫淫（爲太過）及汗出。鼽衄口喎并唇胗。頸腫喉痺腹水腫。

膺乳膝臏股伏兎。骭外足跗上皆痛。氣盛熱在身以前。有餘消穀溺黃甚。

不足身以前皆寒。胃中寒而腹脹壅。

經絡循行經文

胃足陽明之脉。起於鼻交頞中旁（細交界之處）。納太陽之脉（其爲出爲引行）下循鼻外。入上齒中還出挾口。環唇下交承漿。卻循頤後下廉。出大迎循頰車。上耳前過容主人。循髮際至額顱。其支者從大迎前。下人迎、循喉嚨。入缺盆、下膈屬胃絡脾。其直者從缺盆下乳內廉。下挾臍入氣街中。其支者、起胃下口循腹裏。下至氣街中。而合以下髀關抵伏兎。下入膝臏中。下循脛外廉下足跗入中指內間。其支者下膝三寸而別。以下入中指外間。其支者別附上入大指間。出其端。

經文集註

足陽明受手陽明之交。起於鼻之兩旁迎香穴。上行而左右相交於頞中。過睛明之分。下循鼻外。歷承泣四白巨髎入上齒中。還出挾口。而吻地倉。環繞唇下。左右相交於承漿。郤循頤後、下廉出大迎。循頰車上耳前。歷下關過客主人。循髮際、行懸厘頷厭之分。經頭維會於額顱之神庭。其支別者、從大迎前下人迎。循喉嚨歷水突氣舍入缺盆。行足少陰兪府之外。下膈當上脘中脘之分。屬胃絡脾其直行者、從缺盆而下。乳內廉循氣戶庫房、屋翳。膺窗、乳中乳根。不容、承滿、梁門、關門太乙、滑肉門。挾臍歷天樞外陵。大巨水道歸來諸穴。而入氣街中。其支者自屬胃處起胃下口。循腹裏過足少陰肓兪之外。本經之裏。下至氣街中。與前之入氣街者合。既相合於氣街中。乃下髀關抵伏兎。歷陰市梁邱、下入膝臏中。經犢鼻、下循足面。曰足跗之衝陽。陷谷入中指外間之內庭。至厲兌穴而終也。其絡脈之支別者。自膝下三寸、循三里穴之外。別下歷上廉條口。下廉丰隆。解谿衝陽。陷谷以至內庭、厲兌而合也。又其支者別跗上衝陽穴。別行入大指間。出足厥陰行間穴之外。循大指下出其端。以交於太陰也。由胃而交脾經以合表裏陰陽大氣也

第七十課　足陽明胃經 共四十五穴

頭維　在額角入髮際夾本神旁一寸五分、神庭旁四寸五分。直率骨微高些。鍼三分沒皮下向。禁灸。主治頭疼之属目不啟明動脈

下關　在客主人下。合口有空張口閉此穴爲動脈 聽會上耳前動脈。主治口眼歪斜牙關緊閉耳鳴耳癢 鍼三分留七呼。灸三壯。

頰車　在耳下八分。曲頰端近前陷中。鍼三分。灸三壯。一曰灸七壯至七七壯。炷如小麥。啟口有穴合則骨起主治中風等症牙疼或不能嚼物動脈

承泣　在目下七分。上直瞳子。鍼三分禁灸。一日禁不宜鍼。主治冷淚瞳人作癢視遠不見口眼歪斜動脈

動脈
主治牙中症或口不開加此穴
人迎穴主治喘吁不息咽喉等症動脈

四白　在目下一寸、直瞳子。鍼三分。禁灸。甲乙經曰。灸七壯。一曰下鍼宜慎。若深即令人目烏色。

巨髎　夾鼻孔旁七分。直瞳子。鍼三分。灸七壯。迎風流淚或癢或生翳目赤動脈

地倉　夾口吻旁四分。鍼三分留五呼。灸七壯。或二七壯。重者七七壯。在四白下四分主治面風鼻腫或唇或目生翳面頰疼動脈病左治右。病右治左。艾炷宜小。如麤釵脚。若過大口。反喎。卻灸承漿即愈。

大迎　在曲頷前一寸三分。居頰下人迎上。鍼三分留七呼。灸三壯。爲口輪穴凡口有症爲主穴關係口之部位要穴動脈

人迎　在頸下夾結喉旁一寸五分。大迎下水突上大動脈應手。禁灸。氣府論註曰。鍼四分過則殺人。

水突　在頸大筋前。直人迎、下夾氣舍上。內貼氣喉。鍼三分。灸三壯。

氣舍　在頸大筋前。直人迎下。鍼三分。灸五壯。主治氣上逆食不下頭不能回顧動脈

缺盆　在結喉旁橫骨。陷者、中對乳氣舍。在裹近喉缺盆在外。鍼三分留

氣戶 七呼。灸三壯。鍼太深。令人逆息。孕婦禁鍼。
在橫骨下。夾俞府。兩旁各二寸去中行四寸。陷中仰而取之鍼三分。灸三壯五壯。
主治瘰癧或胸中熱咳嗽動脈

庫房 在氣戶下一寸六分去中行四寸。陷中、仰而取之。鍼三分灸三壯五壯。
中行是平璇璣也主治胸背症氣逆食不知味動脈

屋翳 在庫房下一寸六分、去中行四寸。陷中仰而取之。鍼三分灸五壯。
主治呼吸不利唾膿爲之血濁動脈

膺窗 在屋翳下一寸六分。巨骨四寸八分。去中行四寸。陷中。仰而取之。鍼四分灸五壯。
主治胸中痰或身腫皮膚疼不能着衣動脈

乳中。 當乳頭正中微鍼禁灸。
主治氣短不能臥乳癰內爲心臟部

乳根 在乳中下一寸六分。去中行四寸。陷中仰而取之。鍼三分灸三壯五壯。
內爲心臟部此穴不刺不灸不主症
主治一切乳症亦治噎病並治胸部內外疼痛仍屬心臟部

不容 在幽門旁一寸五分。去中行二寸。對巨闕。鍼五分灸五壯。
主治疝瘕嘔吐脇疼心痛動脈

承滿　在不容下去中行二寸對上脘。鍼三分灸五壯。又鍼八分。甲乙經云

主治膈氣不舒動脈

梁門　在承滿下去中行二寸對中脘。鍼三分灸五壯。又鍼八分。甲乙經作孕婦禁灸。

主治不思飲食胸脇有氣不舒時有作疼動脈

關門　在梁門下去中行二寸。對建里。鍼八分灸五壯。一云五分三壯。

主治腸鳴不食泄或痢動脈

太乙　在關門下去中行二寸、對下脘。鍼八分灸五壯。一云五分三壯。

主治心煩癲狂或舌吐出不收動脈

滑肉門　在太乙下去中行二寸、對水分。鍼八分灸五壯。一云五分三壯。

主治一切狂症或吐血或重舌動脈

天樞　在夾臍旁二寸去肓兪一寸五分。陷中、鍼五分留七呼。灸五壯。拔萃云、百壯、又千金魂魄之舍。

腹內一切症或女子經水不調等症動脈

外陵　在天樞下去中行二寸對陰交。鍼三分灸五壯。又甲乙經作鍼八分。

主治腹症動脈

大巨　在外陵下去中行二寸對石門。鍼五分灸五壯。甲乙經鍼八分。

主治驚悸不眠作渴小腹症動脈

水道　在大巨下三寸去中行二寸。鍼一寸五分。灸五壯。一曰鍼八分半。

主治三焦熱又立下部痛或女子月水行時腰痛不直動脈

歸來　在水道下二寸去中行二寸。鍼八分灸五壯。一曰鍼二分半。

主治奔豚七疝動脈

氣衝 在歸來下鼠谿上一寸動脉應手。宛宛中去中行二寸。橫骨在內。氣衝在外。冲門又外。氣冲齊中樞橫骨微下些。冲門齊關元上直府舍。下直髀。鍼三分留七呼。灸七壯。甲乙經。灸之不幸。使人不得息。一云禁不可鍼。艾炷如大麥。

主治腹脹大腸熱陰痛男女同又治女子無子動脈

髀關 在膝上伏兎後斜行向裏去膝一尺二寸。鍼六分。灸三壯。

主治腰痛膝寒痿痺或痲木不仁動脉

伏兎 在膝上六寸起肉間正跪坐取之鍼五分。狂邪鬼說灸五十壯至百壯。

主治脚氣膝蓋受風冷不得溫動脈

陰市 在膝上三寸伏兎下陷中拜而取之。鍼三分留七呼。灸三壯治腰疼。

主治腿不得伸屈動脈

梁丘 在膝上二寸兩筋間。鍼三分。灸三壯。

主治下焦寒足冷如冰動脈

犢鼻 在膝臏下行骨上骨解大筋陷中行如牛鼻。鍼六分灸三壯。一曰鍼三分。鍼禁論)云。鍼膝臏出液爲跛故鍼此穴不可忽也。

主治膝犢腫或癰已潰者不治又治難跪難起動脈

三里 在膝眼下三寸。胻骨外廉大筋內。宛宛中坐而竪膝低跗取之極重按之。則跗上動脉止矣。鍼八分留七呼。灸三壯亦可灸年壯。

主治全體內外一切百症其效不能一一舉也見症臨時着用動脉

上巨虛　在三里下三寸兩筋骨陷中舉足取之。鍼三分灸三壯亦可灸年壯。
主治足不能立脛酸骨髓冷或疼動脈

條口　在三里下五寸下廉上一寸舉足取之。鍼五分灸三壯。
主治轉筋霍亂亦治足酸動脈

下巨虛。在上廉下三寸兩筋骨陷中蹲地舉足取之。鍼三分灸三壯。
主治足不履地動脈

豐隆　在下廉下微後斜對絕骨之中。鍼五分灸三壯。
主治眼見鬼見神好笑動脈

解谿　在衝陽後一寸足腕上繫鞋帶處陷中。鍼五分留五呼灸三壯。
主治面症或足緩行動脈其他轉筋霍亂悲泣及瘧疾寒熱過久

衝陽　在足跗上五寸正中行高骨間動脈去陷谷二寸。鍼三分留十呼。灸三壯(鍼禁論)云。鍼跗上中大脉(即衝陽脉)血出不止者死即此穴也。
主治水症灸其他見六六穴爲人體之神經大動脈

陷谷　在足面上去內庭二寸足大指次指本節後陷中。鍼五分留七呼。灸三壯。亦曰鍼三分(按足跗穴淺可鍼三分深則無益)
見六六穴動脈

內庭　在足次指中指之間脚丫紋盡處。鍼三分留十呼。灸三壯。
見六六穴動脈

厲兌　在足次指外側端去爪甲如韭葉。鍼一分留一呼。灸一壯。
見六六穴動脈

第七十一課　足太陰脾經

人生認識，辨別，判斷，揣測，記憶，此爲之智，有始有終一律可爲周，出焉成然如此，

以脾字意人之性情皆主此經助胃消化食物按生理言製白血珠珠造所其部位在胃之底形常。扁平

內經曰。脾者諫議之官。（應當如此）智周出焉。（爲消化穀食主要部分，又生白血珠處，此珠成血成氣穀氣生成，諫議爲子直不偏有道爲議。）

脾者倉廩之本。榮之居也。其華在唇。四白。其充在肌至陰之類。通於土氣。（取於胃氣根原）孤藏以灌四旁。脾主四肢。爲胃行津液。（智者智識凡心所動，以應脾感覺可爲智智是判斷揣測皆是智主動也。）

中央土色。入通於脾。開竅於口。藏精於脾。故病在舌本其味甘。其類土。（牛者體須力健故應畜牛又是丑土生萬物稷高之長又直脈作稷五穀以應五行 鎮作靜意脾氣不動動作即病不病則傷）其畜牛。其穀稷。其應四時上爲鎮星。是以知病之在肉也。其音宮其數五。其臭香。其液涎。在聲爲歌。（長聲作歌）

經穴歌

二十一穴脾中州。隱白在足大指頭。大都太白公孫盛。商丘三陰交可求。

漏谷地機陰陵泉。血海箕門衝門開。府舍腹結大橫排。腹哀食竇連天谿。

胸鄉周榮大包隨。

經絡循行歌

太陰脾起足大指。循指內側白肉際。過核骨後內踝前。上臑循脛膝股裏。

股內前廉入腹中。屬脾絡胃上膈通。挾咽連舌散舌下。支者從胃注心宮。此經血少而氣旺。是動即病舌本強。食則嘔出胃脘疼。心中喜噫（飽食不舒息）而腹脹。得後與氣快然衰。脾病身重不能搖。瘕泄水閉及黃疸。煩心心疼食難消。強立股膝內多腫。不能臥因胃不和。

經絡循行經文

脾足太陰之脉。起於大指之端。循指內側白肉際。過核骨後。上內踝前廉上端。內循行骨後交出厥陰之前。上循膝股內前廉入腹。屬脾絡胃上膈挾咽連舌本散舌下其支者。復從胃別上膈注心中。

經文集註

足太陰脾脈起於大指之端。隱白穴受足陽明之交。循大指內側白肉際。大都穴過核骨後。歷太白公孫商丘。上內踝前廉之三陰交。又上腨內循胻骨後之內側。漏谷穴上行二寸交出。足厥陰之前至地機陰陵泉。上循膝股之前廉。血海箕門迤邐旁行爲之斜行入腹經。衝門府舍中極關元。復循腹結大橫會下脘。歷腹哀過日月期門之分。循本經之裏下至中脘之際。以屬脾絡胃。又由腹哀上膈循食竇。天谿胸鄉周榮。曲折向下至大包穴。又自大包外曲向上會。中府上行人迎之裏。挾喉連舌本散舌下而終。其支行者。由腹哀別行。再從胃部中脘穴之外。上膈註於膻中之裏。心之分以交於手少陰心經也。

第七十二課　足太陰脾經考正穴法　共二十一穴

隱白　在足大指內側端去爪甲角如韭葉。鍼一分留三呼。灸三壯。主治腹脹不得臥嘔吐不下尸厥不識人婦女月事不調小孩驚風爲神經動脈

大都　在足大指內側第二節後本節前骨縫白肉際陷中居孤拐前。鍼三分留七呼。灸三壯。主治熱病汗不出或手足厥逆四肢腫等症動脈

太白　大指後孤拐正中赤白肉際陷中。鍼三分留七呼。灸三壯。主治胻骨酸亦治骨疼又治霍亂腹疼甚急腸鳴動脈

公孫　在足大指後孤拐傍脚邊陷中。鍼四分留七呼。灸三壯。主治瘧症身長寒多熱或四肢如冰動脈

商丘　在內踝正下微前。鍼三分留七呼。灸三壯。主治胃脘痛亦治瓜瘕動脈

三陰交　在內踝上除踝三寸。鍼三分留七呼。灸三壯。妊娠禁鍼。

主治中風一切症或不省人事足痿不能轉動動脈孕婦禁針

漏谷　在內踝上六寸骨下陷中。鍼三分留七呼。灸三壯。

主治小便不利或失精脚冷如冰小腹冷氣串　又曰禁灸動脈

地機　在膝下五寸內則骨下陷中。鍼三分。灸五壯。

主治腰痛不得俯仰女子徵瘕動脈

陰陵泉　在膝下內輔骨下陷中與陽陵泉相對去膝橫開一寸。大鍼五分留七呼。灸三壯。

主治霍亂疝瘕腹中寒脇下滿並治腹中一切症動脈

血海　在膝臏上一寸內廉白肉際陷中。鍼五分灸五壯。

主治女子崩，漏，不調，或收期，又治疳瘙及五淋男女通用動脈

箕門　在魚腹上越兩筋間陰股內廉動脈應手。鍼三分留六呼。灸三壯。

主治五淋白濁小便不通此穴亦云禁針慎用動脈

衝門　上去大橫五寸橫骨兩端去中行三寸半。橫直關元上直府舍下下直髀關。鍼七分灸五壯。

主治中焦寒又主積聚動脈

府舍　在腹結下三寸去腹中行三寸半。橫直氣海。鍼七分灸五壯。

主治脇滿或疼動脈

腹結　在大橫下一寸八分去腹中行三寸半橫直臍。鍼七分灸五壯。

主治腹寒繞臍疼動脈

大橫　在腹結上一寸八分橫直水分下脘之中。鍼七分灸五壯。

主治腹內一切風或多寒善悲動脈

腹哀　在日月下一寸半去腹中行三寸半横直中脘。鍼三分灸五壯。

主治大便膿血中寒食不化動脈

食竇　在天谿下一寸八分自中庭外横開五寸半微上些中間有步廊。鍼四分灸五壯。

主治隔中症或痛或脹或水聲動脈

天谿　直乳頭後二寸。鍼四分灸五壯。

主治氣上逆至喉作聲婦人乳腫或癰在乳旁二寸動脈

胸鄉　在周榮下一寸六分。鍼四分灸五壯。

主治咳逆食不下動脈又治轉側不寧

周榮　在中府下一寸六分。鍼四分灸五壯。

主治胸部症動脈在中府下一寸六分

大包　大淵腋下三寸横直日月。鍼三分灸三壯。

在腋下六寸第九肋骨間主治全體實則盡痛寒則節縱動脈

第七十三課　手少陰心經

主火

内經曰。心者君主之官。神明出焉。

心者生之本。神之變也。其華在面。其充在血。脈爲陽中之太陽。通於夏氣。〇南方赤色。入通於心。開竅於舌。藏精於心。故病在五臟。其味苦。其類火。其畜羊。其穀黍。其應四時上爲熒惑星是以知病之在脉也。

其音徵。其數七。其臭焦。其液汗。其聲爲笑。

經穴歌

九穴午時手少陰。極泉靑靈少海深。靈道通里陰郄遂。神門少府少衝尋。

經絡循行歌

手少陰心起心經。下膈直絡小腸承。支者挾咽繫目系。直者心系上肺騰。下腋循臑後廉出。太陰心主之後行。下肘循臂抵掌後。銳骨之端小指停。此經少血而多氣。是動咽乾心痛應。目黃脇痛渴欲飲。臂臑內痛掌熱蒸。

經絡循行經文

心手少陰之脉。起於心中出。屬心系。下膈絡小腸。其支者。從心系上挾咽繫目系。其直行者。復從心系郤上肺。下出腋下循臑內。後廉行太陰。心主之後。下肘內廉。循臂內後廉。抵掌後銳骨之端。入掌內後廉。循小指之內。出其端。

經文集註

手少陰心經之脈。起於心。循任脈之外。屬心系下膈。當臍上二寸之分。絡小腸。其支行者。復從心系。直上至肺臟之分。出循腋下。抵極泉。自極泉。下循臑內後廉。行手太陰心主。兩筋之後。歷靑靈穴。下肘內廉。抵少海。手腕下踝爲兌骨。自少海而下。循臂內後廉。歷靈道通里。至掌後銳骨之端。經陰郄神門。入合手內廉。至少府。循小指端之少衝而終。以交於手太陽也。滑氏曰心爲君主尊於他藏，故其交經受授，不假支另也。

第七十四課　手少陰心經　共九穴

極泉　在臂內腋下筋間動脈橫直天府三寸微高於天府八分。鍼三分灸七壯
主治脇滿煩渴及肘臂寒涼變脈

靑靈　在肘上三寸灸三壯。
主治肩不舉臂不起動脈

少海　在肘下內廉二寸直靑靈。鍼五分灸三壯。一曰禁灸。
主治癇及瘰癧動脈

靈道　在掌後一寸五分。鍼三分灸五壯。
主治心痛心悲心恐心懼心怯又暴瘖不言變脈

通里（主治面熱無汗又主心悸動脈）在腕側後一寸陷中微向外。鍼三分灸三壯。

陰郄（主治鼻衄又惡寒動脈）在掌後脉中去腕五分。鍼三分灸三壯。

神門（主治心下伏梁咽乾動脈）在掌後銳骨端陷中。鍼三分留七呼。灸三壯。一云七壯炷如小麥。

少府 在小指本節後掌上後紋頭骨縫陷中直勞宮。鍼二分灸三壯。一日七壯。

少衝（主治陰症男女同動脈 動脈其症見六六）在小指內正端。鍼一分留一呼。灸一壯。一日三壯。

第七十五課　手太陽小腸經

內經曰。小腸者受盛之官。化物生焉。又云小腸爲赤腸。一胃之下口。小腸之上口也。在臍上二寸。水穀於是分焉。大腸上口。小腸之下口也。至是而泌別清濁。水液滲入膀胱。滓穢。流入大腸。

手太陽小腸經穴歌

手太陽穴一十九。少澤前谷後谿藪。腕骨陽谷養老繩。支正小海外輔肘。

肩貞臑俞接天宗。髎外秉風曲垣首。肩外俞連肩中俞。天窗乃與天容偶。
銳骨之端上顴髎。聽宮耳前珠上走。左右三十八穴

經絡循行歌

手太陽經小腸脉。小指之端起少澤。循手上腕出踝中。上臂骨　肘內側。
兩筋之間臑後廉。出肩解而繞肩胛。交肩之上入缺盆。直絡心中復隘咽。
下膈抵胃屬小腸。支從缺盆上頸頰。至目銳眥入耳中。支者別頰復上䪼。
抵鼻至於目內眥。絡顴交足太陽接。嗌痛頷腫頭難回。肩似拔兮臑似折。
耳聾目黃腫頰間。是所生病爲主液。頸頷肩臑肘臂痛。此經少氣而多血。

（註）䪼音拙又音出

經絡循行經文

小腸手太陽之脉。起於小指之端。循手外側上腕。出踝中。直上循臂骨下廉。出肘內側兩骨之間。上循臑外後廉。出肩解。繞肩胛。交肩上入缺盆

。向腋絡心循咽下膈。抵胃。屬小腸。其支者從缺盆。貫頸上頰。至目銳眥。郤入耳中。其支者。別循頰上䪼。抵鼻。至目內眥。斜絡於顴。

經文集註

小腸手太陽經。起於小指少澤穴。手少陰心經之交也。由是循外側之前谷後谿。上腕出踝中。歷腕骨、陽谷、養老穴。直上循臂骨下廉支正。出肘內側兩筋之間。歷小海穴上循臑外廉。行手陽明少陽之外。上肩循肩貞臑俞。天宗、秉風、曲垣、肩外俞。肩中俞、諸穴乃上會大椎左右相交。於兩肩之上。自交肩上入缺盆。循肩向腋下。行當膻中之分絡心。循胃系下膈。過上腕抵胃。下行任脉之外。當臍上二寸之分。屬小腸。其支行者。從缺盆。循頸之天窗。天容上頰抵顴骨。上至目銳眥。過童子髎。郤入耳中。循聽宮而終。其支別者。別循上頰䪼。抵鼻。至目內眥睛明穴。以斜絡於顴。而交於足太陽也。目下爲䪼目內角爲內眥。顴即顴髎穴手太陽自此。交目內眥而接足太陽也。

第七十六課　手太陽小腸經考正穴法

少澤　在手小指外側去爪甲角如韮葉。鍼一分留二呼灸一壯。
主治項强不能回顧心煩瘈瘲臂疼亦治目生翳動脈

前谷　在手小指外側第二節紋頭。鍼一分留三呼灸三壯。
主治熱病汗不出又治癲疾小兒吐乳動脈

後谿　在手小指外側第三節紋頭。鍼一分留二呼。灸一壯一云三壯。
主治五指痛動脈靜脈　又治小兒五癇但是發上神門穴最效

腕骨　在手掌後橫紋頭。鍼二分留三呼灸三壯。
主治偏枯不得屈臥動脈

陽谷　去腕骨一寸二分。踝骨下微後些。鍼二分留三呼灸三壯。
主治癲疾發作左右顧動脈

養老　去陽谷一寸二分行向外。鍼三分灸三壯。
主治臂中一切症酸，疼，痛，折，拔伸屈不能自如動脈

支正　去養老一寸七分。鍼三分留七呼灸三壯。
主治虛驚不安又主悲愁動脈

小海　在肘後橫出肘寸半。鍼二分留七呼。灸五壯七壯。
主治體中寒熱又治小腹痛兼治肘臂痛或無力動脈

肩貞　在直巨骨下相去六寸去脊橫開八寸少下直腋縫。鍼五分灸三壯。
主治風痺手足不舉動脈

臑俞　在肩貞上一寸外開八分。鍼八分灸三壯。
主治肩痛又無力動脈

天宗　在肩貞上二寸七分橫往內開一寸。鍼五分留六呼。灸三壯。
主治頰頷腫動脈

秉風　在臑俞上直對相去一寸五分。鍼五分灸三壯。
主治肩不舉動脈

曲垣　在下距天宗一寸五分上距肩井三寸少在二穴之中微向外些。鍼五分灸三壯。甲乙經曰十壯。
主治肩引胛痛動脈

肩外俞　在横直陶道四寸七分微高些。鍼六分灸三壯。
主治胛骨痛動脈

肩中俞　在肩外俞上五分。鍼三分留七呼灸十壯。甲乙經作三壯。
主治咳嗽又治目視不明動脈

天窗　在直耳下二寸。鍼三分灸三壯。甲乙經作鍼六分。
主治頸項一切內外症動脈

天容　在頰車向後二寸大些。鍼一分灸三壯。
主治嘔吐沫或齒不開動脈

顴髎　直童子髎二寸少在顴骨下。鍼二分禁灸。
主治喎斜動脈

聽宮　在耳前肉峰內面。鍼三分灸三壯。
主治耳中症動脈

第七十七課　足太陽膀胱經

內經曰。膀胱者州都之官。津液藏焉。氣化則能出矣。又曰膀胱爲黑腸。

諸書辨膀胱不一。有云有上口無下口。有云上下皆有口。或云有小竅注泄皆非也。惟有下口以出溺。上皆由泌别滲入膀胱。其所以入也出也。由於氣之施也。在上之氣不施。則往入大腸而爲泄。在下之氣不施。則急脹濇澁。苦不出而爲淋。

經穴歌

足太陽經六十七。睛明目內紅肉藏。攢竹眉冲與曲差。五處上寸半承光。
通天絡却玉枕昂。天柱後際大筋外。大杼背部第二行。風門肺兪厥陰四。
心兪督兪膈兪強。肝胆脾胃俱挨次。三焦腎氣海大腸。關元小腸到膀胱。
中膂白環仔細量。自從大杼至白環。各各節外寸半長。上髎次髎中復下。
一空二空腰踝當。會陽陰尾骨外取。附分俠脊第三行。魄戶膏肓與神堂。
譩譆膈關魂門九。陽綱意舍仍胃倉。肓門志室胞肓續。二十椎下秩邊場。
承扶臀横紋中央。殷門浮郄到委陽。委中合陽承筋是。承山飛揚踝跗陽。
崑崙僕叅連申脉 金門京骨束骨忙。通谷至陰小指旁。

共一百三十四穴

經絡循行歌

足太陽經膀胱脈。目內眥上額交巔。支者從巔入耳角。直者從巔絡腦間。還出下項循肩膊。挾脊抵腰循膂旋。絡腎正屬膀胱府。一支貫臀入膕傳。一支從膊別貫胛。挾脊循髀合膕行。貫腨出踝循京骨。小指外側至陰全。此經少氣而多血。頭肩脊痛腰如折。目似銳兮項似拔。膕如結兮腨如裂。痔瘧狂癲疾並生。鼽衄目黃而淚出。顖項背腰尻膕腨。病若動時病皆徹。

經絡循行經文

足太陽之脈。起於目內眥。上額交巔上。其支行者。從巔至耳上角。其直者。從巔入絡腦。還出別下項。循肩膊內。挾脊抵腰中。入循膂。絡腎屬膀胱。其支者。從腰中下會於後陰。下貫臀入膕中。其支者。從膊內左右別下。貫胛挾脊內。過髀樞。循髀外後廉。下合膕中。以下貫腨內。出外踝足後。循京骨。至小指外側端。

經文集註

足太陽膀胱經之脈。起於目內眥睛明穴。手太陽之交也。上額循攢竹。過眉冲。歷曲差、五處、承光。過百會、左右相交。通天其支行者。從巔之百會。抵耳上角。過足少陽之曲鬢。率谷、天冲浮白竅陰完骨等六穴。所以散養於筋脉也。其直行者。由通天絡郤玉枕。入絡腦復出下項。以抵天柱。又由天柱而下過大椎陶道。郤循肩髆內挾脊兩旁。相去各一寸半。下行歷大杼風門肺俞。厥陰俞、心俞、督兪、膈兪、肝兪、胆兪、脾兪、胃兪、三焦兪、腎兪、大腸兪、小腸兪、膀胱兪、中膂兪、白環兪、由是抵腰中。入循膂絡腎下屬膀胱。其支別者。從腰中循腰髖下挾脊。歷上髎、中髎、次髎、下髎、會陽下貫臀至承扶。歷殷門入膕中之委中穴。其支別者爲挾脊。兩旁第三行。相去各三寸半之。諸穴自天柱而下。從髆內左右別行下貫胛膂。歷附分、魄戶、膏肓、神堂、譩譆、膈關、魂門、陽綱、意舍、胃倉、肓門、志室、胞肓、秩邊下、歷尻臀。過髀樞。又循髀樞之裏。承扶之外一寸五分之間而下。歷浮郄委陽二穴。與前之入膕者相合。下行循合陽。下貫腨內。歷承筋、承山、飛揚、附揚、出外踝後之崑崙。僕參、申脈、金門。循京骨、束骨、通谷、至小指外側之至陰。以交於足少陰腎經也。

第七十八課　足太陽膀胱經考正穴法

睛明　在目內眥外一分宛宛中。鍼五分留六呼。
主治目眩雀目迎風流淚生翳眥作癢視物不明爲主穴動脈

攢竹　在眉頭陷中。鍼一分留六呼。可用細三稜鍼出血泄熱氣眼自明。
主治目紅瞳子癢動脈

眉衝　直攢竹上入髮際。鍼三分禁灸。
主治頭痛或不知香臭動脈

曲差　距神庭旁一寸五分。鍼二分灸三壯。
主治目不明動脈

五處　在曲差後五分。鍼三分留七呼灸三壯。
主治頭痛眩暈動脈

承光　在五處後一寸五分。鍼三分禁灸。
主治頭症一切風動脈

通天 在百會旁一寸五分。鍼三分留七呼灸三壯。
主治頭痛不能轉側動脈

絡郤 在通天後一寸五分。鍼三分留五呼。
主治鼻塞或頭上瘻瘤動脈

玉枕 在絡郤後一寸五分。鍼三分留三呼一曰禁鍼。
主治腦風動脈

天柱 在頭腦後大筋外髮際內五分陷中。鍼五分禁灸。
主治腦痛動脈

大杼 在一椎下節旁一寸五分由脊中取旁開二寸。鍼三分灸十四壯。
主治傷寒汗不出又治喉痺動脈

風門 在二椎下脊中旁二寸。鍼五分留七呼灸五壯。
爲全背之神經不主動與靜二脈之說此穴凡三部無論內外只要關於熱症能代泄諸經之熱兼治外瘍

肺俞 在三椎下去脊二寸。鍼三分留七呼灸三壯。過深鍼中肺三日死。
主治骨蒸肺中一切症痰，喘，咳，逆，

厥陰俞 在四椎下去脊二寸正坐取之。鍼三分灸七壯。
主治胸中一切症

心俞 在五椎下去脊二寸正坐取之。鍼三分留七呼。
主治噎食心煩心恍惚又主健忘

督俞 在六椎下同上。鍼五分灸二十七壯。
主治心與腹痛無定處

膈俞 在七椎下同上。鍼三分留七呼灸三壯。一云可灸百壯。
主治食不下胸膈滿脹痛

肝俞 在九椎下同上。鍼三分留六呼灸三壯。（素問曰）鍼中肝五日死。
主治多怒氣短關於肝症均治

胆兪 在十椎下同上。鍼五分留七呼灸三壯。（素問曰）鍼中胆一日半死。

主治口乾苦燥動脈

脾俞 在十一椎下同上。鍼三分留七呼灸三壯。（素問曰）鍼中脾十日死。

主治飲食不下腹中各症黃疸體重四肢不收並羸瘦動脈

胃俞 在十二椎下同上。鍼三分留七呼灸三壯。一曰隨年壯。

主治一切泄痢小兒如此

三焦俞 在十三椎下同上。鍼五分灸三壯五壯。

主治水穀不化內腹諸種積聚女子亦如此動脈

腎兪 在十四椎下同上。鍼三分留七呼灸三壯。或灸年壯鍼中腎六日死。

主治面黃或黑虛勞關於一切虛症女子赤白帶症男子遺精或淋動脈

氣海兪 在十五椎下同上。鍼五分灸二十一壯。

主治痔漏或腰痛

大腸兪 在十六椎下去脊中二寸伏而取之。鍼三分留六呼灸三壯。

主治脊强不得俯仰繞臍痛腸鳴食不化大小便不利

關元兪 在十七椎下同上。鍼五分灸二七壯。

主治腰痛或受風腹內虛脹女子癥瘕諸症動脈

小腸兪 在十八椎下同上伏取。鍼三分留六呼灸三壯。

主治小便赤又主三焦津液少主淋主帶主濕氣動脈

膀胱兪 在十九椎同上伏取。鍼三分留六呼灸七壯。

主治遺尿陰痛脚膝寒冷無力

中膂兪 二十椎下同上夾脊起肉間伏取。鍼三分留六呼灸七壯。

主治腎經虛動脈

白環兪 在二十一椎下同上伏取。鍼五分灸三壯。得氣則泄泄後多補禁灸

主治腰脊痛風不得俯仰坐立不得動脈

上髎 平關元俞內收五分十七椎下節外。鍼五分灸二十一壯。

主治婦人絕嗣陰挺出治女子下部一切症動脈

次髎 平小腸俞內收五分節外。鍼五分灸二十一壯。

主治淋痳墜帶動脈

中髎 平膀胱俞內收五分節外。鍼五分灸二十一壯。

主治月信不調便不利動脈

下髎 平中膂俞內收五分節外。鍼五分灸二十一壯。

主治小腹引痛女子淋上回髎之穴多治女子內症及下部動脈

會陽 長強外開二寸。鍼五分灸七壯。

主治腹中寒便血久痔陽氣虛陰部多汗爲之濕作癢動脈

附分 在二椎下去脊中三寸正坐取之。鍼三分灸五壯。

主治風行腠理肩背頸項不靈便動脈

魄戶 在三椎下去脊三寸半。鍼五分灸五壯可灸百壯。

此穴能泄五臟之熱其主治虛勞

膏肓 在四椎下去脊三寸半〇取法先令病人正坐微曲脊伸兩手。以臂著膝前令正直。勿令動搖。乃從胛骨上角摸索至胛骨下頭其間。當有四肋三間依胛骨之際容側指許。按其中空處自覺牽引肩中是其穴也。灸七七壯至百壯。鍼五分灸後再灸足三里以引下之。

主治全體百症見症刺其穴無不神效

神堂 在五椎下去脊三寸半。鍼三分灸五壯。

主治惡寒

譩譆　在肩髆內廉六椎下去脊三寸半正坐取之。鍼六分留七呼灸二七壯。
主治瘧瘧久不愈又治多汗補汗不出則泄

膈關　在七椎下去脊中三寸半陷中正坐開肩取之。鍼五分灸五壯。
主治心中悶

魂門　在九椎下去脊中三寸半陷中正坐取之。鍼五分灸三壯。
主治尸厥動脈

陽綱　在十椎下去脊三寸半陷中正坐取之。鍼五分灸三壯七壯。
主消渴動脈

意舍　在十一椎下去脊三寸半正坐取之。鍼五分灸二七壯。
主治惡風寒動脉

胃倉　在十二椎下去脊三寸半正坐取之。鍼五分灸二七壯。
主治腹滿水腫動脉

肓門　在十三椎下去脊三寸半正坐取之。鍼五分灸二七壯。
主治大便堅動脉

志室　在十四椎下去脊三寸半陷中正坐取之。鍼五分灸七壯。
主治陰腫或失精動脈

胞肓　在十九椎下去脊三寸半陷中伏取之。鍼五分灸七壯。
主少腹堅動脈

秩邊　在二十椎下去脊三寸半陷中伏取之。鍼五分灸七壯。
主五痔動脈

承扶　在尻臀下股陰上約紋中。鍼七分留五呼灸三壯。
主五痔兼臀腫動脉

殷門　在承扶下五寸三分。鍼七分留七呼灸三壯。
主治外股腫痛動脈

浮郄 在殷門下一寸。鍼五分灸三壯。
主治大腸結又治霍亂轉筋動脈

委陽 平委中外兩筋中。鍼七分留五呼灸三壯。
主治身滿作熱動脈

委中 在膕中央約紋動脈陷中伏臥取之。鍼五分留七呼禁灸。
主治風吹眉髮脫落又治腰部一切症靜脈

合陽 在委中下四寸大些。鍼六分灸五壯。
主治胻酸腫塞疝偏墜女子崩不止動脈

承筋 在承山上一寸禁鍼灸。鍼承山時愼勿誤鍼。此穴恐有危險。
主治頭熱動脈霍亂轉筋等症

承山 在委中下八寸半。鍼七分灸至七七壯然灸不及鍼。
主治痔腫便血戰慄不能立動脈

飛陽 外踝上七寸向裏一寸。鍼八分灸十四壯。
主治痔不得坐動脈

跗陽 在崑崙上三寸。鍼八分向裏五分留七呼灸七壯。
主治髀樞痛動脈

崑崙 在足外踝後五分跟骨上陷中細動脈應手。鍼五分灸三壯。
主治腰尻足踝腫痛又治小兒發癇動脈凡不能者可刺此穴

僕參 在崑崙下一寸脚根邊上。鍼三分留七呼灸七壯。
主治足痿膝蓋痛動脈

申脈 在脚骨拐下金門後。鍼三分留七呼灸三壯。
主治不能坐立動脉

金門 在外踝正下坵墟後。鍼三分灸七壯。
主治癲癎尸厥小兒張口搖頭身反折動脉

京骨　在申脉前三寸。鍼三分留七呼灸七壯。主治腰脊痺項不能動動脉

束骨　在京骨前二寸小指仆側大孤拐後。鍼三分留三呼灸三壯。主治一切癰疔動脉

通谷　在小指外側本節前孤拐前脚邊紋頭。鍼二分留五呼灸三壯。主治頭痛目眩五臟氣亂

至陰　在足小指外側去爪甲角如韮葉。鍼一分留五呼灸五壯。主治霍亂足心熱婦人横產灸白壯

第七十九課　足少陰腎經

分爲有二動。接受臟中血液入各血管靜。爲輸送液入心養心中血管

內經曰腎者作強之官伎巧出焉。振興爲之作。可爲巔精神。名爲强。此經主人伎巧。是才能精明。腎者主蟄封藏之本。精積聚之地丰原爲封 精之處也。其華在髮。其充在骨。為陰中之太陰。蟄，不見爲伏，潛，可爲。通於冬氣。

北方黑色。入通於腎。開竅於耳。藏精於腎。故病在谿。以此言極廣不過身大小骨間 其味鹹。其類水。其畜彘生繁殖速快者莫於豕也 其穀豆。其應四時。上爲辰星。辰居地支五位辰星，可爲日月交會之所，三光者日月星，凡有火星星爲之辰 是以知病之在骨也。其音羽。其數六。其臭。氣味通鼻皆言臭 腐其液唾。老而衰弱爲 在聲爲呻。腎爲發音最要部分可爲呻。勿作疾病聲而言。

經穴歌　左右五十四穴

足少陰穴二十七。湧泉然谷太谿溢。大鍾水泉通照海。復溜交信築賓寔。陰谷膝內跗骨後。已上從足走至膝。橫骨大赫連氣穴。四滿中注肓俞臍。商曲石關陰都密。通谷幽門寸半闢。折量腹上分十一。步廊神封膺靈墟。神藏或中俞府畢。

經絡循行歌

足腎經脉屬少陰。斜從小指趨足心。出於然谷循內踝。入根上腨膕內尋。上股後廉直貫脊。屬腎下絡膀胱深。直者從腎貫肝膈。入肺挾舌循喉嚨。支者從肺絡心上。注於胸交手厥陰。此經多氣而少血。是動病飢不欲食。欬唾有血喝喝喘。目䀮心懸坐起輒。（指爲無好處）善恐如人將捕之。咽腫舌乾兼口熱。上氣心痛或心煩。黃疸腸澼及痿厥。脊股後廉之內痛。嗜臥足下熱痛切。

經絡循行經文

足少陰之脈。起於小指之下斜。趨足心出然谷之下。循內踝之後。別入跟中。以上腨內。出膕內廉。上股內後廉貫脊。屬腎絡膀胱。其直者從腎上貫肝膈。入肺中循喉嚨。挾舌本支者。從肺出絡心注胸中。

經文集註

足少陰腎之經。起於足小指之下。斜趨足心之湧泉。轉出內踝前。起大骨下之然谷。循內踝下照海。行入內踝後之太谿。下水泉過跟中之大鍾。上循內踝。行厥陰太陰兩經之後。經本經復溜交信穴。過脾經之三陰交。上腨內循築賓。出膕內廉抵陰谷。上股內後廉。貫脊、會督脈之長強。還出於前。循橫骨大赫氣穴。四滿、中注、肓俞、當肓俞之所。臍之左右屬留腎。（足少陰腎經故其脈屬腎。）下臍過任脈之關元。中極而絡膀胱。（膀胱爲腎之雄故脈絡膀胱。）其直行者。從肓俞屬腎處。上行循商油。石關、陰都、通谷諸穴。貫肝上循幽門上膈。歷部郎入肺中。循神封靈墟。神藏或中俞府。而上循喉嚨。並人迎挾舌本而終絡。其支者。自神藏別出繞心。註心中之膻中。以交於手厥陰心胞絡經也。

第八十課　足少陰腎　共二十七穴

湧泉 在足心陷中屈指卷指宛宛中。鍼三分留三呼灸三壯。一日鍼不宜見血。
主治尸厥面黑心中結熱全體風疹動脈

然谷 在公孫後一寸。鍼三分留三呼灸三壯。
主治渴消足一寒一熱又治小兒臍風

大谿 在足內踝後五分。鍼三分留七呼灸三壯。
主治煩心不眠動脈

太鍾 在照海後一寸半。鍼二分留三呼灸三壯。
主治小便洒洒又治呆癡動脈

照海 在內踝下一寸。鍼四分留六呼灸三壯。一日鍼三分灸七壯。
主治半身不遂四肢懈惰動脈

水泉 在內踝下微後直太谿下。鍼四分灸五壯。
主治四肢痺又主盜汗動脈

復溜 在交信後五分與交信並排。鍼三分留三呼灸五壯七壯。
主治女子月事動脈

交信 在三陰交下一寸後開些。鍼四分留五呼灸三壯。
主治赤白痢及腹疼兼治五淋動脈

築賓 在三陰交直上二寸後開一寸二分。鍼三分灸五壯。
主治吐舌吐涎沫膈痛又治小兒胎疝動脈

陰谷 在曲泉後橫直一寸半微下些。鍼四分留七呼灸三壯。
主治舌縱小腹疝氣引陰動脈

横骨　在赫下一寸肓俞下五寸去中行五分。鍼五分灸三壯五壯。甲乙經曰鍼一寸。

主治五淋小便不通

大赫　在氣穴下一寸去中行五分。鍼三分灸五壯。千金云三十壯。甲乙經作鍼一寸。

主治陰莖痛

氣穴　在四滿下一寸去中行五分。鍼三分灸五分。甲乙經作鍼一寸。

主治奔豚引痛與腰

四滿　在中注下一寸去中行五分。鍼三分灸三壯。甲乙經云。鍼一寸。千金云。灸百壯。

主治腹中一切積聚動脈

中注　在肓俞下一寸去中行五分。鍼一寸灸五壯。一云鍼五分。

主治女子月信不守動脈

肓俞　在商曲下一寸半直臍傍相去五分。鍼一寸灸五壯。一云鍼五分。

主治大便燥動脈

商曲　在石關下二寸去中行五分。鍼一寸灸五壯。一云鍼五分。

主治腹中一切痛動脈

石關　在陰都下一寸少去中行五分。鍼一寸灸三壯。一云鍼五分。

主治女子無子久不孕又治腹痛不忍動脈對孕婦禁針灸

陰都　在通谷下二寸少去中行五分。鍼三分灸三壯。甲乙經曰鍼一寸。千

金云灸隨年壯。主治婦女無子灸百壯

通谷 在幽門下二寸少去中行五分。鍼五分灸五壯。主治目不明鼻清涕動脈

幽門 在巨闕傍各五分。鍼五分灸五壯。主治食不下善吐出動脈

步廊 在中庭傍二寸。鍼三分灸五壯。主治咳逆不得息動脈

神封 在步廊上一寸少去中行二寸。鍼三分灸五壯。主治咳嗽氣滿胸不得臥動脈

靈虛 在神封上二寸少去中行二寸。鍼三分灸五壯。主治惡寒動脈

神藏 在靈墟上一寸少去中行二寸。鍼三分灸五壯。主治胸滿動脈

彧中 在神藏上二寸少去中行二寸。鍼四分灸五壯。主治胸脇滿動脈

兪府 在彧中上二寸少去中行二寸。鍼三分灸五壯。主治一切風痰動脈

第八十一課 手厥陰心包絡經

滑氏曰。手厥陰心主。又曰心包絡。何也。所問之言詞 曰君火以名。相火以位。手厥陰代君火行事。以用而言。故曰手心主。以經而言。曰心包絡。一經而二

名。寔相火也。

經穴歌

共左右十八穴

九穴心包手厥陰。天池天泉曲澤深。郄門間使內關對。大陵勞宮中衝侵。

經絡循行歌

手厥陰經心二十一標。心包下膈絡三焦。起自胸中支出脇。下腋三寸循臑超。太陰少陰中間走。入肘下臂兩筋超。行掌心從中指出。支從小指次指交。是經少氣原多血。是動則病手心熱。是主脉所生病者。掌熱心煩心痛掣。

厥陰爲氣。指定此經。與心經有直接關係。口之發聲。在該經。其標以心爲主爲本。有脉而經過可爲超。

手太陰之胞。手少陰心。兩經之間。中間行。

經絡循行經文

手厥陰心主之脈。起於胸中。出屬心包下膈。歷絡三焦。其支者循胸出脅下腋三寸上抵腋下。下循臑內行太陰少陰之間。入肘中下臂。行兩筋之間。入掌中循指。出其端。其支別者。掌中循小指次指出其端。

經文集註

手厥陰心包絡之脈。起於胸中。（心主者心之所主也。包絡爲心之府故名。）出屬心下之包絡。受足少陰之交也。由是下膈。歷絡三焦。（三焦爲膈之維。故心包絡脈。歷絡三焦之經。諸經皆無歷字。此獨有之遶上中下也。）歷者謂三焦各有部署。在胃脘上中下之間。其脈分絡于焦也。其支者。自屬心胞上循胸。出脇下腋三寸天池穴。上行抵腋下。下循臑內之天泉。以界手太陰肺經。手少陰心經。兩經之中間。（太陰行臑之前。少陰行臑之後。而心主行其中也。）入肘中之曲澤穴。又由肘中下臂兩筋之間。循郄門間使。內關大陵。入掌中勞宮。循中指出其端之中沖穴。其支別者。行者。自勞宮。別循無名指。出其端。而交於手少陽三焦也。

第八十二課　手厥陰心包絡　穴址

天池　在乳後一寸下五分。鍼三分灸三壯。（去腋三寸即四肋骨主治目䀮䀮不明臂液腫痛四肢不舉熱病汗不出動脈）

天泉　在臂內極泉直下一寸大些。鍼六分灸三壯。一日鍼二分。（主治惡風惡寒胛骨引於臂痛動脈）

水無聲色以通其路可爲道瀆爲河意等與溝瀆或發於象亦作水意坎爲水爲溝瀆霧爲蒸氣漚爲水反瀆由下而上行

曲澤 在臂內廉橫紋正中居手太陰尺澤之後。鍼三分留七呼灸三壯。（主治肘臂搖動肘不能伸爲之主穴動脈）

郄門 在掌後去腕五寸。鍼三分灸五壯。（主治嘔吐血神氣不足動脈）

間使 在掌後三寸。鍼三分留七呼灸五壯。（主治中風傷寒心懸如饑霍亂或一切暴卒症此穴回生之力凡關於上焦之症無回生神經脈）

內關 在掌後去腕二寸兩筋間。與外關相對。鍼五分灸五壯。（主治中風昏迷不省人事又治舌裂口出血動脈）

大陵 在掌後正橫紋陷中。鍼三分留七呼灸三壯。（主治胸中一切症並善笑不休驚恐悲泣小便如血色及口臭雙脉）

勞宮 在掌心屈中指無名指取之居中是穴。鍼二分灸三壯。（主治中風黃疸口臭口腥鵝風小兒五癇均治動脉）

中衝 在手中指端去爪甲如韮葉。鍼一分留三呼灸一壯。（主治身熱如火中風不省人事凡初步中風列如牙關緊閉如藥亦不能入於可刺用三稜針可使氣血流通此穴爲掌指之神經動脈）

第八十三課　手少陽三焦經

內經曰。三焦者決瀆之官（如同壅溝而出無阻）水道出焉。（經氣亦氣化合液體無色臭與寒暑度同）

又云上焦如霧中焦如漚下焦如瀆。（液體之本滲諸氣膈膜而出）人心湛寂（心志動爲湛爲動）欲想不興則精氣散。在三焦。

（無底之河無頭之液體是何臟府氣綫之行爲宣吸撮爲聚意）

榮華百脈及其想念一起。慾火熾然翕撮三焦精氣流溢並於命門。（翕吸爲開撮分爲精聚）輸瀉而去故號此府。爲三焦。

經穴歌

二十三穴主少陽。關衝液門中渚旁。陽池外關支溝正。會宗三陽四瀆長。
天井清冷淵消濼。臑會肩髎天髎堂。天牖翳風瘈脉青。顱息角孫絲竹張。
禾髎耳門聽有常。左右四十六穴

經絡循行歌

手少陽經三焦脉。起手小指次指間。循腕出臂之兩骨。貫肘循臑外上肩。
交出足少陽之後。入缺盆布膻中傳。散絡心包而下膈。循屬三焦表裏聯。
支從膻中缺盆出。上項出耳上角巔。以出下頰而至䪼。支從耳後入耳緣。
出走耳前交兩頰。至目銳眥胆經連。是經少血還多氣。耳聾嗌痛及喉痺。
氣所生病汗多出。頰腫痛及目銳眥。耳後肩臑肘臂外。皆痛廢及小次指。

經絡循行經文

手少陽之脉。起於小指次指之端。上出兩指之間。循手表腕出臂外兩骨之間。上貫肘循臑外。上肩而交出足少陽之後。入缺盆交膻中散絡心包。下膈循屬三焦。其支者從膻中上出缺盆。上項挾耳後。出耳上角以屈下頰至䪼。其支者。從耳後入耳中。出走耳前。過客主人。交頰至目銳眥。而終。

經文集註

手少陽三焦經之脉。起於小指次指之端。關衝穴。上屈歷液門中渚。四指之間。循手表腕之陽池。出臂外兩骨之間。至天井穴。從天井上行循臂臑之外。歷清冷淵消濼。行手太陽之裏。手陽明之外。上肩循臑會肩髎交出足少陽之後。足少陽。在手少陽之後。上肩而手少陽復在其後。過秉風肩井。下入缺盆。復由足陽明之外。而會於膻中之上焦。散布絡繞於心包絡。心包絡爲三焦之雌。故三焦脉散絡心包也。乃下膈。入絡膀胱。以約下焦。附右腎而生。所謂偏屬三焦者。手少陽爲三焦之經。故其脈偏屬三焦。其支行者。從膻中而上。出缺盆之外。上項過大椎。循天牖。上耳後。經翳風。瘈脈。顱顖。直上出耳。上角至角孫。過懸厘。頷厭。及過陽白睛明。屈曲耳頰。至頔。會顴髎之分。其又支行者。從耳後。翳風穴。入耳中。過聽宮。歷耳門。禾髎。郤出至目銳眥。合童子髎。循絲竹空而交於足少陽膽經也。

第八十四課　手少陽三焦經考正穴法

關衝 在手無名指外側去爪甲角如韮葉。鍼一分留三呼灸三壯。
主治霍亂胸中氣噎頭痛其他體中熱症中風暴卒不省人事者刺動脈

液門 在手小指次指根間合縫紋頭。鍼二分留二呼灸三壯。
主治驚悸妄言及咽腫目淚自出動脈

中渚 在手無名指與小指本節後骨陷中。鍼二分留三呼灸三壯。
主治熱症目不明久瘧手臂紅腫動脈

陽池 在手表腕上陷中自本節後骨直對腕中。鍼二分留六呼灸三壯。
主治消渴口乾心煩及手腕一切症

外關 在陽池後二寸兩筋間陷中。鍼三分留七呼灸三壯。
主治全背痲痛腫或不舉連同手掌並指一切症均治動脈

支溝 在陽池後三寸。鍼二分留七呼灸七壯。
主治口噤暴喑產後暈血並熱症或筋作酸此穴能泄三焦相火動脈

會宗 平支溝向外一寸禁鍼可灸三壯。
主治皮膚疼痛小兒五癎均治動脈

三陽絡　陽池後四寸對支溝禁鍼可灸三壯。
主治暴瘖不能言嗜臥不欲動動脈

四瀆　陽池後五寸禁鍼可灸三壯。
主治一切齒痛動脈

天井　以手摸肩大臂灣上一寸二大骨陷中。鍼八分灸十四壯。
主治頸項肩背一切瘰癧腫或體之風疹動脈

清冷淵　在肘後寸半距天井一寸。鍼三分灸三壯。
主治體中一切風痺動脈

消濼　在臂臑下二寸後開一寸。鍼五分灸五壯。
主治風痺並頸項强腫痛動脈

臑會　在消濼上二寸微前。鍼五分灸五壯。
主治背痛及臂酸而無力雙脈

肩髎　在肩顒後肩端陷中。鍼七分灸七壯。
主治臂痛不能舉動轉

天髎　在肩井內一寸後開八分肩外俞上一寸。鍼八分灸三壯。
主治缺盆痛引肩雙脈

天牖　在風池下一寸微外些。鍼一分留七呼。不宜補及灸犯之令人面腫。
主治面腫頭風項强不得回顧動脈

翳風　在耳根下八分。鍼三分灸七壯。
主治口眼喎斜口不開頰腫動脈

瘈脈　在翳風上一寸稍近耳根。鍼一分灸三壯。
主治頭風耳鳴小兒驚癇瘈瘲動脈

顱息　在瘈脈上一寸大些。鍼一分灸三壯（以上翳風瘈脈顱顖三穴禁出血）
主治頭症動脈

合勇敢伎儀熱
血人皆在此也
是經在消化食
物脂肪生質均
是懈之

角孫　在客主人上一寸。鍼三分灸三壯。（主治牙齒不能嚼物動脈）

耳門　在耳前肉峯下缺口外。鍼三分留三呼灸三壯。（主治耳中症及流濃汁動脈）

和髎　在眉直後髮際。鍼三分灸三壯。（灸甚傷目）（主治牙根痛動脈）

絲竹空　在眉尾直對陷中。鍼五分留三呼禁灸。（主治目赤痛瘥眩翳卷毛倒睫動脈）

第八十五課　足少陽膽經

內經曰。膽者中正之官（不偏倚爲之中）。決斷出焉。凡十一經皆取決於膽也。膽爲青腸（爲一經之一胆在肝之右葉短葉間爲消化食物主要部分又生脂肪質之所油之質凝結）。又曰膽爲清淨之府（無滓濁爲清）。諸腑皆傳穢濁獨膽無所傳道（醫學授之與人爲傳道其理告之與人亦爲傳道）。故曰清淨虛則目眩。若吐傷膽倒則視物倒植（視物顚倒爲之倒植）。

經穴歌

足少陽經童子髎。四十三穴行迢迢。聽會上關頷厭集。懸顱懸厘曲鬢翹。率骨天衝浮白次。竅陰完骨本神邀。陽白臨泣目窗闢。正營承靈腦空搖。風池肩井淵液部。輒筋日月京門標。帶脉五樞維道續。居髎環跳風市招。

中瀆陽關陽陵穴。陽交外丘光明宵。陽輔懸鍾坵墟外。臨泣地五會俠谿。
第四指端竅陰畢。

經絡循行經文

足少陽之脈起於目銳眥。上抵頭角。下耳後。循頸行手少陽之脉前。至肩上却交出手少陽之後。入缺盆。其支別者。從耳後入耳中。出走耳前。至目銳眥下。大迎合手少陽於䪼下挾頰車下。頸合缺盆以下胸中。貫膈絡肝屬膽。循脅裏出氣街。繞毛際。橫入髀厭中。其支者。從缺盆下腋循胸中過季脅下。合髀厭中。以下循髀陽出膝外廉。下外輔骨之前。直下抵絕骨之端。下出外踝之前。循足跗上出小指次指之端。其支者。從跗上入大指骨內出其端。還貫爪甲出三毛。

經文集註

足少陽膽經之脈。起於目銳眥之童子髎。由聽會過客主人。上抵頭角。循頷厭。下懸顱懸厘。由懸厘上循耳上髮際。至曲鬢率谷。外折。下耳後。循天衝。浮白。竅陰。完骨。又自完骨外折。循本神過曲差。下至陽白會睛明。上行循臨泣。目窗正應承靈。腦空。風池。至頸。過天牖。行手少陽之脉前。下至肩上。循肩井。郤左右交出手少陽之後。（足少陽行頸行手少陽之前。至肩上。手少陽。復在足少陽之前。）過大椎。大杼。秉風。當秉風前。入缺盆之外。其支者。從耳後顳顬間。過翳風之分。入耳中過聽宮。復自聽宮至目銳眥。童子髎之分。其支者。別自目外童子髎。而下大迎。合手少陽於䪼。而當顴髎之分。下臨頰車。下頸循本經之前。與前之入缺盆者、相合。下胸中天池之外。貫膈即其門之所絡肝。（肝為胆之雌。故胆脈絡於肝也。）下至日月之分。屬於胆也。（足少陽為胆之經。故其脈屬胆也。）自屬胆處、循脇內章門之裏。至氣衝。遶毛際。遂橫入髀厭之環跳穴。其直行者。從缺盆下腋循胸。歷淵液。輒筋。過季脇。（脇骨曰肋。禾處曰季肋。）循京門帶脈。五樞。維道。居髎、而下。與前之入髀厭者。相合。乃下循髀外。行太陽、陽明之間。歷中瀆、陽關、出膝外廉。抵陽陵泉。又自陽陵泉。下行於輔骨前。輔骨。謂輔佐骱骨之骨。在骱之外。歷陽交外邱。光明。直下抵絕骨之端。循陽輔懸鍾而下。出外踝之前。至坵墟。循足面之臨泣。五會。俠谿。乃上入小指次指之間。至竅陰而終。其支別者。自足附面臨泣。別行入大指。循岐骨內。出大指端。還貫入爪甲。出三毛以交於足厥陰肝經也。是大指次指本節後。骨縫爲岐骨。大指甲後二節間爲三毛。

第八十六課　足少陽胆經考正穴法

童子髎　在目外去小眥五分。鍼三分灸三壯。主治頭痛目出淚目癢目眥生翳爲目之神經動脈不宜灸

聽會　在耳前肉峯之前。上有下關下有耳門此穴居中。鍼四分灸三壯。主治中風口喎斜耳鳴耳聾爲面之神經動脈

客主人　在下關上五分。鍼一分留三呼灸三壯。甲乙經曰鍼太深令人耳無聞。一曰禁鍼。一曰鍼上關不得深。下關不得久。此穴爲禁穴不主症動脈

頷厭　在懸顱上五分與風池上下相對有二寸風池微向外些。鍼三分留三呼。灸三壯。氣府論註曰。鍼深令人耳無所聞。主治目眩多嚏或牛面頭痛動脈

懸顱 與竅陰並竅陰在前。懸顱在後。相距三分大些。鍼三分留三呼灸三壯。
主治頭中症並引目不能瞻動脉

懸釐 與完骨並、完骨在前。懸釐在後。相距三分上直頷厭一寸下直風池一寸。鍼三分留七呼灸三壯。
主治頭腫面腫目銳眥痛動脉

曲鬢 在耳上入髮際。一寸微後些。直顱息。鍼三分灸三壯。
主治項不得顧頷頰腫引牙車不得開口又不能言為面上筋之神經

率谷 在耳上直入髮際一寸高於曲鬢相距八分。鍼三分灸三壯。
主治頭皮膚腫或痛或癢動脈

天衝 在頷厭上四分。橫直浮白。鍼三分灸三壯。
主治風痙此為筋脊強反張等於中風又治驚恐動脉

浮白 在耳上輪根入髮際一寸橫直天衝。鍼三分灸三壯。
主治不得喘息頭項生癭可求此穴動脈

竅陰 在浮白下一寸瘈脉後八分微上處髮際下。鍼三分灸三壯。
主治四肢轉筋目痛又治一切熱症或外瘍動脈

完骨 在竅陰下七分髮際中。鍼三分留七呼灸三壯。
主治口眼喎斜又治頭癭動脉

本神 在臨泣旁一寸入髮際五分。鍼三分灸七壯。
主治驚癎吐沫胸脇引痛難行動動脈

陽白 在眉上七分直瞳子。鍼二分灸三壯。
主治頭痛寒戰不止動脉

臨泣 在目上直入髮際五分距曲差一寸少。鍼三分灸三壯一曰禁灸。
主治眼中諸疾及瞳子上反或牛翳動脈

目窗 在臨泣後一寸少。鍼三分灸五壯。
主治遠視不明動脈

正營 在目窗後二寸少。鍼三分灸三壯。
主治齒中一切症動脈

承靈 在曲鬢後寸半微高。鍼三分灸五壯一曰禁鍼。
主治腦風頭痛鼻不通或惡風

腦空 在懸顱後七分風池上寸半。鍼四分灸五壯。
主治目引鼻痛動脈

風池 在天柱外八分下些天牖斜上六分入髮際陷中。鍼四分灸三壯七壯。炷不用大。
主治中風一切熱症令體時痛動脈

肩井 在肩上陷解中缺盆上大骨前一寸半以三指按取之當中指下陷者中。鍼五分灸三壯。孕婦禁鍼。
主治中風開氣主穴動脈

淵腋 在腋下三寸宛宛中。鍼三分禁灸灸之不幸生腫蝕馬刀瘍內潰者死。
禁針灸爲肩胛肋三部之神經

輒筋 在腋下三寸復前行一寸著脅。鍼六分灸三壯。
主治多睡或言語不止動脈

日月 在期門直下八分。鍼七分灸五壯。
主治多吐口液動脈

京門 直對章門外開二寸。鍼三分留七呼灸三壯。一云鍼八分。
主治腰脊痛不能久立或俛仰動脈

帶脈 在京門直下二寸。鍼六分灸五壯。

主治婦女腹痛月經不調赤白帶下經水行時腰痛動脈

五樞 在帶脈直下三寸。鍼一寸灸五壯。

主治陰疝睾丸入腹或女子帶症動脈

維道 對章門直下七寸。鍼八分灸三壯。

主治腹中脹並水症動脈

居髎 在維道下二寸後開五寸環跳前横直環跳相去三寸微高些。鍼八分灸三壯。

主治腰痛引至小腹痛動脈

環跳 在髀樞中側臥伸下足屈上足取之有大空。鍼一寸留十呼灸三壯。甲乙經云留二十呼灸五十壯。

主治半身不遂腰跨酸痛麻木此穴爲臀之神經

風市 在膝上外廉兩筋中伸手着腿中指盡處是穴。

主治腿膝無力脚氣作癢動脉

中瀆 在髀骨外膝上五寸分肉間陷中。鍼五分留七呼灸五壯。

主治寒氣行於膝理間不退其體麻木不仁動脉

陽關 在膝眼旁一寸。鍼五分禁灸。

主治股膝冷寒不能屈伸動脈

陽陵泉 在三里上六分横開二寸。鍼六分留十呼灸七壯至七七壯。

主治全體之筋症偏枯半身不遂及一切筋攣動脈

陽交 在外踝上七寸。鍼六分留七呼灸三壯。

主治膝痛或痓狂面腫亦消動脉

東北炎上騰 東條直 春
東南景弱 南巨大 夏
西南涼艮 西颸飛 秋
西北麗天 北寒慄 冬

外丘 在外踝上七寸與陽交在一處外丘在前。陽交在後外丘高三分。鍼三分灸三壯。

如惡太傷毒不出或癲風狂動脈

光明 在懸鐘上一寸八分。鍼六分留七呼灸五壯。

主治汗不出熱病狂嚙頰淫濼腫胻酸痛不能久立虛症[illegible]而不起實而痛動脈

陽輔 在光明懸鐘二穴之中微向外。鍼三分留七呼灸三壯。

主治百節酸痛不能行立動脈

懸鐘 在足外踝上三寸當骨尖前。動脈中鍼六分留七呼灸五壯。

主治胃熱不食而心腹滿脹動脈

坵墟 在足外踝下微前陷中。鍼五分留七呼灸三壯。

主治足脛偏細及一切轉筋動脈

臨泣 距俠谿一寸六分距地五會一寸。鍼二分留五呼灸三壯。

主治支滿一切乳癀症動脈

地五會 在俠谿後一寸鍼一分禁灸。甲乙經曰。灸之令人瘦不出三年死。

治乳癰動脈

俠谿 在足小指次指間合縫紋頭岐骨間。鍼三分留三呼灸三壯。

治頷腫口噤動脈

竅陰 在足小指次指外側去爪甲如韮葉。鍼一分留三呼灸三壯。

治中風並一切急症其他見六六動脈

第八十七課　足厥陰肝經

內經曰肝者將軍之官。謀慮出焉。

肝爲流動心液之所造成人體强健者在肝經血液如何。

肝者罷極之本魂之居也。其華在爪。其充在筋。以生血氣爲（春爲）陽中之少陽。通於春氣。

東方青色入通於肝。開竅於目。藏精於肝。故病發驚駭。其味酸。其類草木。其畜鷄（光明扎爲雞眼）。其穀麥（五穀最惡之類爲之麥）。其應四時上爲歲星。是以知病之在筋也。其音角。其數八。其臭臊。其液泣。在聲爲呼。

經穴歌

一十四穴足厥陰。大敦行間太衝侵。中封蠡溝中都近。膝關曲泉陰包臨。五里陰廉羊矢穴。章門常對期門深。共二十六穴

經絡循行歌

足厥陰肝脉所終。大指之端毛際叢。循足跗上上內踝。出太陰後入膕中。循股入毛繞陰器。上抵小腹俠胃通。屬肝絡胆上貫膈。布於脇肋循喉嚨。上入頏。顙連目係。出額會督頂巓逢。支者後從目係出。下行頰裏交環唇

支者從肝別貫膈。上注於肺及交宮。是經血多而氣少。腰痛俛仰難爲工。
婦少腹腫男㿗疝。嗌乾脫色面塵蒙。胸滿嘔逆及飧泄。狐疝遺尿或閉癃。

經絡循行經文

足厥陰之脉。起於大指叢毛之際。上循足跗上廉出內踝一寸。上踝八寸。交出太陰之後。上膕內廉循股陰八毛中。環陰器抵少腹。挾胃屬肝。絡胆上貫膈。布脇肋循喉嚨之後。入頏顙連目係。出額與督脈會於巔。其支者從目系下頰裏。環唇內。其支者復從肝別貫膈上注肺中。

經文集註

足厥陰肝之經。起於足大指。叢毛之大敦。(叢毛即三毛)循足附上廉。歷行間太衝。抵內踝前一寸之中封。自中封上踝過三陰交。歷蠡溝中都。復上一寸。交出太陰之後。(足厥陰經、行足太陰之前、上踝八寸。而厥陰復太陰之後也)上膕內廉。至膝關曲泉。循股內之陰包。五里陰廉。逐當冲門府舍之分。入毛際中。左右相環遶陰器。抵小腹而上會曲骨。中極。關元。復循章門。至期門之所。挾胃屬肝。（足厥陰爲胆之雌。故其脉屬於肝）下日月之分。絡於胆也。（膽者肝之雄。故肝脉絡於膽）。又自期門上貫膈。行食竇之外。大包之內。散布脇肋。上雲門淵液之間。人迎之外。循喉嚨之後。上出頏顙。（靈樞經曰頏顙者、分氣之泄地）。行大迎。地倉。四白。陽白之外。連目係上出額。行臨泣之裏。與督脈相會於巔頂之百會。其支行者。從目系下行任脉之外。本經之裏。下頰裏。支環於脣之內。其又支者。從期門屬肝處。別貫膈。行食竇之外。本經之裏。上注肺下。行至中脘之分。以交於手太陰肺經也。十二經一周已盡。

第八十八課　足厥陰肝經考正穴法

大敦　在足大指爪甲根後四分節前。鍼二分留十呼灸三壯。
主治五淋七疝小便數欠陰痛引腹或女子陰挺出其他尸厥

行間　大指次指合縫後五分。鍼三分留十呼灸三壯。
主治中風目暝不欲視女子崩漏男子白濁或遺尿小兒驚風動脈

太衝　在行間後寸半横距陷谷一寸少。鍼三分留十呼灸三壯。
主治恐懼氣不足小兒胎疝

中封　在内踝前一寸微下些。鍼四分留七呼灸三壯。千金云五十壯。
主治失精或陰縮入腹動脈

蠡溝　在内踝前上五寸。鍼二分留三呼灸三壯。三陰交二寸外五分
主治腰脊不能俛仰或臍下積聚如杯動脈

中都　在蠡溝上二寸半。鍼三分留六呼灸五壯。
主治女子產後惡露不絕動脈

膝關　在犢鼻下一寸二分　向裏横開寸半下直中都相距五寸。鍼四分灸三壯。
主治膝節一切症腫，痛，寒，風，不能動動脈

曲泉　在横紋頭。鍼六分留七呼灸三壯。
主治陰莖痛或腫其他症動脈

陰包　在股内廉膝上三寸横直陰市。鍼六分灸七壯。
腰尻及小腹連引痛小便難動脈

五里　横直髀關。鍼六分灸五壯。
腸風熱閉不能溺動脈

陰廉　五里。上一寸鍼八分留三呼灸三壯。
婦女不孕可刺此穴有子動脈

羊矢　一名急脈在曲骨旁三寸禁鍼可灸五壯。羊矢穴爲發氣之所有地點無定刺遇症可以灸
㿗疝及小腹痛寒冷

章門　平下脘外開六寸妙手鍼二寸灸七壯。
主治腹中症或四肢懶動脈

期門　平巨闕外開四寸五分妙手鍼五分灸七壯。屍下一寸

主治傷寒症或胸中煩熱之極動脈

第八十九課　奇經八脈之一　任脉

前胸中行之大脉也。此經不取井滎俞經合也。脉起中極之下以上毛際。循腹裏上關元至喉嚨屬陰脈之海。以人之脉絡周流於諸陰之分譬猶水也。而任脉則爲之總會。故名曰陰脉之海焉。用鍼用藥當分男女。婦女月事多主衝任是任之爲言妊也。乃婦人生養之本調攝之源督。則由會陰而行背任。則由會陰而行腹人身之有任督。猶天地之有子午也。人身之任督以腹背言天地之子午以南北言可以分可以合者也。分之以見陰陽之不雜合之以見渾淪之無間一而二、二而一也。蓋明任督以保其身。亦猶明君能愛民以安其國也。民斃國亡任衰身謝此至理也。此脉於胃脘之上中下三部刺之最多也。

任脉經穴歌

任脉三八起陰會。曲骨中極關元銳。石門氣海陰交仍。神闕水分下脘配。

建里中上脘相連。巨闕鳩尾蔽骨下。中庭膻中慕玉堂。紫宮華蓋璇璣夜。天突結喉是廉泉。唇下宛宛承漿舍。

經絡循行經文

素問骨空論曰。任脈者起於中極之下。以上毛際。循腹裏。上關元。至咽喉上頤。循面入目。

靈樞、五音味篇曰。衝脉任脉皆起於胞中。上循背裏。爲經絡之海。其浮而外者。循腹上行。會於咽喉。別而絡口唇。

經文集註

任脉者。起於中極之下。中極者穴名也。在少腹巨毛處之上毛際也。中極之下。謂曲骨之下會陰穴也。以上毛際。循腹裏上關元者。謂從會陰。循內上行。會於衝脈。爲經絡之海也。其浮而外者。循腹上行。歷本經中行諸穴。至於咽喉。別絡口唇。至於承漿而終。上頤循面入目至睛明者。謂不直交督脉。由足陽明承泣穴。上頤循面。入目内眥之足太陽。睛明穴。始交於督脈。總爲陰脉之海也。

·第九十課　任脉考正穴法

會陰　在大便前小便後兩陰間正中。鍼二寸留三呼灸三壯。一曰禁鍼灸。惟卒死者鍼一寸補之。溺死者令人倒駄出水用鍼補之。尿屎出則活。餘不可鍼。

陰濕，痛，痔，及陰中諸症動脈

曲骨　在横骨上中極下一寸毛際陷中動脉。鍼一寸五分留七呼灸三壯。一曰鍼八分灸七壯至七七壯。

小便脹滿或痂及小腹痛失精

中極　在臍下四寸。鍼八分留十呼灸三壯。一曰可灸百壯至三百壯。孕婦不可灸。

陽氣虛冷氣時上冲心尸厥恍惚婦人下元虛冷及血症動脈

關元　在臍下三寸。鍼八分留七呼灸七壯。甲乙經云。鍼二寸氣府論註曰。鍼一寸二分。一曰可灸百壯至三百壯。千金曰婦人鍼之則無子。

腹痛如絞腹冷小腹冷氣串白濁五淋如夢遺奔豚及腹中一切症動脈

石門 在臍下二寸。鍼六分留七呼灸五壯。一日灸二七壯至百壯。一云不宜多灸。令人敗傷。婦人禁鍼灸。犯之終身絕孕。

氣海 在臍下一寸半宛宛中。鍼八分灸五壯。甲乙經曰鍼一寸三分。一日灸百壯孕婦不可灸。

腹脹如石或泄泄不止動脉

陰交 在臍下一寸。鍼八分灸五壯。一日灸百壯孕婦不可灸。

腹中症或陽脫正在極危時只要四肢不冷可治動脉

婦女惡露不止或不得小便動脉

神闕 在當臍中灸三壯禁鍼。鍼之令人惡瘍潰失死不治。一日納乾炒淨鹽滿臍上加厚薑一片蓋定灸百壯。或以川椒代鹽亦妙。

婦女不受胎或各種風症無論老幼及嬰兒風症或脫肛

水分 在臍上一寸下脘一寸禁鍼灸五壯。甲乙經曰鍼一寸孕婦不可灸。

冲脉氣行至臍地繞痛而人之呼吸氣肚痛也動脉

下脘 在建里下一寸臍上二寸鍼八分灸五壯。一日二七壯至百壯孕婦不可灸。

建里 在臍上三寸中脘下一寸。鍼五分留十呼灸五壯。一云宜鍼不宜灸。

食穀不化腹內塞極瘦弱翻胃動脉

孕婦尤忌之。

主治腸鳴身腫動脉

中脘 在臍上四寸上脘下一寸。鍼八分灸七壯。一云二七壯至百壯。孕婦不可灸。

腹內有癥瘕或伏梁腸鳴如雷聲及噎膈動脈

上脘 在臍上五寸巨闕下一寸半去弊骨二寸。鍼八分留七呼灸五壯。千金云。日灸二七壯。至百壯三報之孕婦不可灸。

心煩心熱驚風怔忡嘔血心疼動脈

巨闕 在鳩尾下一寸。鍼六分留七呼灸七壯。一曰鍼三分灸七七壯。

心疼或發狂動脈

鳩尾 在臆前弊骨下五分無弊骨者。從岐骨際下行一寸禁鍼灸一云。可鍼三分灸三壯。此穴大難下鍼。非甚妙高手不可輕鍼。

各種風病動脈

中庭 在膻中下一寸六分陷下仰而取之。鍼三分灸五壯。

小兒吐乳動脈

膻中 玉堂下一寸六分橫兩乳孔間仰臥取之。禁鍼。灸七壯。鍼之不幸令人夭。甲乙經曰鍼三分。

一切氣短動脈

玉堂 在紫宮下一寸六分陷中仰而取之。鍼三分灸五壯一云少灸。

喘不得息食不下飲不入只要飲食入口即噎出動脈

紫宮 在華蓋下一寸六分陷中仰而取之。鍼三分灸五壯。

胸部痛動脈

華蓋　在璇璣下一寸六分陷中仰而取之。鍼三分灸五壯。
胸脇滿痛動脈

璇璣　在天突下一寸陷中仰而取之。鍼三分灸五壯。
喘急不能言動脈

天突　在結喉下三寸宛宛中。鍼五分留三呼灸二壯。甲乙經曰。低頭取之鍼入一寸。
主治暴音或中風不語一切喉症舌症動脈

廉泉　在頷下結喉上中央舌本下仰而取之。鍼三分留三呼灸三壯。
舌腫喉腫或舌根縮動脈

承漿　在頤前下唇稜下陷中。鍼二分留五呼灸三壯。
中風口眼斜口不開動脈

第九十一課　督脈

此脉不取井滎兪原經合也。脉起下極之腧。並於脊裏。上至風府。入腦上巔。循額至鼻柱。屬陽脉之海。以人之脉絡。周流於諸陽之分。譬猶水也而督脉則爲之都綱。故名曰海焉。用藥難拘定法。鍼灸貴察病源。

督脉經穴歌

督脉中行二十八。長強腰俞陽關密。命門懸樞接脊中。筋縮至陽靈臺逸。

神道身柱陶道長。大椎平肩二十一。啞門風府腦戶深。強間後頂百會率。
前頂顖會上星圓。神庭素髎水溝窟。兌端開口唇中央。齦交唇內任督畢。

經絡循行歌

督病少腹衝心痛。不得前後衝疝攻。其在女子爲不孕。嗌乾遺溺及痔癃。
任病男疝女瘕帶。衝病裏急氣逆衝。
督起小腹骨中央。入係廷孔絡陰器。會纂至後別繞臀。與巨陽絡少陽比。
上股貫脊屬腎行。上同太陽起內眥。上額交巔絡腦間。下項循肩仍挾脊。
抵腰絡腎循男莖。下纂亦與女子類。又從少腹貫臍中。貫心入喉頤及唇。
上繫目下中央際。此爲並任亦同衝。大抵三脈同一本。靈素言之每錯綜。

經絡循行文

督脉者。起於下極之俞。並於脊裏。上至風府。入腦上巔。循額。至鼻柱。屬陽脉之海也。

素問骨空論曰。督脉者。起於少腹以下骨中央。女子入繫廷孔。其孔溺孔之端也。其絡循陰器。合篡間。繞篡後。別繞臀。至少陰。與巨陽中絡者合。少陰上股內後廉。貫脊屬腎。與太陽起於目內眥。上額交巔上。入絡腦。還出別下項。循肩髆內。挾脊抵腰中。入循膂絡腎。其男子循莖下至篡。與女子等。其少腹直上者。貫臍中央。上貫心。入喉上頤環唇。上係兩目之下中央。

經文集註

督脉者起於少腹下中央。謂男女少腹以下。橫骨之內中央。即女子入繫廷孔之端。男子陰器合篡間也。男子陰莖盡處。精室孔溺孔。合併一路合篡處也。即女子胞孔溺孔。合併之處。廷孔之端。即下文曰。與女子等也。(女子溺孔。在前陰中。橫骨之下孔。之上際。謂之端。乃督脉外陽之所。雖言女子。然男子溺孔。亦橫骨下之中央。爲宗筋所涵。故不見耳)。

其絡循陰器合篡間。繞篡後。是爲本絡。外合太陽中絡也。別絡繞臀。是謂別絡。內並少陰腹裏也。故經曰。至少陰與巨陽。中絡者合也。至少陰者循行上腹內。後廉也。與任脉上會於關元。貫脊屬腎。足少陰之脉。上股內後廉。足太陽之脉外行者。過髀樞。中行者挾脊貫臀。故此督脉之別繞臀。至少陰之分。與巨陽中絡者。合少陰之脉。並行而貫屬腎也。挾脊上行。與冲脉會於腹氣之街。故經曰。自少腹。上貫臍中央。上貫心入喉。上頤環唇。內行至督脈斷交。而絡外行。繫兩目之下中央。循行目內眥。會於太陽。故經曰。與太陽起於目內眥。上額交巔上。入絡腦。還腦還出別下項。循肩膊內。挾脊抵腰中。入循膂絡腎。復會於少陰。此督脈之循行也。

第九十二課　督脈考正穴法

長強　在脊骶骨端伏地取之。

主治腰脊強，俛，仰，風，下血，痔漏，大便難，並淋症，脫肛等症動脉

腰俞　在二十一椎節。下閼宛宛中鍼二分留七呼。灸五壯一曰鍼五分灸七七壯。

主治腰引手足痛，痳，痠，冷，或不能坐臥俯仰無力動脉

陽關　在十六椎節下閼伏而取之。鍼五分灸三壯。

主治腰膝痛或不得伸屈動脉

命門　在十四椎節下閼伏而取之。鍼五分灸三壯。一曰鍼三分灸二七壯。

若年二十以上者灸恐絶子。

因腎虛腰痛赤白帶症男子遺精手足冷痺攣或身熱如火骨蒸汗不出痎瘧瘈瘲腹痛是穴灸刺注意動脉

懸樞　在十三椎節下伏而取之。鍼三分灸三壯五壯。

主治腹中積氣不散上下串痛不止泄痢不止

脊中　在十一椎節下閼伏而取之。鍼五分禁灸灸則令人僂。

主治風痺癲邪腹滿而不食小兒痢或赤或白或脫肛痛不可忍動脉

中樞　在第十椎節下閼俛而取之。鍼五分禁灸。灸之令人腰背傴僂。一傳此穴能退熱。進飲食可灸三壯、常用常效未見傴僂。

‧動脉又云不主症

筋縮　在九椎節下間俛而取之。鍼五分灸三壯五壯。

癲疾驚狂目下視動脈

至陽　在七椎節下間而俛取之。鍼五分灸三壯。

主治胃寒而作痠身黃而羸瘦弱少氣不欲言動脈

靈台　在六椎節下間俛而取之鍼三分灸三壯。甲乙經無此穴出氣府論註。

主治氣喘而不臥並治久嗽症動脈

神道 在五椎節下閒俛而取之。鍼五分留五呼灸五壯。一曰可灸七七壯至百壯禁鍼。

身柱 在三椎節下閒俛而取之。鍼五分留五呼灸五壯。一曰灸七七壯。

主治傷寒頭痛寒熱往來不定或健忘口張不合

陶道 在一椎節下閒俛而取之。鍼五分灸五壯。一曰鍼三分。

主治暴怒妄見妄言一切熱症迷心竅動脈

大椎 在第一椎上陷者中。鍼五分留五呼灸五壯。一云以年爲壯。大椎爲骨會骨病者可灸之。

主治脊骨寒熱頭目不清此穴可防中風能退藥中一切蒸熱動脈

瘂門 在項後入髮際五分宛宛中仰頭取之。鍼二分不可深禁灸灸之令人啞

項强不能回顧肺脹脇滿此穴能泄三焦熱諸氣按體內外受風寒此穴又能泄熱又能補氣動脈

風府 在項後入髮際一寸大筋內宛宛中。鍼三分留三呼禁灸灸之令人瘖。

主治不語諸陽之熱鼻衄不止中風尸厥或不省人事脊强等症動脈

腦戶 在枕骨下强閒後一寸五分入髮際二寸禁鍼灸。鍼中腦戶入腦立死。亦不可灸令人瘖。

主治中風不語半身不遂神魂不清者可刺皆熱症也動脈

不主症

强閒 在後項後一寸五分。鍼二分灸五壯。一曰禁灸。

主治腦旋目眩心煩

後頂 在百會後一寸五分枕骨上。鍼二分灸五壯。

頭痛惡風或目不明動脈

百會　在前頂後一寸五分頂中央容豆許直兩耳尖。鍼二分灸五壯。甲乙經日。鍼三分灸三壯。一日灸頭頂不得過七七壯。

中風不語最難醫，髮際頂門穴要知，更向百會明補泄，即時甦醒免災危，應治頭痛頭風中風不語半身不遂角弓反張吐沫心神恍惚以及耳鼻口都治此穴用時謹慎二分針動脈

前頂　在囟會後一寸五分骨陷中。鍼二分灸五壯。一日灸七七壯。

頭風目眩面赤面腫小兒驚癇動脈

囟會　在上星後一寸陷中。鍼二分灸五壯。一日灸二七壯至七七壯。

鼻不聞香鼻塞或腦冷風

上星　在鼻上入髮際一寸。陷者中可容豆。鍼三分留六呼灸五壯。一云宜三稜鍼出血以瀉諸陽熱氣。

鼻中症衄，涕，塞，香，臭，

神庭　直鼻上入髮際五分。髮高者際邊是穴。鍼一分亦曰禁鍼。

目上視不識人驚悸不得安寢狂而登高遠走一切狂症

素髎　在鼻準頭。鍼一分禁灸。

鼻中生瘡不消或喘息不利多清涕衄血動脈

水溝　即人中。鍼三分留六呼。得氣即瀉灸三壯。

中風口不開或暴卒不省人事又主消渴動脈

兌端　在上唇端赤白肉際。鍼二分留六呼灸三壯。

凡齒痛口瘡或羊癇吐沫動脈

齦交　在唇內上齒縫中。鍼三分。

牙中症痛，齲冷熱以及牙疳腫爛又鼻痔

第九十三課　衝脈

衝脉者。與任脉皆起於胞中。上循脊裏爲經絡之海。其浮而外者。循腹上行會於咽喉别而絡唇口。故曰衝脉者。起於氣衝並足少陰經也。

經絡循行歌

衝起氣街並少陰。挾臍上行胸中至。衝爲五臟六腑海。五臟六腑所稟氣。上滲諸陽灌諸精。從下衝上取茲義。亦有並腎下行者。注少陰絡氣街出。陰股内廉入膕中。伏行䯒骨内踝際。下滲三陰灌諸絡。以温肌肉至跗指。

穴名歌

衝脉並於足少陰。巨闕之旁爲幽門。通谷陰都石門穴。商曲肓俞中注分。四滿氣穴與大赫。横骨之下毛際存。逆氣裏急是其病。難經説並足陽明。

分寸歌

衝脈分寸同少陰。起於横骨至幽門。上行每穴皆一寸。穴門中行各五分。

經絡循行經文

經絡循行經文

素問骨空論曰。衝脉者、起於氣街。並於少陰之經。挾臍上行至胸中而散。靈樞衛氣篇曰。請言氣街。胸氣有街腹氣有街。頭氣有街。故氣在頭上者。止之於腦。氣在胸者。止之膺與背俞。氣在腹者。止之背俞與衝脉。在臍之左右之動脉者。氣在經者。止之氣街與承山踝止。

經文集註

衝脉者、起於氣街。是起於腹氣之街也。名曰氣街者。是謂氣所行之街也。一身之大氣積於胸中者。有先天之眞氣。是所受者。即人之腎間動氣也。有後天之宗氣。是水穀所化者即人之胃氣也。此所謂起於腹氣之街者。是謂胃中穀氣也。並於少陰者。是並於腎間動氣也。其眞氣與穀氣相並。挾臍二行。至胸中而散。是謂大氣至胸中分布五臟六腑。諸經而充身者也。靈樞順逆肥瘦篇曰。衝脉者五臟六腑之海也。皆陰氣焉。靈樞動俞篇又曰。衝脉者十二經之海也。與少陰之大絡起於腎下。出於氣街也。靈樞五音五味篇。又曰衝脉任脉。皆起於胞中者。即此之起於腎下之謂也。而謂起於腎下者。即並於少陰之經。腎經動氣上行也。素問骨空論曰。衝脉起於氣衝者。卽此出於氣街之謂也。又曰起。而曰出者。謂穀氣由陽明胃經出而會氣街也。

第九十四課　帶脈

帶脉者、起於季脇。迴身一周。其爲病也腹滿。腰溶溶如坐水中其脉氣所發正名帶脉。以其迴身一周如帶也。交與足少陽。會於帶脉五樞維道。此帶脉所發凡六穴。

穴名歌

帶脉起於季肋尖。迴身一週如帶然。其爲病也腹脹滿。溶溶如坐水中間。

與足少陽三穴會。帶脈五樞維道全。

分寸歌

帶脉部分足少陽。季肋寸八是其鄉。由帶三寸五樞穴。過京五三維道當。

經絡循行經文

靈樞經脈別篇曰。足少陰上至膕中。別走太陽而合。上至腎。當十四椎出屬帶脈。

難經二十八。難曰。帶脈者。起於季脇廻身一週。

經文集註

帶脈。本由足少陰經之脉。上至膕中。別走太陽而合腎。當十四椎出屬帶脈。故起於季脇。繞身一週行也。

第九十五課　陽蹻脉

陽蹻者起於跟中。循外踝。上行入風池。其爲病也。令人陰緩而陽急。兩足蹻脉。本太陽之別。合於太陽。蹻脉長八尺。所發之穴。生於申脉。本於僕參郄於附陽。與足少陽。會於居髎。又與手陽明會於肩髃。及巨骨。又與手太陽陽維。會於臑俞。又與手足陽明會於地倉。及巨髎又與任脉足陽明會於承泣。凡挾行共二十穴。

穴名歌

陽蹻脈起於跟中。僕參申脉跗陽同。地倉巨髎上承泣。居髎巨骨與肩髃。陽維小腸臑俞會。陰緩陽急病之宗。

分寸歌

陽蹻脈起足太陽。申脈外踝五分藏。僕參後繞跟骨下。跗陽外踝三寸鄉。居髎監骨上隔取。肩髃一穴肩尖當。肩上之行名巨骨。肩胛之上臑俞坊。口吻旁四分地倉位。鼻旁八分巨髎疆。目下七分是承泣。目內眥外睛明昂。

經絡循行經文

靈樞經脈度篇曰。蹻脉者少陰之別。起於然骨之後。上內踝之上直上循陰股入陰上循腹裏。上入缺盆。上出人迎之前。入頄屬目內眥合於太陽。陽蹻而上行。氣並相還。則爲濡目。目氣不榮。則目不能合。難經二十八難曰。陽蹻脉者。起於跟中。循外踝。上行入風池。陰蹻脉者。亦起於跟中。循內踝。上行至咽喉。交貫衝脈。

經文集註

陽蹻之脉。起於足跟之中。上合三陽外踝上行。從脇少陽居髎之穴。上循肩入頸頄。陽明之肩顒。承泣等穴。屬目內眥。而合太陽也。

第九十六課　陰蹻脉

陰蹻者亦起於跟中。循內踝。上行至咽喉。交貫衝脈。其爲病也。令人陽緩而陰急。故曰蹻脉者。少陰之別。起於然谷之後。上內踝之上。直上陰股。循陰股入陰。上循胸裏入缺盆。上出人迎之前。入鼻屬目內眥。合於太陽。女子以之爲經。男子以之爲絡。兩足蹻脉長八尺。而陰蹻之郄。在交信。陰蹻病者取此四穴。

穴名歌

陰蹻起於然谷穴。上行照海交信列。三穴原本足少陰。足之太陽睛明接。

分寸歌

陰蹻脉起足少陰。足內踝前然谷尋。踝下四分照海陷。踝上二寸交信眞。目內眥外宛中取。睛明一穴甚分明。

經絡循行經文已見陽蹻脈中

經文集註

陰蹻之脉。亦起於跟中。由少陰別脈然谷之穴。上行內踝。循陰股入胸腹。上至咽喉睛明穴。亦會於太陽也。

第九十七課　陽維脈

陽維脈者、維於陽。其脈起於諸陽之會。與陰維皆維絡於身若陽不能維於陽。則溶溶不能自收。持其脉氣所發。别於金門。郄於陽交。與手太陽及陽蹻脉。會於臑俞。又與手少陽。會於臑會。又與手足少陽會於天髎。又與手足少陽以及足陽明。會於肩井。其在頭也。與足少陽會於陽白。上於本神及臨泣、目窗、上至正營承靈。循於腦空。下至風池、日月、其與督脉會。則在風府及啞門。其爲病也苦寒熱。凡二十二穴

穴名歌

陽維脉起於金門。臑俞天髎肩井深。本神陽白並臨泣。正營腦空風池迎。風府啞門此二穴。項後入髮是其根。

分寸歌

陽維脉起足太陽。外踝一寸金門藏。踝上七寸陽交位。肩後胛上臑俞當。天髎穴在缺盆上。肩上陷中肩井鄉。本神入髮四分許。眉上一寸陽白詳。入髮五分臨泣穴。上行一寸止營場。枕骨之下腦空位。風池耳後陷中藏。

項後入髮瘂門穴。入髮一寸風池顱。

經絡循行經文

難經二十八難曰。陽維陰維者維絡於身溢（作滿）畜不能環流灌溢諸經者也。故陽維起於諸陽之會。陰維起於諸陰交也。

經文集註

陽維脉起於諸陽之會。其脉、發於足太陽金門穴。在足外踝下一寸五分。上外踝七寸。會足少陽於陽交。爲陽維之郄。循膝外廉上髀厭抵小腹。側會足少陰於居髎。循脇肋上肘上會手陽明。足太陽於臂臑過肩前與手少陽會於臑會天髎。却會手足少陽足陽明於肩井入肩後。會於少陽陽交於臑兪。上循耳會於手足少陽於風池出腦空承靈目窗臨泣下額與手足少陽陽明五脉會於陽白循頭入耳上。至本神而止。

第九十八課　陰維脈

陰維脉者維於陰。其脉起於諸陰之交。若陰不能維於陰。則悵然失志其脈氣所發。陰維之郄名曰築賓。與足太陰會於腹哀、大橫、又與足太陰厥陰會於府舍、期門、與任脈會於天突廉泉。其爲病也。若心痛。

穴名歌

陰維之穴起築賓。府舍大橫腹哀循。期門天突廉舌下。此是陰維脈維陰。

分寸歌

陰維脈起足少陰。內踝之後尋築賓。少腹之下稱府舍。大橫平臍是穴名。此穴去中四寸半。行至乳下腹哀明。期門直乳二筋縫。天突喉下四寸均。

經絡循行經文

已見陽維脉經文中。

經文集註

陰維脈、起於諸陰之交。其脉發於足少陰築賓穴。爲陰維之郄在內踝上五寸腨分肉中。上循股內廉。上行入少腹。會足太陰、厥陰、少陰、陽明。於府舍。上會足太陰於大橫。腹哀循脇肋。會足厥陰。於期門上胸膈挾咽與任脉。會於天突廉泉。上至項而終。

鍼灸醫案首頁

例論

所問明者可定十二經對穴施治可免使錯

吾鍼灸醫辨症。與方脈不同。惟須望聞問明。悉病狀。即能斷其爲何經之症。而有一定刺法。而醫案數條。豈能療千萬病。然（綱紀）有綱舉目張之法（不亂）。蓋病總由於臟腑。不外虛實（表裏）寒熱。審其爲何臟何腑之虛症。實症寒症熱症。而聯其病類。以集之則鍼歸同路。療一病可療千萬病。亦無不可。固不在多。立病名多立經穴也。此之謂鏡（明古法）也。

行鍼補瀉摘要

盆（言到鍼字）行鍼當補之時。候氣至病所用生成之息數（知自己）。令病人鼻吸氣。口中呼氣。內中自覺熱矣。當瀉之時。候氣至病所用生成之息數。病人鼻中出氣。口內吸氣。按所病臟腑之處。自覺清涼矣。（注意）

凡鍼男女腹背補瀉分陰陽兩經

(男)背上中行。左轉爲補。右轉爲瀉。
腹部中行。右轉爲補。左轉爲瀉。
(女)背部中行。右轉爲補。左轉爲瀉。
腹部中行。左轉爲補。右轉爲瀉。

男子背陽腹陰
女子背陰腹陽

左轉◎補　右轉◎瀉

子午前後交經換氣

子後要知寒與熱。左轉爲補。右爲瀉。
提鍼爲熱。插鍼寒。婦人反此。
午後要知寒與熱。右轉爲補。左爲瀉。
凡刺男女四肢之用補瀉。男子以左爲主。女子以右爲主。故男女之用補泄相反。而實不反也。

第九十九課　製鍼法

製鍼之鐵最好以百年馬口鐵。取其內無鐵毒。若以普通鐵打鍼。最不堪用刺病恐出危險。新鐵中若以科學方法試驗。內中有細孔。孔中含有毒質爲害非淺。故以馬口鐵爲最佳。取其百年之久。已由馬口中。吸盡鐵毒爲午馬屬火。火能剋金也。更於打鍼時。忌匠人打空錘。亦取錚不虛發鍼不虛刺之義。煮鍼消毒時。先以老火腿。一隻。或生猪肉代之。將鍼揷入皮裏肉外之際。連同煮鍼之藥。統放於罐中。或沙鍋內。以淨水沒肉爲度。文武火煑。至水盡。即可取出。埋入土中向陽處。三日後取出磨用之。

煮鍼藥方

台寸 五分　蟾酥 三錢　胆矾 一錢半　石斛 二錢

川山甲 五錢　歸尾 二錢　硃砂 二錢　沒藥 二錢

川芎二錢　甘草節六錢　沉香六錢　鬱金二錢

好磁石兩

製太乙鍼法

照卜列藥方將藥配好。以桑皮紙二張。艾絨一兩。攤於紙上。四面皆均空寸許。以籐桿打勻。再將藥末一兩。洒上再打勻。復加麝香五分。或一錢至三錢。於內捲起。以捲緊爲度。兩端以蔴線束之。外用雞蛋清塗抹。起亮光。以保藥味不泄。

太乙鍼藥方

防風二兩　乾薑六錢　乳香一兩五錢　紅花四兩

羌活一兩　木香一兩　炒山甲二兩　茵陳二兩五錢

沉香一兩　三七二錢　桂枝一錢五分　桃仁二錢

右藥共研細末。外蘄艾絨一觔。以上可製太乙鍼十六支。

第一百課　頭、面、胸、腹、背、部。骨度長短。尺寸折量法。

頭部

頭部折法。以前髮際至後髮際。折爲一尺二寸。如髮際不明者。則取眉心直上。後至大杼骨。折作一尺八寸。此爲直寸。橫寸法。以眼內角。至外角此爲一寸。頭部橫直法。並依此督脈神庭。至太陽曲差。曲差至少陽本神。本神至陽明頭維。各開一寸半。自神庭至頭維共開四寸半。

胸腹部

胸腹折法。直寸以中行爲主。自缺盆中天突穴起。至歧骨際上中庭穴止。折作八寸四分。自髃骬上(音歇于髃骬骨卽胸前蔽骨上之岐骨)。歧骨際下至臍心折作八寸。臍心下至毛際曲骨穴。折作五寸。橫寸以兩乳相去折作八寸。胸腹橫直法並依此。

背部

背部折法。自大椎至尾骶。通折三尺。上七節各長一寸四分一厘。共九寸八分七厘。中七節各一寸六分一厘。共一尺一寸二分七厘。第十四節與臍平。下七節各一寸二分六厘。共八寸八分二厘。總共二尺九寸九分六厘。不足四厘者有零未盡也。直寸依此。橫寸用中指通身寸法。脊骨內闊一寸。凡云第二行夾脊一寸半。三行夾脊三寸者。皆除脊一寸外淨以寸半。三寸論。故在二行當爲二寸。在三行當行三寸半。

中指通身寸法

以男左女右手大指中指。圓曲交接如環。取中指小節。橫紋兩頭盡處。比爲一寸。凡手足尺寸。及背部橫寸無折法之處。乃用此法。其他不可混用

第一〇一課　禁鍼穴歌

腦戶顖會及神庭。玉枕絡却到承靈。顱息角孫承泣穴。神道靈台膻中明。水分神闕會陰上。橫骨氣衝鍼莫行。箕門承筋手五里。三陽絡穴到青靈。

孕婦不宜鍼合谷。三陰交內亦通論。石門鍼灸應須忌。女子終身孕不成。外有雲門并鳩尾。缺盆主客深暈生。肩井深時亦暈到。急補三里人還平。刺中五臟膽皆死。衝陽出血投幽冥。海泉顴髎乳頭上。脊間中髓傴僂形。手魚腹陷陰股內。膝臏筋會及腎經。腋股之下各三寸。目眶關節皆通評。

以上禁鍼之穴。偶不慎刺之最易傷人。若遇疑難沉疴對症刺之。尤能生效。但非老練精通之。萬不可輕刺慎之。

禁灸穴歌

瘂門風府天柱擊。承光臨泣頭維中。絲竹攢竹睛明穴。素髎禾髎迎香程。顴髎下關人迎去。天牖天府到周榮。淵液乳中鳩尾下。腹哀臂後尋肩貞。陽池中衝少商穴。魚際經渠一順行。地五陽關脊中主。隱白漏谷通陰陵。條口犢鼻上陰市。伏兎髀關申脈迎。委中殷門承扶上。白環心俞同一經。灸而勿鍼鍼勿灸。明醫鍼灸自分明。

第一〇二課　治病效驗穴歌

此係治療。各症屢鍼屢效。特編成歌。以待後之學者。有所補益焉。

從來肚腹三里留。加刺內庭泄瀉瘳。腰背之病委中刺。卽加脚病亦能收。
頸項後谿兼列缺。痰涎壅塞及咽喉。頭面耳目口鼻病。曲池合谷穴中求。
肩背諸病手三里。心胸有病大陵投。脇肋飛揚陽陵取。脊間心後中渚求。
胸滿腹疼刺內關。臍下公孫用法攔。一切風寒暑濕病。頭疼發熱外關安。
內傷諸病內關穴。痰火積塊退潮煩。後谿專治督脈病。脇肋腿叉亦能安。
復溜治腫是眞傳。鳩尾湧泉療五癇。犢鼻風邪取穴專。湧泉多治婦人疾。
男蠱女孕兩病痊。拘攣閉塞八邪遣。寒熱痺疼開四關。陽蹻陽維並督帶。
肩背腰腿表病纏。陰蹻陰維任衝脉。心腹脇肋裏病寬。二陵二蹻二交並。
頭項手足五大完。兩肩兩商與兩井。手上諸風一肩担。合谷內關陰交穴。
汗吐下法妙循環。總病還須總穴治。鍼灸精華仔細探。

四大總穴歌

按持鍼爲之平其平平己氣以定呼吸爲之平此平即天地之平天爲成地爲之平以平未定天地即二五氣氣氣氣爲宇宙氣氣爲陰陽氣氣是何大道氣氣又是何人之氣血又言易也

肚腹三里留。腰背委中求。頭項尋列缺。面口合谷收。

還陽九鍼穴歌

啞門勞宮三陰交。湧泉太谿中脘接。環跳三里合谷並。此是還陽九鍼穴。

第一〇三課　行鍼秘要歌

先說平鍼法。啣鍼口內溫。按柔令氣散。掐穴故令深。持鍼安穴上。令他嗽一聲。隨嗽歸天部。停鍼再至人。再停到地部。待氣候鍼沉。氣若不來至。指甲切其經。次提鍼向病。鍼退天地人。補必隨經刺。（爲之安撫病氣）令他吹氣頻。隨吹隨左轉。逐歸天地人。待氣停鍼入。（溫而得之）三彈更慰溫。出鍼口吸氣。急急閉其門。欲泄迎經取。吸則內其鍼。吸時須右轉。依次近天人。轉鍼仍復吸。依法要停鍼。出鍼吸口氣。搖動大其門。

鍼訣總要歌

黃帝金鍼法最奇。短長肥瘦在臨時。但將他手橫紋處。分寸尋求審用之。

身體心胸或是短。身體心胸或是長。求穴看紋還有理。醫工此理要推詳。
定穴行鍼須細認。瘦肥短小豈同羣。肥人鍼入三分半。瘦體須當用二分。
不肥不瘦不相同。如此之人但著中。只在二三分內取。用之無失且收功。
大飢大飽宜避忌。大風大雨亦須容。飢傷榮氣飽傷腑。更看人神俱避之。
妙鍼之法世間稀。多少醫工不得知。寸寸人身皆是穴。但開筋骨莫狐疑。
有筋有骨傍鍼去。無骨無筋須透之。見病行鍼須仔細。必明升降闔開時。
邪入五臟須早遏。祟侵六脉（脉氣不分）（得其安）浪翻飛。烏烏稷稷（思思其意不可速也）空中墮。靜意冥冥（爲深思其中奧冥者爲之）起發機。
先補眞陽原氣足。次瀉餘邪九度噓。同身逐穴歌中取。捷法照然經不迷。

第一〇四課　重編十三鬼穴歌

百邪爲病狀顛狂。十三鬼穴細推詳。一鍼鬼宮人中上。二鍼鬼信取少商。
鬼壘三鍼爲隱白。鬼心四刺大陵岡。申脉五鍼通鬼路。六鍼風府鬼枕旁。
七鍼鬼牀頰車穴。八鍼鬼市闔承漿。九刺勞宮鑽鬼窟。十鍼上星登鬼堂。

十一鬼藏會陰取。玉門頭上刺嬌娠。十二曲池淹鬼腿。十三鬼封舌下藏。出血須令舌不動。更加間使後谿良。男先鍼左女先右。能使鬼魔立刻降。

五奪不可泄

岐伯曰。形容已脫。是一奪也。大脫血之後。是二奪也。大汗之後。是三奪也。大瀉之後。是四奪也。新產大傷血之後。是五奪也。

五奪者。皆氣血大衰宜於補。益雖鍼刺此症而可補。不可泄也愼之。

表裏虛實寒熱辨

凡人之病。不外乎陰陽。而陰陽之分。總不離乎表裏虛實寒熱六字。盡之夫裏爲陰。表爲陽。虛爲陰。實爲陽。寒爲陰。熱爲陽。假如

(表)發熱。惡寒。鼻塞。咳嗽。頭疼。脈浮。舌無苔。口不渴。此症在表。

(裏)潮熱。惡熱。口燥。舌黃。腹痛。便澁。脈沉。此病在裏。

(虛)氣短。體弱。多汗。驚悸。手按心腹。四肢畏冷。脈來無力。此病本虛。

（實）病中無汗。或狂燥不臥。腹拒按。脈實有力。此病實也。

（寒）唇舌俱白口不渴。喜飲熱湯。鼻流清涕。小便清大便溏。手足冷脈遲。此病寒者也。

（熱）舌赤目紅。口渴喜冷。煩燥溺短。便秘或唇燥舌乾。此病患熱者也。

第一〇五課　臟腑八大將絕不可刺

（一）戴眼反折瘈瘲。則爲手足太陽將絕。

（二）骨節皆縱目環絕系。則爲手足少陽將絕。

（三）口目動作喜驚妄言。則爲手足陽明將絕。

（四）喘息抬肩。鼻煤皮膚。爪甲枯焦。則爲肺絕。

（五）面色枯黑。色不潤澤。脈不流通。則爲心絕。

（六）虛汗身黃。唇翻舌痿。則爲脾絕。

（七）牙長齒垢。頭髮焦捲。則爲腎絕。

（八）唇青舌捲囊縮。則爲肝絕。

五陰氣絕。則目轉。目轉精脫則志死。

六陽氣絕。陰陽離離。則發泄絕汗死。

手足陰陽經脈刺論

歧伯曰。足陽明五臟六腑之海也。此經脈大。血多氣盛壯熱。刺此者不深弗散不留弗瀉也。足陽明深刺六分。留十呼。足太陽深五分。留七呼。足少陽深四分。留五呼。足少陰深二分。留三呼。足厥陰深一分。留二呼。手之陰陽。其受氣之道。近其氣之來急。其刺深者。皆無過二分。其留皆無過一呼。刺而過此者則脫氣。

五刺應五臟論

歧伯曰。凡刺有五。以應五臟。一曰半刺者。淺内而疾發。無鍼肉如拔毛狀。以取皮氣。以應肺也。二曰豹文刺者。左右前後鍼之中脈。以取經絡之血。以應心也。三曰關刺者。直刺左右盡筋上以取筋痺愼勿出血。以應肝也。四曰合谷刺者。左右雞足刺。於分肉之間。以取肌痺以應脾也。五曰輸刺者。直入直出。深內至骨。以取骨痺。以應腎也。

九刺應九變論

歧伯曰。凡刺有九。以應九變。一曰輸刺者。諸經滎輸臟俞也。二曰遠道刺者　病在上取之下刺腑俞也。三曰經刺者。刺大經之結絡經分也。四曰絡刺者。刺小絡血脉也。五曰分刺者。刺分肉間也。六曰大瀉刺者。刺大膿也。七曰毛刺者。刺浮皮毛也。八曰巨刺者。左取右右取左也。九曰焠刺者。燔鍼以取痺也。(註)焠音翠　燔音煩　言以火鍼治療也

肢失感覺重而不移麻痙風濕寒凡筋肉痠疼歎者皆爲之

第一〇六課　十二刺應十二經論

歧伯曰。凡刺有十二。以應十二經。（以應病處）一曰偶刺者（雙數）。以手直心若背直痛所一刺前。一刺後以治心痺。二曰報刺者。刺痛無常處。上下行者直內無拔鍼

以手隨病所按之乃出鍼復刺也。三曰恢刺者。（有四）直刺傍舉之前後恢筋急。以治筋痺。四曰齊刺者。（下）直入一、旁入二。以治寒氣少深者。五曰揚刺者。（如圓行）正內一旁內四而浮之。以治寒氣博大者。六曰直鍼刺者。乃引皮刺之。以治寒氣之淺者。七曰輸刺者。直入直出稀發鍼而深之。以治氣盛而熱者。八曰短刺者（而不長一部）刺骨痺稍遙而深之。置鍼骨所以上下摩骨也。九曰浮刺者。旁入而浮之。以治肌急而寒者。十曰陰刺者。左右率刺之。以治寒厥足踝後少陰也。（來吹之）十一曰傍鍼刺者。（等與天應）宜傍刺。各一穴。以治留痺久居者。（痲木久居以鍼）十二曰贊刺者。直入直出。數發鍼。而淺之出血是謂治癰腫也。

刺王公布衣說

岐伯曰。膏粱藿菽之味。何可同也。氣滑則出疾。氣濇則出遲。氣悍則鍼（人體人而短）小而入淺。氣濇則鍼大而入深。深則欲留淺。則欲疾以此觀之。刺布衣者深而留之。刺大人者。微以徐之。此皆因其標悍滑利也。

寒痹內熱刺布衣。以火焠之。刺王公以藥熨之。

第一〇七課　刺常人黑白肥瘦說

岐伯曰。年質（體無）壯大。血氣充盈。膚革堅固。因加以邪刺。此者深而留之。此肥人也。廣肩腋項。肉厚皮黑。色唇臨臨（上下）。然其血黑。以濁其氣。濇以遲其為人也。貪於（為之除）取與刺此者。深而留之多益其數也。瘦人皮薄色白。肉廉廉然薄唇輕言其血氣清。易脫於氣。易損於血。刺此者淺而疾之。

刺壯士說

岐伯曰。壯士真骨堅肉緩節（寬也）。此人重則氣澀血濁。刺此者深而留之。多益其數勁。則氣滑血清刺此者淺而疾之。

刺嬰兒說

岐伯曰。嬰兒者其肉脆血少。氣弱刺此者。以毫鍼淺刺。而疾發鍼日再刺可也。

十二經之動脈穴

十二經皆有動脈者。如手太陰脈動中府雲門天府俠白。手陽明動脈。合谷陽谿。手少陰動脈。極泉。手太陽動脈。天窗。手厥陰動脈。勞宮。手少陽動脈。禾髎。足太陰動脈。箕門。衝門。足陽明動脈。衝陽。大迎人迎氣衝。足少陰動脈。太谿陰谷。足太陽動脈。委中。足厥陰動脈。太衝。五里陰廉。足少陽動脈下關。聽會之類也。謂之經者。以榮衛之流行。經常不息者而言。謂之脈者。以血理之分。表行體者而言也。故經者徑也。脈者陌也。越人之意。蓋謂凡此十二經皆有動脈也。

第一〇八課　鍼下辨氣說

我國自古名醫治病。率先鍼砭立起。沉痾邇來。鍼灸一術。已將失其眞傳。原因雖各醫書。皆以經穴居先。而其穴道之確實地位。皆不詳細註明。及行鍼手術更無詳明註解。且鍼下辨氣之學。尤無可參考之書籍。誠可謂千古之秘也。是以學醫易尋穴。難尋穴。亦易補瀉。難補瀉。亦易辨氣。難若不能辨氣於邪正。虛實將何以用補瀉。故而補瀉不明者。豈能生效也。故內經云。得氣則瀉。夫瀉者瀉其邪也。鍼下氣至。有正有邪。邪氣固宜瀉。而正氣則當補。若不能分辨。鍼下之氣。是正是邪而冒昧瀉之。設遇正氣來時。豈不瀉而傷之乎。是以任脉之膻中穴。經云禁鍼。蓋人之氣會膻中。恐瀉其正氣也。鍼下邪正氣至之形態。詳述於後。

辨氣法

曰緊。曰綿。曰虛。曰頂。曰吸。曰滑。曰濇。曰軟。曰微。曰無力曰純緊。曰純虛。

蓋當行鍼之時。以指搓鍼。左旋右轉。覺鍼下緊。則為氣至也。即經云。得氣之謂也。此時聚精會神。而詳辨之如下。

緊、氣來鍼下。繞繞緊束。如魚之吞餌。然緊而綿正氣至也。宜補。

綿、雖鍼下得氣。有力而從容和緩者。正氣至也。宜補。

虛、久候而氣至。仍無力者。爲眞氣虛損也。宜重補。

頂、鍼下氣至而頂鍼外出者。爲火熱至也。宜瀉。

吸、鍼緊而吸鍼內入者寒至也。宜瀉用活火燒鍼。

滑、鍼緊無束意旋轉流利者。此症爲痰也。宜瀉。

濇、得氣鍼緊。旋轉如有物滯 然此爲血虛。眞陰不足也。宜補 緊濇而悶鍼。下不利濕也。宜瀉。

軟、氣軟而無眞力。但鍼端結核。凝滯鍼不可旋轉者風也。宜急瀉。

微、候之微有氣至。似頂鍼外出之意者。煩燥也。宜輕瀉。

無力、鍼下氣至非濇非滑。惟旋轉無力者署也。宜緩補。

純緊、氣來緊極。鍼不得旋轉者。寒熱凝也。宜補瀉並施以和之。

純虛、鍼下輕鬆無緊之氣者。氣血兩虛也。宜純補急補。

辨氣之法。爲千古之秘。臨症行鍼。用補用瀉之時。關係重大。更與診脈之關係。互合故不可不詳爲辨之。

第一〇九課　繆刺論（繆者綢繆深奧之意也）

黃帝問曰。余聞繆刺。未得其義。何謂繆刺。歧伯對曰。夫邪客於皮毛。入舍於孫絡。留而不去。閉塞不通。不得入於經流溢於大絡。而生奇病也。大絡十五絡也夫邪客大絡者。左注右。右注左。上下左右與經相干。而布於四末。其氣無常處。不入於經俞。命曰繆刺。四末謂四肢也帝曰願聞繆刺以左取右以右取左奈何。其與巨刺何以別之曰。邪客於經。左盛則右病。右盛則左病。亦有移易者。左痛未已。而右脈光病。如此者必巨刺之。必中其經。非絡脈也。故絡病者。具痛與經脈繆處。故命曰繆刺。帝曰願聞繆刺奈何。取之何如對曰。邪客於足少陰之絡。令人卒心痛。暴脹胸脇支滿。無積者刺然骨之前出血。如食頃而已不已。左取右右取左。病新發者。取五日。

痏字解
此字可念洧（
即謂也）爲上
犨痄爲鍼穴地
又爲瘢亦爲瘡
意傷

人生以天地三
才爲生日月氣
爲活如春風從
北起秋從南來
皆爲送人死必
如一月按月可
從賊風秋見北
首有症風見南
風爲之賊常人
有症皆死無疑

已邪客於手少陽之絡。令人喉痺舌卷口乾心煩臂外廉痛。手不及頭刺。手小指次指去爪甲如韮葉各一痏。（即關沖穴痏瘡也）壯者立已。老者有頃已左取右右取左此新病數日已邪客於足厥陰之絡。令人卒疝暴痛。刺足大指爪甲上與肉交者各一痏。（大敦穴兩足俱刺後巳各一痏）男子立已女子有頃已左取右右取左邪客於足太陽之絡。令人頭項肩痛。刺足小指上爪甲角者。各一痏。立已（至陰一云小指外側）不已刺外踝下三痏。左取右右取左。如食頃已（金門）邪客於手陽明之絡。令人氣滿胸中喘息而支胠胸中熱。刺手大指次指爪甲上去端如韮葉各一痏。左取右右取左如食頃已（商陽）邪客於臂掌之間。不可得屈。刺其手踝後（人手本節踝）先以指按之痛乃刺之。以月死生爲數月生。一日一痏。二日二痏。十五日十五痏。十六日十四痏。（月半以前爲生。月半以後爲死。）邪客於足陽蹻之脉。令人目痛從內眥始刺外踝之下。半寸所各二痏。左刺右右刺左如行十里頃而已。人有所墮墜惡血留內腹中滿脹不得前後。先飲利藥。此上傷厥陰之脈。下傷少陰之絡。刺足內

杪為章脇，胠盧要處為之眇

踝之下然骨之前。血脈出血刺足跗上動脈（衝陽）不已。刺三毛上各一痏。見血
立已。左刺右右刺左（三毛即大敦穴）善悲驚不樂刺如右方邪客於手陽明之絡。令人耳
聾時不聞音。刺手大指次指爪甲上去端如韭葉各一痏。立聞不已。刺中指
爪甲上與肉交者。立聞（中冲）其不時聞右不可刺也。（絡氣已絶故不刺）耳中生風者亦刺之
。如此數左取右右取左。凡痺往來行無常處者。在分肉間痛而刺之。以月
死生爲數用鍼者。隨氣盛衰、以爲痏數鍼過其日數。則脫氣不及日數則氣
不瀉。左刺右右刺左。病已止不已。復刺之如法。月生一日一痏二日二痏
。漸多之十五日。十五痏。十六日十四痏。漸少之邪客於足陽明之絡。令
人鼻衄上齒寒刺足大指次指爪甲上。與肉交者。各一痏。左刺右右刺左。
（厲兌）邪客於足少陽之絡。令人脇痛不得息。欬而汗出。刺足小指次指爪甲上
。與肉交者。各一痏（竅陰）不得息。立已汗出。立止欬者。溫衣飲食。一日已
左刺右右刺左病立已不已復刺。如法邪客於足少陰之絡。令人嗌病不可內

食。無故善怒氣上走賁上（賁謂氣賁也一云賁膈也謂氣上走高上）刺足下中央之脈（湧泉）各三痏凡六刺立已左取右右取左。嗌中腫。不能內唾時。不能出唾者。刺然骨之前。出血立已。左刺右右取左。邪客於足太陰之絡。令人腰疼引少腹控𦙶不可以仰息刺腰尻之解。兩胂之上是腰俞。以月死生爲痏數。發鍼立已。左刺右右刺左。邪客於足太陽之絡。令人拘攣背急引脇痛刺之。從項始數脊椎俠脊疾按之。應手如痛刺之。傍三痏立已邪客。於足少陽之絡。令人留於樞中。痛髀不可舉。刺樞中以毫鍼寒則久留。鍼以月死生爲數。立已（環跳）治諸經刺之。所過者不病。則繆刺之。耳聾刺手陽明。不已刺其通脈。出耳前者（聽會）齒齲刺手陽明不已刺其脈入齒中者立已（斷交）邪客於五臟之間。其病也脈引而痛時。來時止視其病繆刺之。於手足爪甲上。（各刺其井左取右右取左）。視其脉出其血。間日一刺一刺不已。五刺已繆傳引上齒。齒唇寒痛。視其手背脉血者去之足陽明中指爪甲上一痏（厲兌）手大指次指爪甲上各一痏（商陽）。立已左取右右取左邪客於手足少陰太陰足陽明之絡。此五絡皆會於耳中上絡左額角。五絡俱竭令人身脈皆動而形無知也其狀若尸。或曰尸厥。刺足大指內側爪甲上去端如韮葉（隱白）後刺足心（湧泉）後刺足中指爪甲上各一痏。（厲兌）後刺少商少衝神門不已以竹管吹其兩耳鬄其左角之髮方一寸燔治。飲以美酒一杯立已。凡刺之數•先視其經脉切爲從之。審其虛實而調之不調者經刺之。有痛而經不病者繆刺之。因視其皮部有血絡者盡取之。此繆刺之數也。

經刺論

岐伯曰。夫邪之客於形也。必先舍於皮毛。留而不去。入於孫絡。留而不去。入於絡脈。留而不去。入於經脉。內連五臟。散於腸胃。陰陽俱盛。五臟乃傷。此邪之從皮毛而入。極於五臟之次也。如此則治其經焉。凡刺之數。先視其經脉。切而從之。審而虛實。而調之。不調者經刺之。不盛不虛以經取之。

巨刺論

巨刺刺經繆刺刺絡脈所以別也

歧伯曰。痛在於左而右脉病者則巨刺之。邪客於經。左盛取右病。右盛則左病。亦有移易者。左痛未已。而右脉先病。如此者。必巨刺之。必中其經非絡脉也。

第一一〇課　傷寒

夫傷寒症。多發於冬季。盛冷之時。初起身熱惡寒。頭項背疼。無鼻涕無汗。手足發冷。脉象浮緊。乃眞傷寒也。必須一二日之間治愈。不然待其傳經變症。多端。此症有表症裏症。陽症陰症。陽極似陰。陰極似陽。厥症痙症。種種之分。總得悉心審察。氣色形狀。詳細切脉。辨論明白。始可施術治之。但古人治傷寒雖刺法多端。能可盡美。而盡善乎。學者擇善從之。臨症變通。方可無誤矣。略舉此症傳變如下。

傷寒六經傳變

(一)病起一二日。患身熱惡寒。頭項肩背腰腿筋骨酸痛。脉象浮緊者。此起於足太陽膀胱經也。刺法如下。

風池　列缺　陽谿　崑崙　飛揚　間使

(二)若二三日眼眶酸痛。鼻乾不眠。身熱尤甚。脉象浮緩而長者。由太陽傳入足陽明胃經也。刺法。

風池　攢竹　頭維　合谷　足三里　陽谿

(三)若三四日。耳聾胸脇刺疼寒熱往來。口苦嘔吐。脉象大有力者。此由陽明傳入少陽膽經也。刺法。

風池　風府　聽會　翳風　液門　天突　上脘　內庭

(四)若四五日。腹痛咽乾。胸滿瀉痢。脉象沉微。由三陽轉於三陰。傳入足太陰脾經也。刺法。

尺澤　上脘　中脘　期門　陰陵泉　公孫

(五)五六日多眠。口燥舌乾。脈沉者。由太陰傳入少陰腎經也。刺法。

少商　曲池　少海　然谷　復溜　昆崙

(六)若六七日煩燥不已。筋急唇青。四肢酸痛縮陽脈微者。由少陰傳入厥陰肝經也。刺法。

內關　肩顒　尺澤　曲泉　太衝　太谿

第一一一課　各經傳變說

又有循經傳變。表裏二經傳變。首尾二經傳變。越經傳變。列左。

(七)循經傳變。由足太陽膀胱經。傳於足陽明胃經。由陽明傳足少陽胆經。由少陽傳足太陰脾經。由太陰傳於足少陰腎經。由少陰傳於足厥陰肝經。此由三陽循經傳於三陰也。

(八)越經傳變。由太陽經不傳陽明。而傳少陽者。由陽明不傳少陽。而傳太陰者。由少陽不傳太陰。而傳少陰者。由太陰不傳少陰。而傳厥陰者。此爲越經傳變也。

(九)表裏二經傳變。傳太陽又傳少陰。傳陽明又傳太陰。傳少陽又傳厥陰。此爲表裏二經傳變也。

(十)首尾二經傳變。傳太陽又傳厥陰者也。

傷寒症有誤汗誤下誤補之害

(一)若頭痛作燒。兩尺脉細遲。爲陰虛之症。不可發汗。咽喉乾燥。口渴心煩。脉沉數津液不足之症。不可發汗。頭疼身熱。胸膈膨悶。脉沉細無力。脾胃虛損。內傷飲食之症。不可發汗。

(二)寒邪傷人先中於表。(絡)次漸入於裏。(經)而表邪不退。不可誤下。若遽下太早。表邪乘虛。入裏必定結胸成爲壞症矣。

(三)傷寒脉浮雖形氣虛弱。不可用補氣法。總得脉象浮退。身涼方可補之。表邪不淨。誤用補法剌之。必成壅塞。閉悶小症。變爲大症矣。

傷寒症有表。裏。陰。陽。陰極似陽。陽極似陰。厥逆症。痙症。續列於下。（並治法）

（甲）若無汗惡寒身熱。頭疼項背疼。脉浮緊其病在表。當發汗。

（刺法）大椎平 合谷補 復溜泄 內庭平

（乙）若胸腹膨悶。不惡寒。反惡熱。脈象沉數。自汗便閉。在病在裏。

（刺法）大陵 合谷泄 中脘 章門 足三里 復溜補

（丙）若頭疼身燒。四肢疼痛。咽乾倦困。譫語顛狂。脈象弦洪者。此爲陽症。

（刺法）三衝出血 少商 肩顒 陽谿 足三里 然谷

（丁）若身涼便清。自汗頭項。緊疼。不煩不燥。不欲飲水。脉沉微者爲陰症。

（刺法）合谷泄 復溜補 風池 大椎 大杼 後谿 三陰交

（戊）身涼四肢厥冷。小便短。大便溏。心煩口燥。脈沉數者。此爲陽症似陰。

（刺法）十三井出血 外關 下脘 關元 陰陵泉 崑崙 太谿

（己）若面色赤紅。小便清滑。大便通利。週身微熱。脈沉遲者。此爲陰症似陽

（刺法）少海　氣海補　關元補　陽谿泄　陰陵泉

（庚）厥症分陽厥陰厥。治法皆以開關竅通血脉則其厥症即通。

（辛）痙症分剛痙柔痙。二症。治法不外散風。通經刺泄陽經脉絡爲主。

（第一一二課　溫疫）

蓋溫病種類繁多。發於春者。爲春溫。發於夏秋者爲暑溫。秋溫濕溫。熱病傳染者。爲溫疫。頭面浮腫者。爲大頭溫。蓋因冬季受病。伏藏臟腑。立春之後。萬物萌生其病遂發鬱熱蒸熾。由內達外。頭疼身熱。面赤唇焦。心煩口渴。二便閉塞。甚則咽喉腫疼。舌胎黃黑。起刺及瘢疹等症。脉象洪大弦數。左大右小皆瘟病之象也。雖然頭疼身熱。類似傷寒。而且忌發汗。須知病在裏。非表症也。更且內含有毒。故有溫毒之一說。治療須詳細辨明。以清其內熱爲主。

治法

（甲）春溫發於春。身熱面赤。唇焦口乾舌燥。舌苔黃厚。大渴索飲。煩燥咳嗽。小便短赤。大便閉結。兩頰紅腫。咽喉乾疼。脉弦數乃鬱熱蘊結。火盛灼金所致也。

刺合谷泄 尺澤泄 通里泄 少商出血 陰陵泉泄 照海 內庭

（乙）風溫發於春夏秋之間。春風夏秋則少春屬木。木能生風之故。頭疼身熱。目淚鼻涕。口乾舌燥。舌苔黃厚。大渴索飲。不惡寒而惡熱。頭項腫疼。脉浮緩而實。乃內熱受風所致也。

刺風府池 上星 絲竹空 尺澤出血 合谷 陽谿 足三里

（丙）暑溫發於伏天。煩燥身熱。自汗怔忡。口渴神昏不清。或吐或瀉。四肢發冷。脉象微虛。乃胃鬱熱。或受暑氣所致也。

刺尺澤出血 支溝 神門 中脘 下脘 足三里 內庭

(丁)秋溫發於秋。頭痛身燒。舌苔滑潤。口渴不欲多飲。身體倦困。不欲動作。小便赤。大便燥。食物減少。脉象洪滑。乃鬱熱兼濕所致也。治宜清熱利便。

刺絲竹空　尺澤　曲池　陰陵泉　足三里　照海

其有熱

(戊)濕溫發於秋。大雨盛行之後。頭痛身重。四肢酸困。無力。小便短赤。大便燥黑。面色灰黃。唇焦口燥。不欲飲水。煩燥不已。發狂譫語。寢不安枕。舌苔黃厚。二便閉結。自汗神昏。脉洪大而數。乃內熱太盛所致。

刺大椎　大杼　曲池　尺澤　十一井出血　委中　陽陵泉　足三里

(己)熱病四季皆有。惟夏季者多。夏屬火。心爲離火。當令所以患熱病生在心經。發於夏令也。此症面赤身熱。唇乾舌燥。口渴煩燥不已。發狂譫語。寢不安枕。舌苔黃厚。二便閉結。自汗神昏。脉象洪大而數乃內熱太盛所致也。

刺十二井 出血 大椎 陶道 靈道 內關 中脘 足三里

然谷 合谷 陰陵泉 崑崙。

（庚）溫疫病發於時令不正。體質稍弱之人。一經感觸。必然心煩。或吐或瀉。腹痛自汗腿肚轉筋等症。此病分陰陽二症。若面赤心煩。口渴飲水脉象數大者爲陽症也。當以下穴治之。

刺上星 合谷 尺澤 支溝 復溜 承山 崑崙 陽陵泉

若面白。或青。四肢厥冷。腹臍作疼。脉遲細者。爲陰症也。

刺十二井 出血 中脘 泄 天樞 灸 氣海 灸 關元 灸 三里 灸

（辛）大頭溫發於春夏秋之間。頭疼身熱。增寒體重。目閉不開。咽乾舌燥。大渴能飲。頭面浮腫。脈浮數。乃內鬱熱毒。外感邪氣所致也。（此病傳染宜避之）。治法如下。

刺合谷　尺澤　列缺　液門　足三里　崑崙　然谷

第一一三課　瀉痢

瀉痢二症。皆生於足太陰脾。足陽明胃。二經發於夏末秋初之際。脾胃屬土。土居於中。六七兩月。爲一年之正中。所以患瀉痢者多。在此二月也。更兼三陰在內。脾胃虛寒。飲食不愼。誤用寒凉。必致病起。又因夏天屬火。心爲離火。正值當令火盛。灼金。金不剋木。木旺尅土。脾胃病漸漸而生。一經飲食失調。必生積滯。脾不運化。非痢即瀉。更有寒熱之分辨也。

(甲)如心煩。口渴唇舌乾燥。小便短赤。大便膿血。裏急後重。脈象沉數而滑。乃濕熱留滯。手足陽明腸胃二經。欲使不利。宜下刺法。

刺商陽　合谷　中脘　期門　氣海　三陰交　足三里

(乙)如面不渴腹疼下墜。腰腿酸困。欲便不利。脈象沉遲乃寒積氣滯所致

也。宜溫中和解治之。（此爲寒痢）

刺中脘　期門　章門　天樞灸　氣海灸　關元灸　三陰交

足三里　大腸俞　脾俞　胃俞　太白

（丙）如面黃煩悶。飲食不進。精神短乏。腹疼便膿。裏急後重。脈象遲滯。而浮病在手陽明大腸。非在足陽明胃經。往往審察不的寒熱不清。鍼不生效。須知脈象遲滯者。乃寒積在內。宜以溫煖扶脾之法。治之庶不致誤。

刺中脘　大橫　元樞灸　關元灸　氣海灸　足三里

刺地機　公孫　三陰交　期門　章門　（以上各穴按症擇用之）

瀉泄分溏瀉水瀉寒熱之別

（一）面赤口乾心煩唇紅。大渴飲水。小便短赤。大便水瀉。腹腸鳴響。脈沉數。乃鬱熱宿食積水。清濁不分。宜以清熱。利水和中法治之。（水

瀉）

刺通里　下脘　水分淺鍼　期門　氣海　膀胱俞　陰陵泉

(二)面黃唇白。不渴不飲。胸膈脹悶。腹臍左右時疼時止。疼即欲便。便即不疼。脈象沉遲有力。乃停滯受寒所致也。治宜溫中。

刺中脘泄　天樞灸　期門泄　臍中灸　關元灸　足三里泄　三陰交平

第一一四課　咳　嗽

肺爲華蓋。居於五臟之上部。其色粉白。最宜潔淨。喜清惡濁。偶經喜怒寒熱之氣。冲觸必犯。咳嗽有聲。無痰爲咳。有痰無聲爲嗽。有聲有痰爲咳嗽。無聲無痰爲欬。有肺受風寒咳嗽者。爲肺傷風。有肺中鬱熱咳嗽者。有肺虛不生腎水。水不制火。熱盛上衝。咳嗽者。有陰虛水虧。虛火上炎咳嗽。而痰喘者。更有肺痿肺癰之症。必須臨症辨明。持鍼治療。自能得心應手矣。法列於下。

（甲）風寒咳嗽。頭鬢疼痛。流涙流涕。吐清痰風沫聲音清亮。煩燥不渴。舌苔白滑。脉象右寸浮緊。乃肺受風寒所致也。宜溫散法治之。

刺風門泄　肺兪灸　合谷　列缺　上星　尺澤

（乙）肺熱咳嗽。頭疼心煩。口乾飲水。吐痰黃稠聲音重濁。脉象洪數。乃內熱蒸熾所致也。宜清金化痰治之。

刺尺澤泄　少商出血　通里　曲澤　肺俞泄　豐隆泄

（丙）肺虛咳嗽。面白容憖煩燥不已。頭鬢。胸脇少腹振動作疼。脉象右寸微小。乃氣虛肺虛治宜多補少泄。

刺肺俞補　三衝出血　合谷平　氣海平　足三里補　三陰交補

（丁）陰虛咳嗽發於冬季。天氣寒涼之際。面黑心煩動則氣喘吐痰。稠粘不利。喜食冷物。脉象兩尺沉細。而數。乃水虧火旺陰火衝動也。

刺期門先泄後補　尺澤平　氣海平　中極補　腎兪補　三陰交平　太白補

第一一五課　霍亂

霍亂症。（西醫名虎列拉）。此症初得。係由口鼻。吸入瘟邪。不正之氣。傳於血管凝滯。血液成藍紫色。患者先覺心胸煩亂。坐臥不安。此爲正氣。受毒素壓迫。旋卽吐泄。交作或吐不泄。或泄而不吐。或不吐不泄。惟倒地昏睡。喚之不醒。如失魂狀。脉必濇滯。血不流通象也。睡至四五小時。氣出生喘。則不救矣。吐瀉者。過四五小時。漸而腿肚轉筋。腹疼冷汗出甚則膝下如冰。面垢眼塌。則轉爲上熱下寒。大虛寒症矣。此霍亂之陰症陽症也。此略解之可知。吐瀉之由來。

病至此時。胃腑中。周圍密布小粒。卽吸津液管也。人飲食入胃。吸管亂吸。津液旋卽布遍週身。人被邪氣先瘀吸津之管。因其細而被瘀滯。飲食入不能吸。停擱。在胃。久不能容非上吐卽下瀉也。所以先用鍼刺尺澤委二穴。出血。血出氣行。吸津管亦隨之而開。吐瀉立止。脉亦通暢。不復澀滯矣。內中熱重者。再取瀉熱之穴刺之。診病而醫家。自有觀面色。驗舌苔之燥爛。而再按症取穴治之。治不得法。任其變相。則轉爲虛寒之旨。茲略述之概人之中焦一團元氣。維持升降。被吐瀉所傷。陰陽分離。人無病時。陽氣藏於丹田。今元氣不能維持。陽不敵陰下焦之陰盛。將陽氣追冲而上。不能合於下。所以下部腿肚轉筋矣。陽愈上升下部愈冷。故腹疼汗出矣。此時孤陽在上。頭面雖陽。氣所能止。然無陰以維之則。面垢眼塌。孤陽在胸胃之間。則上焦之熱不支。病者必口渴欲冷飲。或討要西瓜涼水。不知者一與西瓜涼水。旋踵即死。此時惟腿下如冰。莫誤信是厥深。熱亦深。那是四肢厥逆傷寒。溫疫皆有之。非此獨腿自膝下如冰也。到此時。速用急救之法。刺之先將十井刺出血。腿部委中出血。再刺承山崑崙足三里。再灸臍中關元中極至回陽腿不涼爲度。頃刻即愈。若不如是治之。待其眞陽上越至頭。則上冒而死矣。即古稱爲戴陽症也。總之霍亂諸痧。皆因正氣不足爲邪氣所阻。故濁氣不能呼出。清氣不能吸入。邪正之氣。混亂於中。遂成閉塞。故有瀉而不吐或吐而不瀉。或吐瀉齊發。又有乾霍亂。只要元氣未脫。均可救之。

第一一六課（一）陰症霍亂（西名虎列拉）

（病形）上吐下瀉。四肢厥冷。其劇者。兩目凹大肉陷。絞腸肚疼。

（試法）精神清而嚼薑不辣者。眞寒症也。吐嘔清澈非酸。瀉必清穀不臭。小便清利。口不渴乃爲寒症。

（刺法）中脘　氣海　臍中灸　天突　足三里

（灸法）兩天樞　水分　氣海　神闕　灸至回陽爲止

（二）陽症霍亂

（病形）只吐不瀉。肚亦不疼。四肢不冷。爲陰陽各現象。乃受熱陽症也。

（試法）生黃豆細嚼。不腥者痧也。試病亦解毒。

(刺法)先扶病人坐直。令人下垂。刺 少商出血 尺澤 委中小絡出血

再刺中脘 人中 天樞 關元 氣海 三里 太谿

(三)乾霍亂(又名絞腸痧)

(病形)欲吐不得吐。欲瀉不得瀉。腹中絞疼。者不能吐。利邪不得出。壅遏正氣關隔。陰陽其死甚速。俗名絞腸痧。切勿與穀食米湯下喉即死。

(刺法)尺澤出血 委中出血 三衝出血 上脘 中脘 下脘 三里 崑崙

(四)溼霍亂

(病源)係內有所傷。外有所感。陰陽阻隔。邪正交爭。故上吐下泄。而中絞疼也。邪在上焦則吐。邪在下焦則泄。邪在中焦則吐瀉交作。此濕霍亂也。

(刺法)照陽症刺法。如不大效。再刺 人中 少商 委中 舌尖均出血

(灸法)灸 神闕 天樞 丹田 足三里

(五)痧　症

(病形)腹腸絞痛。四肢均攣。

(治法)先刺十二井　尺澤出血　再刺手三里　足三里

第一一七課　中風

(甲)眞中風。類中風辨證

(病源)血熱內生風。古云治風先理血。血行風自滅。邪在於絡。肌膚不仁。邪在於經。即重不勝。邪入於腑。則不識人。邪入於臟。舌即難言。口流涎。

(一)眞中風。以賊風邪氣所中者爲眞。

(二)類中風。以痰火食氣所發者爲類。

(三)眞中風病狀。一時中風不語。兩目暴突。手足亂舞。痰色黃結成塊。大小便閉塞不通。

(四)類中風。病狀一時卒倒。眼閉口不能言。氣息如無。喉間微有水雞之痰聲。

眞中風。屬於實症少見。類中風。屬於虛症。近年來。所在多見。情形雖然不同。皆不外生活程度日高。嗜慾肥甘不節。消耗傷損精虧。氣衰積痰生熱。所以釀此沉疴也。

急救之法。若非尿遺手撒。即鍼之可救治法。以下列各條。

(治法)(一)刺十二井穴。當出惡血。出血卽效。無血者病重。

(二)灸氣海穴。

(三)灸氣海後刺人中補　承漿平　百會平　中極平　合谷瀉

尺澤泄　足三里泄補　風府泄

(四)如醒後。不能言者再鍼。

間使　地倉　頰車　大椎　陰郄　天鼎平　瘂門

（五）如不能行動者。先鍼無病手足。後鍼有病手足。

上身　手三里　肩髃　曲池　肩髎　申脉　崑崙

下身　環跳　委中　足三里　陽陵泉　絕骨

（己）暴卒惡候不省人事。及腹中絞痛。

（病狀）中風跌倒。暴卒昏沉。面色青白痰涎壅滯。牙關緊閉。不省人事。

（治法）刺十二井（出血）太谿　崑崙（均大灸）

還陽九鍼亦效

啞門。勞宮。三陰交。湧泉。太谿。中脘。環跳。三里。合谷。

（丙）中風預防法。

（病狀）未中風之前。一二月或數月前。不時手足脛發酸痲痺自動。良久方解。將有中風之兆也。

（治法）足三里（二穴）絕骨（二穴均灸）大椎（針灸）丹田（針灸）尺澤（針

（丁）半身不遂。

（病狀）凡覺手足麻痺或疼痛無常。即氣血錯亂。以致手足不遂。

（治法）（一）上身　肩髃　曲池　陽池　百會　合谷

（二）下身　環跳　風市　三里　絕骨　崑崙

（三）手拘攣不能握物者。或指疼不能伸。

外關　手三里　八邪

（四）足麻不仁或膝疼難行

陽陵泉　承山　崑崙　八風　行間　絕骨

第一一八課　癱瘓症

（病狀）風痰滯經血氣相搏精敗左者爲癱。氣敗右者爲瘓。

（治法）曲池　陽谿　合谷　中渚　足三里　陽附

崑崙　行間　風市　坵墟　陽陵泉　絕骨

(一)頭不能回顧　加鍼　大椎　天柱　頭維

(二)如不能言　加鍼　啞門(後針)　風府　百會

(三)如腰疼　加鍼　四髎穴(參取之)　委中　人中　崑崙

(己)中風邪

(病狀)兩目暴突不識人如醉如狂。力大無朋。必須縛而鍼之。

(治法)中脘　氣海　章門

(庚)口眼喎斜

(病狀)多因臥睡當風受風邪入絡凝滯不散。鍼後稍灸。

(治法)人中　承漿　頰車　地倉　大椎　童子髎

(辛)鶴膝風

(病狀)膝蓋處腫大疼痛不能走。惟上下均極瘦此毒入骨髓。

(治法)光鍼　膝關　膝眼　更宜灸　再鍼下穴

（一）先刺　曲池　尺澤　風府　爲病之根源

（二）次刺　陰陵泉　陽陵泉　去膝腫多灸爲宜

（壬　鵝掌風

（病源）多因房事不慎泄精之後手洗冷水。或心經誤被感觸。或冷足犯雨露小傷血之證。乃心腎二經乘虛而受毒也。

（病狀）生於手掌之中。或足。面上。白屑。疊起。癢。不可忍。

（治法）手上連絡。各經擇取之。

尺澤　曲池　三里　少海　神門　八邪　勞宮

間使　外關　阿是穴

足上連絡。各經擇取之。

解谿　太谿　崑崙　陰陽陵泉　絕骨　三陰交

鍼後酌灸之。　（治此症宜防暈鍼）

（癸）癎症

羊癎　吐舌目瞪。聲如羊鳴。刺鳩尾、百會、風府、湧泉、神庭、

牛癎　直視腹脹。刺鳩尾、大椎、

馬癎　張口。搖頭反張。刺百會、神庭、風府、膻中、僕參、金門

犬癎　聲鳴如犬吠。灸勞宮、申脉、

雞癎　善驚反折。手掣自搖。刺曲池、靈道、金門、足臨泣、內庭、

豬癎　如尸厥吐沫。刺百會、率谷、水溝、腕骨、湧泉、勞宮、崑崙

第一一九課　咽喉

病源　咽喉爲肺之關胃之門。少陰心經之所絡。肝經衝脉之所夾。故咽喉症未有不關係此四經者。

病狀　（一）咽喉症而聲不清利者。爲肺火。

（二）咽痛而飲食不利者。爲胃火。

（三）咽喉疼而上氣頰赤者。爲肝經衝脉。逆火上炎也。

病名狀（一）熱氣上行。故傳於喉之兩旁。爲腫爲疼。立爲八名。

（一）喉之兩旁腫疼。曰乳蛾。一爲單。二爲雙。

（二）較乳蛾差小者。曰閉喉。一爲單。二爲雙。

（三）熱結舌下復生一小舌。曰子舌脹。

（四）熱結於舌中而爲腫。曰木舌脹。（木者强而柔和也）

（五）熱結咽喉腫。繞於外。且麻且疼而大者。曰纏喉風。

（六）暴發暴死者。曰走馬喉閉。

以上諸病名。總不外熱結炎上之理。治之之法。刻不容緩。以其係要害機關。非爲走馬喉閉生死在反掌。即他喉症亦皆危險可懼。

治法 看係某經。火熱。所致。則先瀉某經之火。

（一）病在手太陰肺經者。

刺少商　尺澤　經渠　列缺　魚際

(二)病在手陽明大腸者。

刺合谷　二間　三門　曲池　商陽　陽谿　頰車

(三)病在手少陽手厥陰者。

刺液門　中渚　關衝　外關　支溝

(四)病在手少陰心經者。

刺內關　大陵　間使　中衝

(五)病在任衝二脉者。

刺中脘　天突　膻中灸

注意　天突一穴治喉必鍼之所。加鍼大迎。少商。見效最速。十愈其九。

第一二〇課　痞塊刺法（即癥瘕）

病源　此症多由寒氣凝結者。有由熱邪積聚者。有血結成者。有痰結成者有由脾胃消化力弱結成者。

病狀 有堅硬如石者。有和軟移動者。有大有小其形狀不一。其地位亦無定。有橫懸心下者。有盤居腹中者。有見於臍之上下左右者。內經所謂奔豚伏梁及癥瘕之類是也。以鍼灸治之者。諸書多欵詳明。總之不離腹之上下左右。及任脉腎脉胃脉衝脉肝脈遠近之間也。

治法 （一）無論男女老幼。凡有積聚成塊者。必先詳問。若辨痞塊之地位方向。如塊在任衝兩脉。則就任衝兩脉取穴鍼之。如此類推。雖距經較遠。無穴可取。亦於塊中就近取穴。鍼之。以和其氣。鍼過後。必於是經下邊復取一穴。以開其路。

（二）至鍼之至幾次。不可預定。輕而近日者。一二次即可消化。若積年久者。不妨多取幾穴。多鍼幾次。更須鍼下多留時間。

(三)鍼之深淺。不必預定。鍼下覺疼覺麻。或氣散上下左右。串疼即是傷着病塊。醫者察顏觀色。勤問深入透痞爲止。惟不可粗心大意。恐傷腑部。

(四)如係寒氣凝結者。必堅硬起。鍼後就穴宜多灸。如病塊和軟者宜少灸。或不灸亦可。

(五)凡刺氣血積滯。除照上列各法而外。必須上下交開方生速效。

(六)凡新症即刺即愈。舊症其來也。漸而久其去也。徐而遲。

第一二一課　脾胃病

(甲)翻胃吐食

病源　飲水食物不受爲之噎。故名曰有五曰氣。水。食。勞。思。等噎隔。亦有三曰痰。氣。蟲。等隔。有可治不可治者。病初多因酒色過度。或房事不節。或胃經受寒。或多食冷物生虫。

病伏　嘔吐酸水或食。物即時吐出。或飲食後一日方吐出者。或二三日吐出者。乃脾胃枯絕不能剋化。或胃脘氣隔。或阻塞。病輕數次即愈。日久重者。面黃肌瘦難瘳。

治法　上脘　中脘　下脘　膻中（禁深針）　建里　肺俞　脾俞

胃俞　三里　太白　大陵　支溝　膈俞　大腸俞

（乙）翻胃

病狀　胃脘結氣。食下頃刻吐出。

治法　先刺下脘　三里　胃俞　膈俞（灸）　中脘　脾俞

（丙）食不消

病狀　脾胃衰弱。食下不能消化。

治法　天突　中脘　氣海　三里　天樞

禁忌　油膩　硬食　生冷　酒色　氣惱

（丁）胃氣疼

病類　有九種。虫、食、痛、心痺、冷疼、陰陽不升降。怒氣冲心。寒瘀胃脘。

治法　何處疼先按何處附近取穴鍼之。太白。氣海。三里。三陰交。間使　中脘。上脘。大陵。內關。曲澤。（以上擇取之）。

第一二二課　頭面

頭疼。有外感於三陽。頭疼有陰虛虛火上炎。頭疼有腎經頭疼。有疼在天庭者。有疼在兩太陽者。有疼者後腦海者。

治法　百會　神庭　上星　風池　列缺　絲竹空　瞳子髎　頭維　攢竹　角孫　合谷　足三里　太谿（以上諸穴擇取之）

耳聾。老年人多因腎虛者。壯年人多因三焦火旺之。

治法　聽宮　聽會　翳風　列缺　支溝　中渚　液門　合谷　崑崙　太谿　三陽交　以上各穴擇取之。

眼疾。有紅腫滾疼者。有翳膜朦蔽者。有不紅不腫而膜疼者。總不外內火上炎。外受風邪。以鍼瀉其風火。而目自明矣。

治法 神庭 上星 攢子 睛明 童子髎 絲竹空 魚腰

曲池 尺澤 合谷 列缺 液門 中渚 支溝

足三里 太谿 光明（以上各穴按症擇取之）。

第一二三課 痎瘧

病源 經云夏傷乎暑。秋必痎瘧。謂夏令傷於暑。邪甚者。卽患暑病。微者則舍於營。復感秋氣凉風。與衛幷居。則暑與風凉合邪。遂成痎瘧矣。多因痰、飲、停滯。氣血耗散。脾胃虛敗。飲食不節之所致也。

病狀 考古有十六瘧之名。臨症之時。不可不知詳述於後。

（一）暑瘧 惡寒壯熱。煩渴索飲。

(二)風瘧　寒少熱多。頭疼自汗。

(三)寒瘧　寒長熱短。頭疼無汗。

(四)溼瘧　寒重熱輕。一身盡疼。

(五)溫瘧　先熱後寒。因冬令伏氣。

(六)瘴瘧　發時昏悶。因感山嵐瘴氣。

(七)癉瘧　獨寒無熱。

(八)牝瘧　寒多熱少。不兼他症。

(九)痰瘧　頭疼目眩。瘧發昏迷。

(十)食瘧　寒熱交并。噫氣惡食。

(十一)疫瘧　沿門合境。症皆相似。類是瘟疫所傳染最速亦遠此爲流行症

(十二)鬼瘧　寒熱同作。多生恐怖。

(十三)虛瘧　元氣本虛。感邪患瘧。

（十四）勞瘧　瘧疾患久。遇勞即發。

（十五　瘧母　經年不愈。結成痞塊。藏於脇腹。

（十六）三日瘧　邪客於肺間。兩日而發作者。

更有似瘧非瘧之伏暑。亦因伏天受暑而發於秋。最難速愈。秋發後新邪欲入伏氣。欲出以致寒熱爲瘧。或微寒或微熱午後重。夜更劇倘秋時炎熱於夏。而內并無伏氣。其見症與陽暑相似者。名爲秋暑以上之症。皆在乎秋。今附論於此蓋恐誤認爲瘧耳。

上列種類繁多。不過籍以參考。欲求深研參閱時病論可也。若以鍼灸治療。其法甚簡。勿畏其繁也。

治法　以下列治法。均在未發以前。約隔一點餘鐘治之。

（一）先寒後熱。風池　百會　膏肓　肺俞　至陽

（二）先熱後寒。大椎　膏肓　絕骨　曲池　合谷　三里

(三)熱多寒少。後谿　間使　曲池　百會　合谷　三里　中脘　嘔取

(四)寒多熱少。後谿　百會　曲池　至陽　風池　然骨

(五)久瘧不愈者開膏肓。至陽及各開一寸二穴。

再灸肺俞　灸大椎　灸腰俞　灸腎俞

(六)不食者加鍼。公孫　內庭　心煩者加鍼　神門　大陵

第一二四課　瘡毒

病源　瘡瘍之症。原因不一。有寒凝者。有熱結者。有因風厲而結者。有因溼鬱而結者。其發現之地位。原無一定。而在陰在陽亦各有殊。皆因寒邪客於經絡之中。以致血流不通。而成癰疽。癰輕而疽重。癰症屬陽。多生於陽面。疽症屬陰。多生於陰面。

病狀　(一)癰症陽滯於陰。則爲腫。有頂而熱。皮面光澤。

(二)疽症陰滯於陽則爲腫。無頂而冷皮膚。起紋不澤。內暈廣大。

（癰主陽多熱。疽主陰多寒）。

治法 （一）從背出者。選取太陽經之。至陰　通谷　束骨　崑崙　委中

（二）從鬢出者。選取少陽經之。竅陰　俠谿　陽輔　陽陵泉

（三）從髭出者。選取陽明經之。厲兌　內庭　陷谷　足三里

注意 凡治癰疽。除按經絡。刺各穴外。再加鍼騎竹馬穴。以泄心中熱毒。

阿是穴鍼法 癰疽多鍼少灸。除取各經鍼外。再由患處。向隔一二寸以外。周圍均要鍼之。每鍼距離一二寸之遠。臨時酌量。瘡之地盤大小。由外而內。施轉鍼之鍼後。少灸或不灸亦可。

・・羊毛疔

病狀 初起頭疼寒熱。胸背有紅點。如疹子形。

治法 先用銀鍼挑破。取出羊毛。再用雄精末二分。青布包扎醮。熱燒酒。先在前心。瘡上一二寸外團圍擦之。漸漸擦入。瘡眼其毛。奔至

後心。再於背部照前擦之。其羊毛盡拔於布上。速連布埋入土中。以防傳染。

跌打瘀血作疼

病源　跌打損傷。與瘡無異。亦是一時氣血筋骨被傷。或血瘀或氣滯。血不流則阻氣。氣不通則滯血故腫疼。久不愈則成瘡矣。

病狀　除筋斷骨折不治外。餘皆按治瘡法調治亦宜　先辨經絡何處。經絡被傷。凝滯則從該經上下左右。調理其氣血如已出血可用炮薑炭爲末。敷患處。即可止血。

第一二五課　婦女諸病

病理　婦女病與男子異者。以有天癸胎產也。故於天癸胎產而外。論病皆治從男子古人論。女子天癸未行屬少陰。天癸即行之後屬厥陰。天癸已絕屬太陰。則女子天癸之未行與已絕。其治法皆無異於男子。惟天癸既行而後。須處處顧及衝任兩脈耳。然亦不可太拘泥。經云百病生於氣。如火因怒動而逼血妄行。以致氣逆於上。而脉痛喘急者。此傷陰氣也。

如鬱怒所傷。木鬱無伸。致侵脾氣爲嘔。爲脹。爲飲食不行陷。而爲瀉此傷陽氣也。

女子以血爲主。經脉調和。往來有准。舊血既蓄。新血復生。何病之有。設或閉焉。則新血滯。而流舊血凝。而日積諸病叢生。

治法　婦人有先病而後致經血不調者。當先治病。兼調經。有因經不調。而後生諸病者。當先調經兼治病。

(一)經水兩月未行者爲並月。

(二)經水三四月未行者爲經閉。

(三)五六月未行者爲乾血癆。

(四)八九月未行者爲雜疾病。

注意 若見咳嗽。溏泄乳乾。喉疼乃陰虧敗象。皆難治矣。無論因渴飲冷物所致。或冷水洗浴。寒氣入內。或墜胎多產。傷血。或久患潮熱而失其血。或久發盜汗。而耗其血。或脾胃不和。飲食減少。而不能生血。或肝瘀所致。氣逆血凝。種種不勝枚舉。皆能令人經閉。多致氣弱新血難生。舊血不行。血凝日聚結成痞塊。治者宜神而明之。

治法 (一)經血不調結成痞塊。須順腹內經絡取穴以調其氣。

兩天樞 寒者針後多灸 氣海 血海 三陰交 三里

(二)乾血癆先鍼痞塊。氣海 血海 三陰交 復溜

合谷 足三里 陰陵泉

(三)血崩 刺 氣海 腎俞 陰谷 中極 關元 血海

(四)經水逆行由口鼻而出刺 中脘 氣海 合谷 三里

血海 三陰交

(五)產後惡露不止 氣海 關元 合谷 三里

(六)子冲逼心氣悶欲絕 氣海 留神後針 合谷 補 三陰交 泄

三里 泄 中脘 平 （查孕婦禁鍼穴頗多合谷三陰交三里氣海皆不宜鍼愼之）。

(七)不妊鍼關元。灸 關元左右各開二寸 灸 三陰交 補 陰交 灸

第一二六課 帶症

病源 帶下令人不產。宜急治之。帶症原因有六。

(一)因心旌之搖。旌爲首 則命門虛。命門虛則失其所守。

(二)因多慾之滑。情慾無度。縱肆不節。則精道滑而命門不禁。

(三)因房事之逆。情與中止止則逆。逆則爲濁爲淋。

(四)有因溼熱下流者。

(五)有因虛寒不固者。

(六)有脾胃虛陷（爲痿爲）而不能收攝者。（可作參體）

治法　帶脈　氣海　關元　三陰交　間使　血海　三里

白環俞灸　膀胱俞　小腸俞　腎俞

(一)白帶宜補脾舒肝。(二)青帶宜解肝利膀胱。

(三)黃帶宜補任脈清腎水。(四)黑帶宜泄胃與三焦之火。

(五)赤帶宜清肝扶脾。

(九)產後熱入血室。

病源　產後調經不善血室空虛。熱邪乘虛而入。寒熱往來。頭疼譫語。有汗或無汗。

治法　風池大泄　百會平　合谷平　尺澤平　期門多泄少補　中脘平　三里平

(十)癥瘕血塊。

病源　氣血結腹中堅而不動者爲癥。和軟移動者爲瘕。

治法　宜刺兼灸　三里　血海　二穴

又　先灸三壯再用鍼泄之泄後再灸三壯。

第一二七課　雷火鍼

雷火鍼太乙鍼之灸法被艾炷灸法效力偉大。更易透肌膚無灸成瘡痏之害。太乙鍼始自唐代久已。失傳自清雍正時潮州鎮軍范培蘭。傳以此法療病無算雷火鍼方見瘍醫大全。功用治風寒濕氣附骨疽。

藥品　蘄艾一兩　硃砂二錢　穿山甲土炙　桃皮　草烏　川烏
乳香　雄黃　沒藥　硫磺　各一錢　麝香五分

製法　共爲細末以蘄艾鋪於紙上入藥末三錢。捲成筒形如太乙神鍼擇吉日。將藥筒入瓶內。以箬葉油紙封口埋屋中地下四十九日取出。用時先於患處用紅布摺二十四層。將鍼燈上點著隔布按穴鍼之。患內熳極即止切忌冷水。

艾炷灸法　將蘄艾葉擇淨去梗晒干搗成細絨篩淨末。以手捻成棗核式。灸時按應用之穴。以薑片放於穴上。將艾炷立於薑上燃著。著盡再換一炷。凡一炷即爲一壯。

硫磺灸法　以硫磺爲末和以艾絨作炷。用灸大寒症。

巴豆灸法　以巴豆霜和艾絨作炷灸之。用灸寒熱結於胸腹之症。

桑枝灸法　以桑枝爲粗末和艾絨作炷灸之。用灸以肺病。

灸之補瀉

灸臍上各穴爲補灸臍下各穴爲瀉。譬如患腹痛者。先灸上中下脘各穴待痛止必再灸三里。三壯。以和其氣餘病類推。

第一二八課　經外奇穴

四花穴　用繩奪脖兩頭比齊至鳩尾。然後掐住轉至背脊骨中繩之盡處。先用筆點記。再以繩量口爲誌。上下左右繩之盡處爲四穴。

圖　主治癆瘵

騎竹馬穴　取法用杆量尺澤至中指尖。然後坐下將杆由坐處立起上頭盡處至脊骨中。用筆點記。再以繩量口。然後將繩橫誌點記處。兩頭即兩穴先鍼後灸。

治瘡症

耳尖　捲耳取之上端。是穴主治眼生翳膜。灸五壯。

聚泉　舌正當直縫中央是穴。主治咳嗽舌强。鍼三分。

左金津。右玉液　舌下兩旁紫脈上。主治重舌喉閉。鍼一分。

海泉　舌下中央脈上。主治消渴。鍼一分。

魚腰　兩眉中間直對瞳子。主治眼生垂簾翳膜。鍼一分。

大骨空　兩手大指中節上。主治眼痛內外障。禁鍼。灸七壯。

中魁　兩手中指中節上。主治反胃吐食。禁鍼。灸七壯。

大都　兩手大指次指虎口赤白肉際握拳取之。治頭風牙痛。鍼一分灸七壯

上都　兩手食中二指本節岐骨間握拳取之。鍼一分灸五壯。

中都　兩手中指無名指本節岐骨間。鍼一分灸五壯。

下都　兩手小指無名指本節岐骨間。鍼一分灸五壯。

以上三都主治手臂紅腫

八風　兩足五指岐骨間只八穴。主治足面紅腫。各鍼一分灸五壯。

五虎　兩手食指及無名指第二節骨間共四穴。治五指拘攣。灸五壯。

肘尖　肘間尖骨端屈肘得之。主治瘰癧。灸五壯。

肩柱骨　在兩肩端起骨尖上。主治瘰癧手不能舉。灸七壯。

二白　在掌後直上四寸一手二穴。一在兩筋間。一在大筋外治脫肛痔漏。鍼二分。

獨陰　兩足第二指下横紋中。治小腸疝氣死胎胎衣不下。灸五壯。

内踝尖　兩足内踝骨尖。主治下牙痛脚轉筋。灸七壯。

囊底　在腎囊下十字紋中。主治囊底搔癢腎病。灸七壯。

鬼眼　兩手兩足大指内側去爪甲角如韮葉治鬼病五癎。灸三壯。

第一二九課　奇穴

髖骨　在膝下中央各開一寸五分兩足四穴。主治腿疼。灸七壯。

池泉　兩手腕陽池陽谿之中間。主治心腹疼中風氣疼。灸七壯。

小骨空　兩手小指第二節尖。主治目痛手節疼。灸七壯。

子宮　在肚臍直下四寸各旁開三寸。主治婦人不孕。鍼二寸灸二七壯。

四縫　兩手四指内中節共八穴。主治小兒猢猻勞（即痞積）鍼一分令出血。

高骨　兩手腕前高骨上。主治手上諸病。鍼一分灸七壯。

闌門　兩腿腕内側横紋頭上下各開三寸（即血海）治七疝奔豚。鍼八分。

百虫囊　在腿內側膝上三寸鍼治下部生瘡月經不調。鍼五分灸二七壯。

鬼哭　兩手大指內側即少商穴以艾灸之。治鬼魅狐惑恍惚振噤。

卒死　兩足大指內側卽隱白穴以艾灸之治急壓暴卒。

精宮　在背十椎下各開三寸。主治夢遺灸七壯。

精舍　在背十四椎下各開四寸卽志室主治遺精。灸十四壯。

腰眼　令病人兩手舉上略轉後些。則腰上有兩陷可見。即於此穴灸之主治癆虫。

痞根　在背十一二椎下各開三寸半左右俱灸。治痞塊

痓忤　乳後三寸男左女右灸之。主治口痓客忤中惡。

三角　用草量病人口角摺為三段成三角形一角按臍中餘二角所至處。各灸五壯。主治偏墜疝痛小便不通。

乳根　在乳下相隔一肋骨。主治翻胃積聚。鍼三分灸三壯。

腸結　在背四椎下各開一寸。主治腸風諸痔。灸三壯。
中宛　兩手中指中節宛中。主治瘕風贅瘤諸惡瘡。灸三壯。
印堂　兩眉正中鍼一分治小兒驚風鍼下不哭不治之症。
通關　中脘各開五分。主治腹疼積聚　鍼五分。

鍼灸講義終